연마수학 탄탄한 기본기 체계적 연마

KB085238

참 쉬운 3점

시험에 잘 나오는 기출 유형 체계적 공략 [2+**3**점짜리] 고등 **수학** II

참 쉬운 3점 수학

특징

이 책은 쉬운 유형의 문제로 기본기를 탄탄하게 다지고 문제 해결 능력을 강화하여
수능 및 학교 시험의 쉬운 문제를 완벽하게 해결할 수 있습니다.

쉬운 기출 유형과 개념 이해로 탄탄한 기본기 강화

- 교과서 핵심 개념 및 기본 공식, 이전에 배운 내용, 핵심 첨삭 등의 부가 설명으로
  기초가 부족해도 쉽게 유형을 정복할 수 있습니다.
- 쉬운 기출 유형과 맞춤 해법으로 개념을 확실하게 익힐 수 있습니다.

단계별 Action 전략으로 문제 해결의 원리와 스킬 터득

- 기출 유형의 체계적 정복을 위한 단계적 Action 전략 제시로 2, 3점짜리 문제를
  완벽하게 공략합니다.
- 문제 해결의 원리 터득으로 기본기를 강화합니다.

최신 출제 경향에 딱 맞춘 적중 예상 문제로 실전 능력 강화

- 최신 출제 경향에 따른 빈출 문제, 신유형 문제에 대한 실전 능력을 키울 수 있습니다.
- 문제 해결의 원리 터득으로 기본기를 강화합니다.

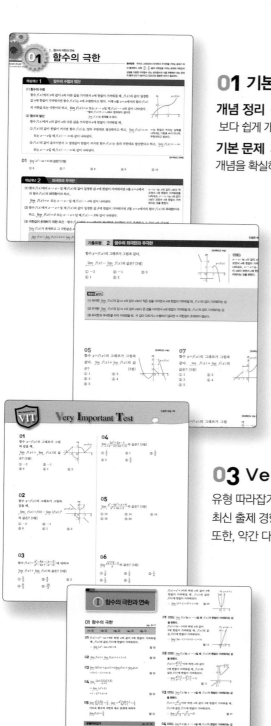

참 쉬운 3점 수학 구성

01 기본 학습

개념 정리 문제 해결에 필요한 필수 개념, 이전에 배운 내용, 개념 이해를 돕는 첨삭을 통해 보다 쉽게 개념을 이해할 수 있도록 하였습니다.

기본 문제 개념과 공식을 곧바로 적용해 볼 수 있는 2점짜리 기출문제를 다루어 개념을 확실하게 익힐 수 있도록 하였습니다.

02 유형 따라잡기

수능 및 학력평가에 출제되었던 3점짜리 문제의 핵심 유형을 선정하고, 해당 유형 해결책을 알려 주는 '해결의 실마리'를 제시하였습니다. 또한, 문제 해결 과정에서 적용해야 할 Action 전략을 제시하여, 문제 풀이의 맥락을 쉽게 알 수 있도록 하였습니다.

03 Very Important Test

유형 따라잡기에서 다루었던 기출문제를 토대로, 최신 출제 경향에 맞추어 출제가 예상되는 문제를 중심으로 출제하였습니다. 또한, 약간 다른 형태의 문제도 제시함으로써 실전 적응력을 기를 수 있도록 하였습니다.

04 정답과 해설

풀이를 보고도 이해를 하지 못하는 경우가 없도록 자세히 풀이하였습니다. 알찬 해설이 되도록 문제 해결 과정에서 풀이의 맥락을 알려주는 Action 전략, 특별히 보충해야 할 공식과 설명, 수식 계산의 팁 등으로 구성하였습니다.

참 쉬운 3점 수학

이 책은 쉬운 유형의 문제로 기본기를 탄탄하게 다지고
문제해결 능력을 강화하여 수능 및 학교 시험의
쉬운 문제를 완벽하게 해결할 수 있습니다.

학습방법

필수 개념 익히기

필수 개념, 이전에 배운 내용, 첨삭의 내용을 이해하고 2점짜리 기출 기본 문제를 풀어
개념을 확실히 익힙니다.

기출 유형별 Action 전략 마스터하기

기출 유형으로 제시된 3점짜리 기출 문제와 함께 '해결의 실마리'를 보고 어떻게 문제를 풀 것인지
생각한 후, 단계별 Action 전략을 따라서 풉니다. 동일한 유형의 문제를 통해 앞서 익힌 풀이 전략을
집중 연습하여 문제 해결의 원리를 확실하게 마스터합니다.

최신 출제 경향 문제로 실력 다지기

실전과 같이 해답을 보지 말고 앞에서 익힌 문제 해결의 원리를 적용하여 풀어 봅니다.
틀린 부분이 있다면 유형 따라잡기의 '해결의 실마리' 부분을 다시 한번 복습합니다.

c o n t e n t s **차 례**

01 함수의 극한

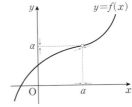

출제경향 주어진 그래프에서 좌극한과 우극한을 구하는 문제가 매년 출제된다. 또한, $\frac{\infty}{\infty}$, $\frac{0}{0}$ 꼴의 극한값을 구하는 문제와 극한값의 성질을 이용한 이차함수 또는 삼차함수의 식을 추론해야 하는 문제의 출제 빈도가 높아지고 있으므로 충분한 대비가 필요하다.

핵심개념 1 함수의 수렴과 발산

(1) 함수의 수렴

함수 $f(x)$에서 x의 값이 a와 다른 값을 가지면서 a에 한없이 가까워질 때, $f(x)$의 값이 일정한 값 α에 한없이 가까워지면 함수 $f(x)$는 α에 수렴한다고 한다. 이때 α를 $x=a$에서의 함수 $f(x)$의 극한값 또는 극한이라 하고, $\displaystyle\lim_{x\to a} f(x)=\alpha$ 또는 $x\to a$일 때 $f(x)\to\alpha$와 같이 나타낸다.
└→ 함수 $f(x)$가 $x=a$에서 정의되지 않아도 $\displaystyle\lim_{x\to a} f(x)$는 존재할 수 있다.

(2) 함수의 발산

함수 $f(x)$에서 x의 값이 a와 다른 값을 가지면서 a에 한없이 가까워질 때,

① $f(x)$의 값이 한없이 커지면 함수 $f(x)$는 양의 무한대로 발산한다고 하고, $\displaystyle\lim_{x\to a} f(x)=\infty$

또는 $x\to a$일 때 $f(x)\to\infty$와 같이 나타낸다.

∞는 한없이 커지는 상태를 나타내는 기호로 수가 아니며, 무한대라고 읽는다.

② $f(x)$의 값이 음수이면서 그 절댓값이 한없이 커지면 함수 $f(x)$는 음의 무한대로 발산한다고 하고, $\displaystyle\lim_{x\to a} f(x)=-\infty$

또는 $x\to a$일 때 $f(x)\to-\infty$와 같이 나타낸다.

[2017학년도 교육청]

01 $\displaystyle\lim_{x\to 0} (x^2-4x+9)$의 값은? [2점]

① 6   ② 7   ③ 8   ④ 9   ⑤ 10

핵심개념 2 좌극한과 우극한

(1) 함수 $f(x)$에서 $x\to a-$일 때 $f(x)$의 값이 일정한 값 α에 한없이 가까워지면 α를 $x=a$에서의 함수 $f(x)$의 **좌극한**이라 하고,

$\displaystyle\lim_{x\to a-} f(x)=\alpha$ 또는 $x\to a-$일 때 $f(x)\to\alpha$와 같이 나타낸다.

$x\to a-$는 x의 값이 a보다 작으면서 a에 한없이 가까워짐을 나타내고, $x\to a+$는 x의 값이 a보다 크면서 a에 한없이 가까워지는 것을 뜻한다.

(2) 함수 $f(x)$에서 $x\to a+$일 때 $f(x)$의 값이 일정한 값 β에 한없이 가까워지면 β를 $x=a$에서의 함수 $f(x)$의 **우극한**이라 하고, $\displaystyle\lim_{x\to a+} f(x)=\beta$ 또는 $x\to a+$일 때 $f(x)\to\beta$와 같이 나타낸다.

(3) 극한값이 존재하기 위한 조건 : 함수 $f(x)$에서 $x=a$에서의 좌극한과 우극한이 모두 존재하고 그 값이 α로 같으면 $\displaystyle\lim_{x\to a} f(x)$가 존재하고 그 극한값은 α이다. 또 그 역도 성립한다.

$$\lim_{x\to a-} f(x) = \lim_{x\to a+} f(x)=\alpha \iff \lim_{x\to a} f(x)=\alpha$$

[2019학년도 수능 모의평가]

02 함수 $y=f(x)$의 그래프가 그림과 같다. $\displaystyle\lim_{x\to 1-} f(x) + \lim_{x\to 2+} f(x)$의 값은? [3점]

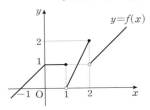

① 1   ② 2   ③ 3
④ 4   ⑤ 5

핵심개념 3 ▶ 함수의 극한에 대한 성질

$\lim_{x \to a} f(x) = \alpha$, $\lim_{x \to a} g(x) = \beta$ (α, β는 실수)일 때

① $\lim_{x \to a} \{cf(x)\} = c \lim_{x \to a} f(x) = c\alpha$ (단, c는 상수)   ② $\lim_{x \to a} \{f(x) + g(x)\} = \lim_{x \to a} f(x) + \lim_{x \to a} g(x) = \alpha + \beta$

③ $\lim_{x \to a} \{f(x) - g(x)\} = \lim_{x \to a} f(x) - \lim_{x \to a} g(x) = \alpha - \beta$ ④ $\lim_{x \to a} \{f(x)g(x)\} = \lim_{x \to a} f(x) \lim_{x \to a} g(x) = \alpha\beta$

⑤ $\lim_{x \to a} \dfrac{f(x)}{g(x)} = \dfrac{\lim_{x \to a} f(x)}{\lim_{x \to a} g(x)} = \dfrac{\alpha}{\beta}$ (단, $\beta \neq 0$)

03 두 함수 $f(x)$, $g(x)$에 대하여 $\lim_{x \to 1} f(x) = -1$, $\lim_{x \to 1} g(x) = 4$일 때, $\lim_{x \to 1} \{2f(x) + g(x)\}$의 값은? [3점]

① -2 ② -1 ③ 0 ④ 1 ⑤ 2

핵심개념 4 ▶ 함수의 극한값의 계산

(1) $\dfrac{0}{0}$ **꼴의 극한**

  ① 분모, 분자가 모두 다항식인 경우 : 분모, 분자를 각각 인수분해하여 약분한다.

  ② 분모, 분자 중 무리식이 있는 경우 : 근호가 있는 쪽을 유리화한다.

(2) $\dfrac{\infty}{\infty}$ **꼴의 극한 :** 분모의 최고차항으로 분모, 분자를 각각 나눈다.

(3) $\infty - \infty$ **꼴의 극한**

  ① 다항식인 경우 : 최고차항으로 묶는다.   ② 무리식이 있는 경우 : 분모를 1로 보고 분자를 유리화한다.

(4) $\infty \times 0$ **꼴의 극한 :** 통분하거나 유리화하여 $\dfrac{0}{0}$, $\dfrac{\infty}{\infty}$, $\infty \times c$, $\dfrac{c}{\infty}$ (c는 상수) 꼴로 변형한다.

[2016학년도 수능]

04 $\lim_{x \to -2} \dfrac{(x+2)(x^2+5)}{x+2}$의 값은? [2점]

① 7 ② 8 ③ 9 ④ 10 ⑤ 11

핵심개념 5 ▶ 함수의 극한의 대소 관계

두 함수 $f(x)$, $g(x)$에서 $\lim_{x \to a} f(x) = \alpha$, $\lim_{x \to a} g(x) = \beta$ (α, β는 실수)일 때, a에 가까운 모든 실수 x에서

① $f(x) \leq g(x)$이면 $\alpha \leq \beta$

② 함수 $h(x)$가 $f(x) \leq h(x) \leq g(x)$이고 $\alpha = \beta$이면 $\lim_{x \to a} h(x) = \alpha$

05 함수 $f(x)$가 모든 양의 실수 x에서 $\dfrac{x^2 + 2x}{3x^2 + 2} \leq f(x) \leq \dfrac{x^2 + 4x + 1}{3x^2 + 1}$을 만족시킬 때, $\lim_{x \to \infty} f(x)$의 값은? [3점]

① $\dfrac{1}{3}$ ② $\dfrac{2}{3}$ ③ 1 ④ $\dfrac{4}{3}$ ⑤ $\dfrac{5}{3}$

기출유형 01 함수의 수렴

$\lim\limits_{x \to 5} (x^2+1)$의 값을 구하시오. [3점]

[2017학년도 교육청]

Act ❶

$\lim\limits_{x \to a} f(x)$는 $x \to a$일 때 $f(x)$가 한없이 가까워지는 값을 뜻한다.

해결의 실마리

(1) x의 값이 a에 한없이 가까워질 때, $f(x)$의 값이 일정한 값 α에 한없이 가까워지면 함수 $f(x)$는 α에 수렴한다고 한다. 이때 α를 $x=a$에서의 함수 $f(x)$의 극한값 또는 극한이라 하고, 다음과 같이 나타낸다.

$\Rightarrow \lim\limits_{x \to a} f(x)=\alpha$ (또는 $x \to a$일 때 $f(x) \to f(a)$)

(2) $f(x)$가 다항함수이면 $\Rightarrow x \to a$일 때 $f(x) \to f(a)$이다. 즉 $\lim\limits_{x \to a} f(x)=f(a)$

(3) 유리함수 $\dfrac{f(x)}{g(x)}$에 대하여 $g(a) \neq 0$이면 $\Rightarrow x \to a$일 때 $\dfrac{f(x)}{g(x)} \to \dfrac{f(a)}{g(a)}$이다. 즉 $\lim\limits_{x \to a} \dfrac{f(x)}{g(x)}=\dfrac{f(a)}{g(a)}$

01

[2015학년도 교육청]

$\lim\limits_{x \to 5} (3x-1)$의 값을 구하시오. [3점]

03

[2015학년도 수능 모의평가]

$\lim\limits_{x \to 3} \dfrac{x^3}{x-2}$의 값을 구하시오. [3점]

02

[2016학년도 수능 모의평가]

$\lim\limits_{x \to 2} \dfrac{x^2+7}{x-1}$의 값을 구하시오. [3점]

04

[2012학년도 수능 모의평가]

$\lim\limits_{x \to 1} \dfrac{x+1}{x^2+ax+1}=\dfrac{1}{9}$일 때, 상수 a의 값을 구하시오.

[3점]

기출유형 02 **함수의 좌극한과 우극한**

함수 $y=f(x)$의 그래프가 그림과 같다.

$$\lim_{x \to -1-} f(x) - \lim_{x \to 1+} f(x)$$의 값은? [3점]

① -2 ② -1 ③ 0
④ 1 ⑤ 2

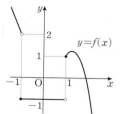
[2019학년도 수능]

Act ①

$x \to a-$는 x의 값이 a보다 작으면서 a에 한없이 가까워짐을 나타내고, $x \to a+$는 x의 값이 a보다 크면서 a에 한없이 가까워지는 것을 뜻한다.

해결의 실마리

(1) 좌극한 $\lim\limits_{x \to a-} f(x)$의 값 ⇨ x의 값이 a보다 작은 값을 가지면서 a에 한없이 가까워질 때, $f(x)$의 값이 가까워지는 값

(2) 우극한 $\lim\limits_{x \to a+} f(x)$의 값 ⇨ x의 값이 a보다 큰 값을 가지면서 a에 한없이 가까워질 때, $f(x)$의 값이 가까워지는 값

(3) 좌극한과 우극한을 각각 구하였을 때, 두 값이 다르거나 수렴하지 않으면 ⇨ 극한값이 존재하지 않는다.

05

함수 $y=f(x)$의 그래프가 그림과 같다. $\lim\limits_{x \to 0-} f(x) + \lim\limits_{x \to 1+} f(x)$의 값은? [3점]

① 1 ② 2
③ 3 ④ 4
⑤ 5

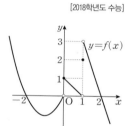
[2018학년도 수능]

07

함수 $y=f(x)$의 그래프가 그림과 같다. $\lim\limits_{x \to -1-} f(x) + \lim\limits_{x \to 0+} f(x)$의 값은? [3점]

① 1 ② 2
③ 3 ④ 4
⑤ 5

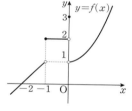
[2016학년도 수능]

06

함수 $y=f(x)$의 그래프가 그림과 같다. $\lim\limits_{x \to 0-} f(x) + \lim\limits_{x \to 1+} f(x)$의 값은? [3점]

① -1 ② -2
③ -3 ④ -4
⑤ -5

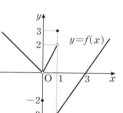
[2017학년도 수능]

08

함수 $y=f(x)$의 그래프가 그림과 같다. $\lim\limits_{x \to 0} f(x) + \lim\limits_{x \to 1+} f(x)$의 값은? [3점]

① -1 ② 0
③ 1 ④ 2
⑤ 3

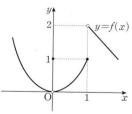
[2018학년도 수능 모의평가]

[2018학년도 수능]

함수 $f(x)$가 $\lim\limits_{x \to 1}(x+1)f(x)=1$을 만족시킬 때, $\lim\limits_{x \to 1}(2x^2+1)f(x)=a$이다. $20a$의 값을 구하시오. [3점]

Act ❶

$(x+1)f(x)=g(x)$로 놓으면

$\lim\limits_{x \to 1}g(x)=1$이므로

$\lim\limits_{x \to 1}f(x)=\lim\limits_{x \to 1}\dfrac{g(x)}{x+1}$임을 이용한다.

해결의 실마리

함수의 극한에 대한 성질은

⇨ 주어진 함수가 모두 수렴할 때 이용할 수 있으므로 구하는 극한을 수렴하는 함수들의 합, 차, 곱, 몫의 꼴로 변형하여 극한값을 구한다.

09

두 함수 $f(x)$, $g(x)$에 대하여 $\lim\limits_{x \to 1}f(x)=4$, $\lim\limits_{x \to 1}g(x)=2$일 때, $\lim\limits_{x \to 1}\{2f(x)-4g(x)\}$의 값은? [3점]

① 0 ② 2 ③ 4
④ 6 ⑤ 7

10

[2015학년도 교육청]

함수 $f(x)$에 대하여 $\lim\limits_{x \to 2}\dfrac{f(x)-f(2)}{x^2-4}=3$일 때, $\lim\limits_{x \to 2}\dfrac{f(x)-f(2)}{x-2}$의 값은? [3점]

① 10 ② 12 ③ 14
④ 16 ⑤ 18

11

[2013학년도 수능 모의평가]

함수 $f(x)$에 대하여 $\lim\limits_{x \to 2}\dfrac{f(x-2)}{x^2-2x}=4$일 때, $\lim\limits_{x \to 0}\dfrac{f(x)}{x}$의 값은? [3점]

① 2 ② 4 ③ 6
④ 8 ⑤ 10

12

함수 $f(x)$에 대하여 $\lim\limits_{x \to 2}\dfrac{f(x+2)}{x^2+x-2}=-1$일 때, $\lim\limits_{x \to 0}\dfrac{f(x)}{x}$의 값은? [3점]

① 2 ② 3 ③ 4
④ 5 ⑤ 6

기출유형 04 $\frac{0}{0}$ 꼴의 극한

$\lim\limits_{x \to 2} \dfrac{x^2 - 2x}{(x+1)(x-2)}$ 의 값은? [2점]

[2014학년도 수능 모의평가]

① $\dfrac{1}{6}$　　　　② $\dfrac{1}{3}$　　　　③ $\dfrac{1}{2}$　　　　④ $\dfrac{2}{3}$　　　　⑤ $\dfrac{5}{6}$

Act ①

분모, 분자가 모두 다항식인 $\frac{0}{0}$ 꼴의 극한은 분모, 분자를 각각 인수분해하여 공통인수로 약분한다.

해결의 실마리

$\frac{0}{0}$ **꼴의 극한**

(1) 분모, 분자가 모두 다항식인 경우에는 ⇨ 분모, 분자를 각각 인수분해하여 공통인수로 약분한다.

(2) 분모 또는 분자에 무리식이 있는 경우에는 ⇨ 근호가 있는 쪽을 유리화한 다음 공통인수로 약분한다.

---

13 [2018학년도 교육청]

$\lim\limits_{x \to 1} \dfrac{(x-1)(x+3)}{x-1}$ 의 값은? [3점]

① 1　　　　② 2　　　　③ 3
④ 4　　　　⑤ 5

15 [2011학년도 교육청]

$\lim\limits_{x \to 2} \dfrac{3x-6}{\sqrt{x+2}-2}$ 의 값은? [2점]

① 8　　　　② 9　　　　③ 10
④ 11　　　　⑤ 12

14

$\lim\limits_{x \to 4} \dfrac{x^2 + 2x - 24}{x-4}$ 의 값을 구하시오. [3점]

16 [2015학년도 교육청]

$\lim\limits_{x \to 2} \dfrac{x^2 + x - 6}{\sqrt{x+2}-2}$ 의 값을 구하시오. [3점]

$\displaystyle\lim_{x \to \infty} \dfrac{3x^2 - 2x + 1}{x^2 + 5}$ 의 값을 구하시오. [3점]

Act ①

$\dfrac{\infty}{\infty}$ 꼴의 극한은 분모의 최고차 항으로 분모, 분자를 나눈다.

해결의 실마리

$\dfrac{\infty}{\infty}$ 꼴의 극한

⇨ 분모의 최고차항으로 분모, 분자를 각각 나눈다.

17

$\displaystyle\lim_{x \to \infty} \dfrac{(2x+1)(4x-1)}{x^2 - x + 6}$ 의 값을 구하시오. [3점]

19

$\displaystyle\lim_{x \to -\infty} \dfrac{x+1}{\sqrt{x^2 + x} - x}$ 의 값은? [2점]

① -1 ② $-\dfrac{1}{2}$ ③ 0

④ $\dfrac{1}{2}$ ⑤ 1

18

$\displaystyle\lim_{x \to \infty} \dfrac{6x^2 - \sqrt{4x^4 + 1}}{(2x-1)^2}$ 의 값은? [3점]

① -1 ② 0 ③ 1

④ 2 ⑤ 3

20

함수 $f(x)$에 대하여 $\displaystyle\lim_{x \to \infty} \dfrac{f(x)}{x}$의 값이 존재할 때,

$\displaystyle\lim_{x \to \infty} \dfrac{5x^2 + 4f(x)}{x^2 + f(x)}$ 의 값은? [3점]

① 1 ② 2 ③ 3

④ 4 ⑤ 5

기출유형 **06** ∞−∞, ∞×0 꼴의 극한

$\lim\limits_{x \to \infty} (\sqrt{4x^2-3x}-2x)$의 값은? [3점]

① $-\dfrac{5}{4}$　　② -1　　③ $-\dfrac{3}{4}$　　④ $-\dfrac{1}{2}$　　⑤ $-\dfrac{1}{4}$

Act ❶
분모를 1로 보고 분자를 유리화하여 $\dfrac{\infty}{\infty}$ 꼴로 변형한다.

해결의 실마리

(1) ∞−∞ 꼴의 극한

　① 다항식인 경우 ⇨ 최고차항으로 묶어 ∞ × (0이 아닌 상수) 꼴로 변형한다.

　② 무리식인 경우 ⇨ 근호가 있는 쪽을 유리화하여 $\dfrac{\infty}{\infty}$ 꼴로 변형한다.

(2) ∞×0 꼴의 극한

　식을 통분하거나 근호가 있는 쪽을 유리화하여 $\dfrac{0}{0}$, $\dfrac{\infty}{\infty}$ 꼴로 변형한다.

21

$\lim\limits_{x \to \infty} (\sqrt{x^2+3x-1}-\sqrt{x^2-x+1})$의 값은? [3점]

① $\dfrac{1}{2}$　　② 1　　③ $\dfrac{3}{2}$

④ 2　　⑤ $\dfrac{5}{2}$

23

$\lim\limits_{x \to 0} x\left(\dfrac{1}{2x-1}+\dfrac{1}{x}\right)$의 값은? [3점]

① $\dfrac{1}{3}$　　② $\dfrac{2}{3}$　　③ 1

④ $\dfrac{4}{3}$　　⑤ $\dfrac{5}{3}$

22

$\lim\limits_{x \to \infty} (\sqrt{x^2+2x}-\sqrt{x^2-2x})$의 값을 구하시오. [3점]

24

$\lim\limits_{x \to \infty} x(\sqrt{x^2+1}-\sqrt{x^2-1})$의 값은? [3점]

① -2　　② -1　　③ 0

④ 1　　⑤ 2

[2016학년도 수능 모의평가]

두 상수 a, b에 대하여 $\lim\limits_{x \to 1} \dfrac{4x-a}{x-1} = b$일 때, $a+b$의 값은? [3점]

Act ❶
$x \to 1$일 때 (분모) $\to 0$이고 극한값이 존재하므로 (분자) $\to$ 0이어야 함을 이용한다.

① 8   ② 9   ③ 10   ④ 11   ⑤ 12

해결의 실마리

미정계수가 포함된 분수 꼴의 극한에서 $x \to a$일 때
① (분모) $\to$ 0이고 극한값이 존재하면 ⇨ (분자) $\to$ 0
② (분자) $\to$ 0이고 0이 아닌 극한값이 존재하면 ⇨ (분모) $\to$ 0

25

[2015학년도 교육청]

두 상수 a, b에 대하여 $\lim\limits_{x \to 2} \dfrac{x^2-x-a}{x-2} = b$일 때, $a+b$의 값은? [3점]

① 5   ② 6   ③ 7

④ 8   ⑤ 9

27

[2016학년도 교육청]

두 상수 a, b에 대하여 $\lim\limits_{x \to 9} \dfrac{x-a}{\sqrt{x}-3} = b$일 때, $a+b$의 값을 구하시오. [3점]

26

[2018학년도 교육청]

두 상수 a, b에 대하여 $\lim\limits_{x \to 1} \dfrac{\sqrt{x+a}-2}{x-1} = b$일 때, $a+4b$의 값은? [3점]

① 2   ② 4   ③ 6

④ 8   ⑤ 10

28

[2014학년도 교육청]

두 상수 a, b에 대하여 $\lim\limits_{x \to -2} \dfrac{x+2}{\sqrt{x+a}-b} = 6$일 때, $a+b$의 값을 구하시오. [3점]

기출유형 08 극한값을 이용한 다항함수의 결정

다항함수 $f(x)$가 다음 조건을 만족시킬 때, $f(2)$의 값을 구하시오. [3점]

$$(가) \lim_{x \to \infty} \frac{f(x)}{2x^2 - x + 5} = 2 \qquad (나) \lim_{x \to 1} \frac{f(x)}{x^2 + 2x - 3} = 1$$

Act ❶

$f(x)$는 (가)에서 최고차항의 계수가 4인 이차함수이고 (나)에서 $\lim_{x \to 1} f(x) = 0$이므로 $(x-1)$을 인수로 갖는다.

해결의 실마리

두 다항함수 $f(x)$, $g(x)$에 대하여

(1) $\lim_{x \to \infty} \dfrac{f(x)}{g(x)} = L$ ($L \neq 0$인 실수)이면 ⇨ $f(x)$와 $g(x)$의 차수가 같고, 최고차항의 계수의 비는 L이다.

(2) $\lim_{x \to a} \dfrac{f(x)}{g(x)} = M$ (M은 실수)일 때, $\lim_{x \to a} g(x) = 0$이면 ⇨ $\lim_{x \to a} f(x) = 0$

29
[2018학년도 수능 모의평가]

다항함수 $f(x)$가 다음 조건을 만족시킨다.

$$(가) \lim_{x \to \infty} \frac{f(x)}{x^2} = 2 \qquad (나) \lim_{x \to 0} \frac{f(x)}{x} = 3$$

$f(2)$의 값은? [3점]

① 11   ② 14   ③ 17

④ 20   ⑤ 23

31
[2013학년도 교육청]

다항함수 $f(x)$가 다음 조건을 만족시킬 때, $f(3)$의 값을 구하시오. [3점]

$$(가) \lim_{x \to \infty} \frac{f(x)}{x^3} = 0 \qquad (나) \lim_{x \to 1} \frac{f(x)}{x-1} = 1$$

(다) 방정식 $f(x) = 2x$의 한 근이 2이다.

30

다항함수 $f(x)$가 다음 조건을 만족시킬 때, $f(5)$의 값을 구하시오. [3점]

$$(가) \lim_{x \to \infty} \frac{f(x)}{x^2 + 2x + 3} = \frac{1}{2} \qquad (나) \lim_{x \to 1} \frac{f(x)}{x-1} = 1$$

32
[2015학년도 교육청]

이차함수 $f(x)$가 모든 실수 x에 대하여 $f(4+x) = f(4-x)$를 만족시킨다. $\lim_{x \to 2} \dfrac{f(x)}{x-2} = 1$일 때, $f(0)$의 값은? [3점]

① -3 ② -2 ③ -1

④ 0   ⑤ 1

함수 $f(x)$가 모든 양의 실수 x에서 $\dfrac{x^2+5x}{3x^2+2} \leq f(x) \leq \dfrac{x^2+4x+3}{3x^2+1}$을 만족시킬 때, $\lim\limits_{x \to \infty} f(x)$의 값은? [3점]

① $\dfrac{1}{3}$ ② $\dfrac{2}{3}$ ③ 1   ④ $\dfrac{4}{3}$ ⑤ $\dfrac{5}{3}$

Act ❶
$f(x) \leq h(x) \leq g(x)$에서
$\lim\limits_{x \to a} f(x) = \lim\limits_{x \to a} g(x) = \alpha$이면
$\lim\limits_{x \to a} h(x) = \alpha$임을 이용한다.

해결의 실마리

세 함수 $f(x)$, $g(x)$, $h(x)$에 대하여

$f(x) \leq h(x) \leq g(x)$이고 $\lim\limits_{x \to a} f(x) = \lim\limits_{x \to a} g(x) = \alpha$ (α는 실수)이면 ⇨ $\lim\limits_{x \to a} h(x) = \alpha$

33

함수 $f(x)$가 모든 실수 x에서
$$4x-3 \leq f(x) \leq x^2+1$$
을 만족시킬 때, $\lim\limits_{x \to 2} f(x)$의 값을 구하시오. [3점]

35

함수 $f(x)$가 $x>1$인 실수 x에 대하여
$$\frac{x^2-1}{3x+4} < f(x) < \frac{x^2+x-2}{3x+2}$$
를 만족시킬 때, $\lim\limits_{x \to \infty} \dfrac{f(x)}{x-1}$의 값은? [3점]

① $\dfrac{1}{3}$ ② $\dfrac{2}{3}$ ③ 1

④ $\dfrac{4}{3}$ ⑤ $\dfrac{5}{3}$

34

함수 $f(x)$가 모든 실수 x에 대하여
$$-x^2+1 \leq f(x) \leq x^2+4x+3$$
을 만족시킬 때, $\lim\limits_{x \to -1} f(x)$의 값을 구하시오. [3점]

36

함수 $f(x)$가 임의의 양의 실수 x에 대하여
$$4ax^3+x^2+2 < 2x^3 f(x) < 4ax^3+x^2+3$$
을 만족시키고 $\lim\limits_{x \to \infty} f(x) = 4$일 때, 상수 a의 값을 구하시오.
[3점]

01

함수 $y=f(x)$의 그래프가 그림과 같을 때,

$\lim\limits_{x\to 0-} f(x)+\lim\limits_{x\to -1+} f(x)$의 값은? [3점]

① -2 ② -1
③ 0 ④ 1 ⑤ 2

02

함수 $y=f(x)$의 그래프가 그림과 같을 때,

$\lim\limits_{x\to -1+} f(x)+f(0)-\lim\limits_{x\to 1-} \{f(x)\}^2$

의 값은? [3점]

① -2 ② -1
③ 0 ④ 1 ⑤ 2

03

함수 $f(x)=\dfrac{x^2-4x-|x-2|}{x^2-4x+|x-2|}$에 대하여

$\lim\limits_{x\to 2-} f(x)+\lim\limits_{x\to 2+} f(x)$의 값은? [3점]

① $\dfrac{2}{3}$ ② $\dfrac{4}{3}$ ③ 2
④ $\dfrac{8}{3}$ ⑤ $\dfrac{10}{3}$

04

$\lim\limits_{x\to \infty}\dfrac{3x^2+2x-1}{(x-3)(2x+3)}$의 값은? [3점]

① $\dfrac{1}{2}$ ② 1 ③ $\dfrac{3}{2}$
④ 2 ⑤ $\dfrac{5}{2}$

05

$\lim\limits_{x\to -1}\dfrac{x^3-4x^2+x+6}{x^2+3x+2}$의 값은? [3점]

① 12 ② 14 ③ 16
④ 18 ⑤ 20

06

$\lim\limits_{x\to 0}\dfrac{\sqrt{x+9}-3}{x}$의 값은? [3점]

① $\dfrac{1}{6}$ ② $\dfrac{1}{5}$ ③ $\dfrac{1}{4}$
④ $\dfrac{1}{3}$ ⑤ $\dfrac{1}{2}$

07

$\lim\limits_{x \to 0} \dfrac{\sqrt{1+x}-1}{x}$ 의 값은? [3점]

① 1 ② $\dfrac{1}{2}$ ③ $\dfrac{1}{3}$

④ $\dfrac{1}{4}$ ⑤ $\dfrac{1}{5}$

08

$\lim\limits_{x \to \infty} (\sqrt{x^2+3x-4}-x)$의 값은? [3점]

① -2 ② $-\dfrac{3}{2}$ ③ $\dfrac{1}{2}$

④ $\dfrac{3}{2}$ ⑤ $\dfrac{5}{2}$

09

$\lim\limits_{x \to 0} \dfrac{1}{x}\left(\dfrac{2}{\sqrt{x+1}}-2\right)$의 값은? [3점]

① -2 ② -1 ③ 0

④ 1 ⑤ 2

10

$\lim\limits_{x \to 2} \dfrac{\sqrt{x+a}-b}{x-2}=\dfrac{1}{4}$일 때, $a+b$의 값은? (단, a, b는 상수이다.) [3점]

① 3 ② 4 ③ 5

④ 6 ⑤ 7

11

$\lim\limits_{x \to -2} \dfrac{x^2+ax+b}{x+2}=5$일 때, $a+b$의 값은?(단, a, b는 상수이다.) [3점]

① 17 ② 19 ③ 21

④ 23 ⑤ 25

12

$\lim\limits_{x \to \infty} (x-\sqrt{x^2+ax})=-5$를 만족시키는 상수 a의 값은? [3점]

① 8 ② 10 ③ 12

④ 14 ⑤ 16

13

$\lim\limits_{x \to 0} \dfrac{f(x)}{x} = 1$일 때, $\lim\limits_{x \to 3} \dfrac{f(x-3)}{x^2-9}$의 값은? [3점]

① 0 ② $\dfrac{1}{2}$ ③ $\dfrac{1}{4}$

④ $\dfrac{1}{5}$ ⑤ $\dfrac{1}{6}$

14

$\lim\limits_{x \to 0} \dfrac{f(x)}{x} = 3$일 때, $\lim\limits_{x \to 0} \dfrac{6x+2f(x)}{4x-f(x)}$의 값은? [3점]

① $\dfrac{3}{2}$ ② 2 ③ $\dfrac{9}{2}$

④ 10 ⑤ 12

15

다항함수 $f(x)$가

$$\lim\limits_{x \to \infty} \frac{f(x)-x^4}{x^2} = 3, \quad \lim\limits_{x \to 0} \frac{f(x)}{x} = -1$$

을 만족시킬 때, $f(1)$의 값은? [3점]

① 1 ② 2 ③ 3

④ 4 ⑤ 5

16

x에 대한 다항식 $f(x)$가

$$\lim\limits_{x \to 2} \frac{f(x)}{x-2} = 3, \quad \lim\limits_{x \to \infty} \frac{f(x)}{x^2-x} = 1$$

을 만족시킬 때, $f(1)$의 값은? [3점]

① -2 ② -1 ③ 0

④ 1 ⑤ 2

17

$x \geq 4$에서 정의된 함수 $f(x)$가 $(x-5)^2 \leq f(x) \leq (x-3)^2$

을 만족시킬 때, $\lim\limits_{x \to \infty} \dfrac{f(x)}{2x^2-x+3}$의 값은? [3점]

① $\dfrac{1}{2}$ ② 1 ③ $\dfrac{3}{2}$

④ 2 ⑤ $\dfrac{5}{2}$

18

임의의 양의 실수 x에 대하여 함수 $f(x)$가

$$\frac{x}{2x^2+x+2} < f(x) < \frac{x}{2x^2+x+1}$$

를 만족시킬 때, $\lim\limits_{x \to \infty} xf(x)$의 값은? [3점]

① $\dfrac{1}{2}$ ② 1 ③ 2

④ 4 ⑤ 8

I. 함수의 극한과 연속

02 함수의 연속

출제경향 구간에 따라 달리 정의된 함수가 실수 전체에서 연속이기 위한 조건, 연속함수의 성질을 이용한 미정계수의 결정과 함숫값 구하기, 두 함수의 곱 또는 몫으로 주어진 함수가 실수 전체에서 연속이기 위한 조건을 묻는 문제가 출제된다.

핵심개념 1   함수의 연속

(1) **함수의 연속** : 함수 $f(x)$가 실수 a에 대하여 다음 조건을 모두 만족시킬 때, 함수 $f(x)$는 $x=a$에서 연속이라 한다.

(i) 함수 $f(x)$는 $x=a$에서 정의되어 있다. ← 함숫값 존재

(ii) 극한값 $\lim_{x \to a} f(x)$가 존재한다. ← $\lim_{x \to a-} f(x) = \lim_{x \to a+} f(x)$, 극한값 존재

(iii) $\lim_{x \to a} f(x) = f(a)$ ← (극한값)=(함숫값)

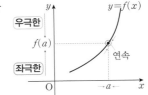

(2) **함수의 불연속** : 함수 $f(x)$가 $x=a$에서 연속이 아닐 때, 함수 $f(x)$는 $x=a$에서 불연속이라 한다. 즉 함수 $f(x)$가 위의 세 조건 중에서 어느 하나라도 만족시키지 않으면 함수 $f(x)$는 $x=a$에서 불연속이다.

[2017학년도 교육청]

01 함수 $f(x)=\begin{cases} 3x+6 & (x<2) \\ x^2+ax-4 & (x \geq 2) \end{cases}$ 가 실수 전체의 집합에서 연속일 때, 상수 a의 값을 구하시오. [3점]

핵심개념 2   연속함수의 성질

(1) 두 실수 a, $b(a<b)$에 대하여 집합 $\{x|a \leq x \leq b\}$, $\{x|a<x<b\}$, $\{x|a \leq x<b\}$, $\{x|a<x \leq b\}$를 구간이라 하고, 기호로 각각 $[a, b]$, (a, b), $[a, b)$, $(a, b]$와 같이 나타낸다. 이때 $[a, b]$를 닫힌구간, (a, b)를 열린구간, $[a, b)$, $(a, b]$를 반닫힌 구간 또는 반열린 구간이라 한다.

(2) 함수 $f(x)$가 어떤 구간에 속하는 모든 점에서 연속일 때, 함수 $f(x)$는 그 구간에서 연속 또는 그 구간에서 연속함수라 한다.

(3) 함수 $f(x)$가 다음 조건을 모두 만족시킬 때, 함수 $f(x)$는 닫힌구간 $[a, b]$에서 연속이라 한다.

(i) 열린구간 (a, b)에서 연속이다.   (ii) $\lim_{x \to a+} f(x) = f(a)$, $\lim_{x \to b-} f(x) = f(b)$

(4) **연속함수의 성질**

두 함수 $f(x)$, $g(x)$가 $x=a$에서 연속이면 다음 함수도 $x=a$에서 연속이다.

① $cf(x)$ (단, c는 상수)   ② $f(x)+g(x)$, $f(x)-g(x)$

③ $f(x)g(x)$ ④ $\dfrac{f(x)}{g(x)}$ (단, $g(a) \neq 0$)

어떤 구간에서 두 함수 $f(x)$, $g(x)$가 연속이면 ①, ②, ③, ④의 함수도 모두 그 구간에서 연속이다.

참고 1. 일차함수 $y=x$는 모든 실수에서 연속이므로 연속함수의 성질 ③에 의하여 함수 $y=x^2$, $y=x^3$, $y=x^4$, $\cdots$, $y=x^n$ (n은 자연수)도 모든 실수에서 연속이다.

2. 연속함수의 성질 ④에 의하여 두 함수 $f(x)$, $g(x)$에 대하여 유리함수 $\dfrac{f(x)}{g(x)}$는 $g(x) \neq 0$인 모든 실수에서 연속이다.

02 함수 $f(x)=\dfrac{x+1}{x-1}$에 대하여 다음 중 연속인 구간이 <u>아닌</u> 것은? [3점]

① $(-3, -1)$ ② $(-2, 0)$ ③ $(-1, 1)$ ④ $(0, 2)$ ⑤ $(1, 3)$

핵심개념 3　　　**최대·최소 정리**

함수 $f(x)$가 닫힌구간 $[a, b]$에서 연속이면 $f(x)$는 이 닫힌구간에서 반드시 최댓값과 최솟값을 갖는다.

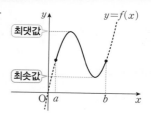

> **참고** (1) 닫힌구간이 아닌 구간에서 정의된 연속함수는 최댓값 또는 최솟값을 갖지 않을 수도 있다.
> 　　　(2) 함수 $f(x)$가 연속이 아니면 닫힌구간에서도 최댓값 또는 최솟값을 갖지 않을 수 있다.

03 그림과 같은 함수 $y=f(x)$의 그래프에 대한 [보기]의 설명 중 옳은 것을 있는 대로 고른 것은? (단, $-2 \le x \le 2$)

[3점]

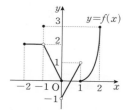

┤보기├
ㄱ. 불연속인 점은 3개이다.
ㄴ. 극한값이 존재하지 않는 점은 3개이다.
ㄷ. 함수 $f(x)$가 닫힌구간 $[-2, 2]$에서 최댓값과 최솟값을 모두 갖는다.

① ㄱ　　　　② ㄴ　　　　③ ㄱ, ㄴ　　　　④ ㄱ, ㄷ　　　　⑤ ㄴ, ㄷ

핵심개념 4　　　**사잇값의 정리**

(1) 사잇값의 정리

함수 $f(x)$가 닫힌구간 $[a, b]$에서 연속이고 $f(a) \ne f(b)$이면, $f(a)$와 $f(b)$ 사이의 임의의 실수 k에 대하여

$$f(c) = k$$

인 c가 열린구간 (a, b)에 적어도 하나 존재한다.

(2) 사잇값의 정리와 방정식의 실근

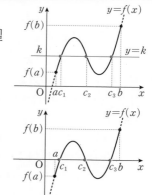

함수 $f(x)$가 닫힌구간 $[a, b]$에서 연속이고 $f(a)$와 $f(b)$의 부호가 서로 다르면 $f(c)=0$인 c가 열린구간 (a, b)에 적어도 하나 존재한다.

즉 방정식 $f(x)=0$은 열린구간 (a, b)에서 적어도 하나의 실근을 갖는다.

04 열린구간 $(0, 1)$에서 적어도 하나의 실근을 갖는 방정식을 [보기]에서 있는 대로 고른 것은? [3점]

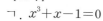

┤보기├
ㄱ. $x^3 + x - 1 = 0$　　　ㄴ. $x^3 - 5x + 2 = 0$　　　ㄷ. $x^3 - 3x^2 + 1 = 0$

① ㄱ　　　　② ㄷ　　　　③ ㄱ, ㄴ　　　　④ ㄱ, ㄷ　　　　⑤ ㄱ, ㄴ, ㄷ

[2007학년도 수능 모의평가]

함수 $f(x)$가 $f(x)=\begin{cases} \dfrac{x^2}{2x-|x|} & (x\neq 0) \\ a & (x=0) \end{cases}$ 일 때, [보기]에서 옳은 것을 모두 고른 것은? (단, a는 실수

이다.) [3점]

Act ①

함수 $f(x)$가 $x=0$에서 연속이
려면

$$\lim_{x\to 0-} f(x)=\lim_{x\to 0+} f(x)=f(0)$$

이어야 함을 이용한다.

┤보기├

ㄱ. $f(-3)=1$이다.

ㄴ. $x>0$일 때, $f(x)=x$이다.

ㄷ. 함수 $f(x)$가 $x=0$에서 연속이 되도록 하는 a가 존재한다.

① ㄴ   ② ㄷ   ③ ㄱ, ㄴ   ④ ㄱ, ㄷ   ⑤ ㄴ, ㄷ

해결의 실마리

(1) 함수 $f(x)$가 $x=a$에서 연속이다. $\Leftrightarrow \lim\limits_{x\to a-} f(x)=\lim\limits_{x\to a+} f(x)=f(a)$ ← (극한값)=(함숫값)

(2) 두 함수 $f(x)$, $g(x)$에 대하여

① 함수 $f(x)g(x)$가 $x=a$에서 연속이다. $\Leftrightarrow \lim\limits_{x\to a-} f(x)g(x)=\lim\limits_{x\to a+} f(x)g(x)=f(a)g(a)$

② 함수 $f(g(x))$가 $x=a$에서 연속이다. $\Leftrightarrow \lim\limits_{x\to a-} f(g(x))=\lim\limits_{x\to a+} f(g(x))=f(g(a))$

01

[2006학년도 수능 모의평가]

집합 $\{x|0<x<2\}$에서 정의된 함수 $f(x)$가

$$f(x)=\begin{cases} \dfrac{1}{x}-1 & (0<x\leq 1) \\ \dfrac{1}{x-1}-1 & (1<x<2) \end{cases}$$

일 때, 함수 $y=f(x)g(x)$가 $x=1$에서 연속이 되도록 하는 함수 $g(x)$를 [보기]에서 모두 고른 것은? [3점]

┤보기├

ㄱ. $g(x)=(x-1)^2$ $(0<x<2)$

ㄴ. $g(x)=(x-1)^3+1$ $(0<x<2)$

ㄷ. $g(x)=\begin{cases} x^2+1 & (0<x\leq 1) \\ (x-1)^3 & (1<x<2) \end{cases}$

① ㄱ   ② ㄴ   ③ ㄱ, ㄷ

④ ㄴ, ㄷ   ⑤ ㄱ, ㄴ, ㄷ

02

[2007학년도 수능 모의평가]

두 함수 $f(x)$, $g(x)$에 대하여 [보기]에서 항상 옳은 것을 모두 고른 것은? [3점]

┤보기├

ㄱ. $f(x)=\begin{cases} 1 & (x\geq 0) \\ -1 & (x<0) \end{cases}$, $g(x)=|x|$일 때,

$(g\circ f)(x)$는 $x=0$에서 연속이다.

ㄴ. $(g\circ f)(x)$가 $x=0$에서 연속이면 $f(x)$는 $x=0$에서 연속이다.

ㄷ. $(f\circ f)(x)$가 $x=0$에서 연속이면 $f(x)$는 $x=0$에서 연속이다.

① ㄱ   ② ㄴ   ③ ㄱ, ㄴ

④ ㄱ, ㄷ   ⑤ ㄴ, ㄷ

기출유형 **02** 함수의 그래프와 연속

함수 $y=f(x)$의 그래프가 [보기]와 같이 주어질 때, 함수 $y=f(x-1)f(x+1)$이 $x=-1$에서 연속 이 되는 경우만을 있는 대로 고른 것은? [3점]

[2009학년도 수능 모의평가]

Act ①
$x=-1$에서 좌극한, 우극한, 함숫값을 비교하여 [보기]의 참, 거짓을 판단한다.

┤보기├

ㄱ.   ㄴ.   ㄷ.

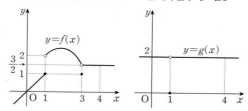

① ㄱ   ② ㄴ   ③ ㄷ   ④ ㄴ, ㄷ   ⑤ ㄱ, ㄴ, ㄷ

해결의 실마리

(1) 함수 $y=f(x)$의 그래프가 ① 끊어지지 않고 이어져 있으면 ⇨ 연속 ② 끊어져 있으면 ⇨ 불연속

(2) 두 함수 $f(x)$, $g(x)$에 대하여 합성함수 $f(g(x))$가 $x=a$에서 연속이면 ⇨ $\lim_{x \to a-} f(g(x)) = \lim_{x \to a+} f(g(x)) = f(g(a))$

03

[2014학년도 수능 모의평가]

함수 $y=f(x)$의 그래프가 그림과 같다.

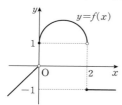

[보기]에서 옳은 것만을 있는 대로 고른 것은? [3점]

┤보기├

ㄱ. $\lim_{x \to 0+} f(x) = 1$

ㄴ. $\lim_{x \to 2-} f(x) = -1$

ㄷ. 함수 $|f(x)|$는 $x=2$에서 연속이다.

① ㄱ   ② ㄴ   ③ ㄱ, ㄷ

④ ㄴ, ㄷ   ⑤ ㄱ, ㄴ, ㄷ

04

[2013학년도 교육청]

그림은 두 함수 $y=f(x)$, $y=g(x)$의 그래프이다. 옳은 것만을 [보기]에서 있는 대로 고른 것은? [3점]

[보기]에서 옳은 것만을 있는 대로 고른 것은? [3점]

┤보기├

ㄱ. $\lim_{x \to 1-} f(x)g(x) = 2$

ㄴ. 함수 $f(x)g(x)$는 $x=3$에서 연속이다.

ㄷ. 닫힌구간 $[0, 4]$에서 함수 $f(x)g(x)$의 불연속인 점은 오직 한 개 존재한다.

① ㄱ   ② ㄴ   ③ ㄱ, ㄷ

④ ㄴ, ㄷ   ⑤ ㄱ, ㄴ, ㄷ

[2015학년도 수능]

함수 $f(x)=\begin{cases}2x+10 & (x<1)\\ x+a & (x\geq 1)\end{cases}$ 이 실수 전체의 집합에서 연속이 되도록 하는 상수 a의 값을 구하시오. [3점]

Act ❶
함수 $f(x)$가 모든 실수 x에서 연속이면 $x=1$에서도 연속이어야 함을 이용한다.

해결의 실마리

(1) 두 함수 $g(x)$, $h(x)$가 연속함수일 때

함수 $f(x)=\begin{cases}g(x) & (x\geq a)\\ h(x) & (x<a)\end{cases}$ 가 모든 실수 x에서 연속이면

$\Rightarrow \lim\limits_{x\to a-} h(x)=\lim\limits_{x\to a+} g(x)=f(a)$, 즉 $\lim\limits_{x\to a-} h(x)=g(a)$

(2) 분수 꼴의 함수에서 $x \to a$일 때

① (분모) → 0이고 극한값이 존재하면 (분자) → 0이다.

② (분자) → 0이고 0이 아닌 극한값이 존재하면 (분모) → 0이다.

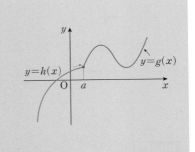

05

[2017학년도 수능 모의평가]

함수 $f(x)=\begin{cases}4x^2-a & (x<1)\\ x^3+a & (x\geq 1)\end{cases}$ 이 실수 전체의 집합에서 연속일 때, 상수 a의 값은? [3점]

① $\dfrac{3}{2}$ ② 2   ③ $\dfrac{5}{2}$

④ 3   ⑤ $\dfrac{7}{2}$

06

[2017학년도 교육청]

함수 $f(x)=\begin{cases}x+k & (x\leq 2)\\ x^2+4x+6 & (x>2)\end{cases}$ 가 실수 전체의 집합에서 연속일 때, 상수 k의 값을 구하시오. [3점]

07

[2018학년도 교육청]

함수 $f(x)=\begin{cases}\dfrac{x^2-2x-3}{x-3} & (x\neq 3)\\ a & (x=3)\end{cases}$ 가 실수 전체의 집합에서 연속일 때, 상수 a의 값은? [3점]

① 1   ② 2   ③ 3

④ 4   ⑤ 5

08

[2015학년도 수능 모의평가]

함수 $f(x)=\begin{cases}\dfrac{(3x+2)(x-3)}{x-3} & (x\neq 3)\\ a & (x=3)\end{cases}$ 이 실수 전체의 집합에서 연속일 때, 상수 a의 값을 구하시오. [3점]

기출유형 **04** 연속함수의 성질

[2017학년도 수능 모의평가]

실수 전체의 집합에서 연속인 함수 $f(x)$가 $\lim\limits_{x \to 2} \dfrac{(x^2-4)f(x)}{x-2}=12$를 만족시킬 때, $f(2)$의 값은? [3점]

① 1　　　　② 2　　　　③ 3　　　　④ 4　　　　⑤ 5

Act ❶
$f(x)$가 연속함수이므로 $\lim\limits_{x \to 2} f(x)=f(2)$임을 이용한다.

해결의 실마리

두 함수 $f(x)$, $g(x)$가 $x=a$에서 연속이면

➡ $cf(x)$ (c는 상수), $f(x)+g(x)$, $f(x)-g(x)$, $f(x)g(x)$, $\dfrac{f(x)}{g(x)}$ $(g(a)\ne0)$도 $x=a$에서 연속이다.

09

실수 전체의 집합에서 연속인 함수 $f(x)$가
$$(x-1)f(x)=x^2+2x+a$$
를 만족시킬 때, $f(1)$의 값을 구하시오. [3점]

10

[2017학년도 수능]

두 함수
$$f(x)=\begin{cases} x^2-4x+6 & (x<2) \\ 1 & (x\ge2) \end{cases}, \ g(x)=ax+1$$

에 대하여 함수 $\dfrac{g(x)}{f(x)}$가 실수 전체의 집합에서 연속일 때, 상수 a의 값은? [4점]

① $-\dfrac{5}{4}$　　　　② -1　　　　③ $-\dfrac{3}{4}$

④ $-\dfrac{1}{2}$　　　　⑤ $-\dfrac{1}{4}$

11

[2013학년도 수능 모의평가]

함수 $f(x)$가
$$f(x)=\begin{cases} a & (x\le1) \\ -x+2 & (x>1) \end{cases}$$

일 때, 옳은 것만을 [보기]에서 있는 대로 고른 것은?(단, a는 상수이다.) [3점]

┤보기├

ㄱ. $\lim\limits_{x \to 1+} f(x)=1$

ㄴ. $a=0$이면 함수 $f(x)$는 $x=1$에서 연속이다.

ㄷ. 함수 $y=(x-1)f(x)$는 실수 전체의 집합에서 연속이다.

① ㄱ　　　　② ㄴ　　　　③ ㄱ, ㄷ

④ ㄴ, ㄷ　　　⑤ ㄱ, ㄴ, ㄷ

닫힌구간 $[-1, 1]$에서 최댓값과 최솟값을 모두 갖는 함수를 [보기]에서 있는 대로 고른 것은? [3점]

─┤보기├─

ㄱ. $f(x)=2(x-1)^2-1$　　　　ㄴ. $g(x)=1$　　　　ㄷ. $h(x)=\dfrac{1}{x}$

① ㄱ　　　② ㄴ　　　③ ㄱ, ㄴ　　　④ ㄴ, ㄷ　　　⑤ ㄱ, ㄴ, ㄷ

Act ❶
닫힌구간에서 연속인 함수는 최대 · 최소 정리에 의하여 그 구간에서 최댓값과 최솟값을 모두 갖는다.

해결의 실마리
함수 $f(x)$가 닫힌구간 $[a, b]$에서 연속이면 ⇨ $f(x)$는 이 구간에서 반드시 최댓값, 최솟값을 갖는다.

12

닫힌구간 $[-1, 2]$에서 함수 $f(x)=x^2-2x$의 최댓값을 M, 최솟값을 m이라 할 때, $M-m$의 값을 구하시오.

[3점]

14

닫힌구간 $[3, 5]$에서 함수 $f(x)=\dfrac{3x+1}{x-2}$의 최댓값 M, 최솟값을 m이라 할 때, $M+m$의 값은? [3점]

① $\dfrac{43}{3}$　　　② $\dfrac{46}{3}$　　　③ $\dfrac{49}{3}$

④ $\dfrac{52}{3}$　　　⑤ $\dfrac{55}{3}$

13

닫힌구간 $[0, 3]$에서 함수 $f(x)=\sqrt{4-x}$의 최댓값을 M, 최솟값을 m이라 할 때, $M+m$의 값을 구하시오. [3점]

15

닫힌구간 $[-2, 0]$에서 함수 $f(x)=\dfrac{x-1}{\sqrt{x+3}-2}$의 최댓값을 M, 최솟값을 m이라 할 때, $M+m$의 값은? [3점]

① $1+\sqrt{3}$　　　② $2+\sqrt{3}$　　　③ $3+\sqrt{3}$

④ $4+\sqrt{3}$　　　⑤ $5+\sqrt{3}$

기출유형 06 사잇값의 정리와 방정식의 실근

연속함수 $f(x)$에 대하여

$$f(-3)=0, f(-2)=1, f(-1)=2,$$
$$f(0)=-2, f(1)=-1, f(2)=4$$

일 때, 방정식 $f(x)=x+1$이 열린구간 $(-3, 2)$에서 가질 수 있는 실근의 최소 개수는? [3점]

① 1   ② 2   ③ 3   ④ 4   ⑤ 5

Act❶

연속함수 $g(x)=f(x)-x-1$에 대하여 $g(a)g(b)<0$이면 방정식 $g(x)=0$은 열린구간 (a, b)에서 적어도 하나의 실근을 갖는다.

해결의 실마리

닫힌구간 $[a, b]$에서 연속인 함수 $f(x)$에 대하여 $f(a)f(b)<0$이면
⇨ 방정식 $f(x)=0$은 열린구간 (a, b)에서 적어도 하나의 실근을 갖는다.

16

연속함수 $f(x)$에 대하여

$$f(-2)=1, f(0)=-1, f(1)=3, f(4)=-2$$

일 때, 방정식 $f(x)=0$은 열린구간 $(-2, 4)$에서 적어도 몇 개의 실근을 갖는지 구하시오. [3점]

18

연속함수 $f(x)$가 $f(0)=a$, $f(1)=a+6$일 때, 방정식 $f(x)-2=0$의 실근이 열린구간 $(0, 1)$에 적어도 하나 존재하도록 하는 정수 a의 개수는? [3점]

① 3   ② 4   ③ 5
④ 6   ⑤ 7

17

두 함수 $f(x)=x^3-3x^2+k$, $g(x)=x^3-5x^2+3$에 대하여 방정식 $f(x)=g(x)$가 열린구간 $(1, 2)$에서 적어도 하나의 실근을 갖도록 하는 정수 k의 개수를 구하시오. [3점]

19

연속함수 $y=f(x)$의 그래프가 네 점 $A(-2, -2)$, $B(-1, 1)$, $O(0, 0)$, $C(1, 4)$를 지난다. 이때 이 함수의 그래프와 직선 $y=2x+1$의 교점의 개수의 최솟값을 구하시오. [3점]

01

함수 $y=f(x)$의 그래프가 그림과 같을 때. [보기]에서 옳은 것만을 있는 대로 고른 것은? [3점]

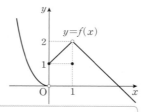

┤ 보기 ├

ㄱ. $\lim\limits_{x \to 1-} f(x) = \lim\limits_{x \to 1+} f(x)$

ㄴ. 함수 $f(x)$는 $x=1$에서 연속이다.

ㄷ. 함수 $(x-1)f(x)$는 $x=1$에서 불연속이다.

① ㄱ   ② ㄱ, ㄴ

③ ㄱ, ㄷ   ④ ㄴ, ㄷ   ⑤ ㄱ, ㄴ, ㄷ

02

실수 전체의 집합에서 연속인 함수만을 [보기]에서 있는 대로 고른 것은? [3점]

┤ 보기 ├

ㄱ. $f(x)=\begin{cases} \dfrac{x^2-4}{x-2} & (x \neq 2) \\ 3 & (x=2) \end{cases}$ ㄴ. $g(x)=\begin{cases} \dfrac{x}{|x|} & (x \neq 0) \\ 0 & (x=0) \end{cases}$

ㄷ. $h(x)=\dfrac{x^2-x-2}{x^2+1}$

① ㄴ   ② ㄷ   ③ ㄱ, ㄴ

④ ㄱ, ㄷ   ⑤ ㄴ, ㄷ

03

함수 $f(x)=\dfrac{x^2-9}{x-3}$ $(x \neq 3)$가 $x=3$에서 연속이 되도록 하는 $f(3)$의 값은? [3점]

① 3   ② 4   ③ 5

④ 6   ⑤ 7

04

함수 $f(x)=\begin{cases} \dfrac{x^2+ax+2}{x+1} & (x \neq -1) \\ b & (x=-1) \end{cases}$가 모든 실수 x에서 연속일 때, 두 상수 a, b의 합 $a+b$의 값은? [3점]

① 1   ② 2   ③ 3

④ 4   ⑤ 5

05

함수 $f(x)=\begin{cases} x(x-1) & (|x|>1) \\ -x^2+ax+b & (|x| \leq 1) \end{cases}$가 모든 실수 x에서 연속이 되도록 상수 a, b의 값을 정할 때, $a+b$의 값은? [3점]

① -2 ② -1 ③ 0

④ 1   ⑤ 2

06

$x=a$에서 연속인 두 함수 $f(x)$, $g(x)$에 대하여 $x=a$에서 반드시 연속인 함수를 다음 [보기]에서 있는 대로 고른 것은? (단, a는 상수이다.) [3점]

┤보기├

ㄱ. $f(x)-2g(x)$ ㄴ. $f(x)g(x)$

ㄷ. $\{f(x)\}^2$ ㄹ. $\dfrac{f(x)}{\{g(x)\}^2}$

① ㄱ ② ㄱ, ㄴ ③ ㄱ, ㄷ
④ ㄱ, ㄴ, ㄷ ⑤ ㄱ, ㄴ, ㄹ

07

$x \geq 2$인 모든 실수 x에 대하여 연속인 함수 $f(x)$가 $(\sqrt{x-2}-1)f(x)=x^2-9$를 만족시킬 때, $f(3)$의 값은?

[3점]

① 12 ② 14 ③ 16
④ 18 ⑤ 20

08

모든 실수에서 연속인 함수 $f(x)$가 $f(x)=\dfrac{\sqrt{x^2+4}+k}{x^2}$일 때, $k+4f(0)$의 값은? (k는 상수) [3점]

① -2 ② -1 ③ 0
④ 1 ⑤ 2

09

닫힌구간 $[2, 5]$에서 함수 $f(x)=\dfrac{x+1}{x-1}$의 최댓값을 m, 최솟값을 n이라 할 때, 두 상수 m, n의 곱 mn의 값은?

[3점]

① $\dfrac{3}{2}$ ② 3 ③ $\dfrac{9}{2}$
④ 5 ⑤ $\dfrac{13}{2}$

10

함수 $f(x)$가 연속함수일 때, 방정식 $f(x)=0$에 대한 [보기]의 설명 중 옳은 것만을 있는 대로 고른 것은? [3점]

┤보기├

ㄱ. $f(a)f(b) \leq 0$이면 열린구간 (a, b)에서 적어도 하나의 실근을 갖는다.
ㄴ. $f(a)f(b) < 0$이면 열린구간 (a, b)에서 적어도 하나의 실근을 갖는다.
ㄷ. $f(a)f(b) > 0$이면 열린구간 (a, b)에서 실근을 갖지 않는다.

① ㄱ ② ㄴ ③ ㄱ, ㄷ
④ ㄴ, ㄷ ⑤ ㄱ, ㄴ, ㄷ

11

연속함수 $f(x)$가 $f(-1)=1$, $f(0)=2$, $f(1)=1$, $f(2)=-2$를 만족시킨다. 열린구간 $(-1, 2)$에서 방정식 $xf(x)+x^2-1=0$이 적어도 n개의 실근을 가질 때, 자연수 n의 최솟값을 구하시오. [3점]

03 미분계수

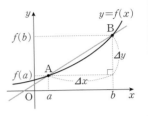

출제경향 미분계수의 정의를 이용한 극한값의 계산 문제, 미분가능성과 연속성에 대한 이해 문제가 출제된다. 미분계수의 정의를 숙지해 두어야 하며, 한 점에서의 미분가능성은 그 점에서 연속인지, 미분계수가 존재하는지 두 가지만 따지면 어렵지 않게 풀 수 있다.

핵심개념 1 평균변화율

(1) 함수 $y=f(x)$에서 x의 값이 a에서 b까지 변할 때의 평균변화율은 다음과 같다.

$$\frac{\Delta y}{\Delta x}=\frac{f(b)-f(a)}{b-a}=\frac{f(a+\Delta x)-f(a)}{\Delta x}$$

> **참고** Δx : x의 증분(x의 값의 변화량), Δy : y의 증분(y의 값의 변화량)
> 즉 $\Delta x=b-a$, $\Delta y=f(b)-f(a)=f(a+\Delta x)-f(a)$

(2) 평균변화율은 두 점 $A(a, f(a))$, $B(b, f(b))$를 지나는 직선 AB의 기울기와 같다.

01 함수 $f(x)=x^2-2x$에 대하여 x의 값이 1에서 3까지 변할 때의 평균변화율은? [2점]

① $\frac{1}{2}$　　　② 1　　　③ $\frac{3}{2}$　　　④ 2　　　⑤ $\frac{5}{2}$

핵심개념 2 미분계수

(1) 함수 $y=f(x)$의 $x=a$에서의 순간변화율 또는 미분계수는 다음과 같다.

$$f'(a)=\lim_{\Delta x\to 0}\frac{\Delta y}{\Delta x}=\lim_{\Delta x\to 0}\frac{f(a+\Delta x)-f(a)}{\Delta x}=\lim_{x\to a}\frac{f(x)-f(a)}{x-a}$$

> **참고** Δx 대신 h를 사용하여 $f'(a)=\lim_{h\to 0}\frac{f(a+h)-f(a)}{h}$로 나타내기도 한다.
>
> **예** 함수 $f(x)=x^2$의 $x=3$에서의 미분계수 구하기
>
> [방법 1] $f'(3)=\lim_{h\to 0}\frac{f(3+h)-f(3)}{h}$ ← $f'(a)=\lim_{\Delta x\to 0}\frac{f(a+\Delta x)-f(a)}{\Delta x}$
> $=\lim_{h\to 0}\frac{(3+h)^2-3^2}{h}$
> $=\lim_{h\to 0}\frac{h^2+6h}{h}$
> $=\lim_{h\to 0}(h+6)=6$
>
> [방법 2] $f'(3)=\lim_{x\to 3}\frac{f(x)-f(3)}{x-3}$ ← $f'(a)=\lim_{x\to a}\frac{f(x)-f(a)}{x-a}$
> $=\lim_{x\to 3}\frac{x^2-3^2}{x-3}$
> $=\lim_{x\to 3}\frac{(x+3)(x-3)}{x-3}$
> $=\lim_{x\to 3}(x+3)=6$

(2) 함수 $y=f(x)$의 $x=a$에서의 미분계수 $f'(a)$가 존재할 때, 함수 $y=f(x)$는 $x=a$에서 미분가능하다고 한다.

02 함수 $f(x)=x^2-1$의 $x=2$에서의 미분계수를 구하시오. [3점]

핵심개념 3   미분계수의 기하적 의미

함수 $y=f(x)$가 $x=a$에서 미분가능할 때, $x=a$에서의 미분계수 $f'(a)$는 곡선 $y=f(x)$ 위의 점 $\mathrm{P}(a, f(a))$에서의 접선의 기울기이다.

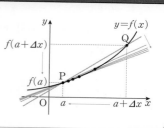

03 곡선 $y=2x^2$ 위의 점 $(1, 2)$에서의 접선의 기울기를 구하시오. [3점]

핵심개념 4   미분가능성과 연속성

(1) 함수 $y=f(x)$가 $x=a$에서 미분가능하면 $f(x)$는 $x=a$에서 연속이다.

   참고 1. 함수 $y=f(x)$가 $x=a$에서 미분가능하면 $\displaystyle\lim_{h \to 0-}\frac{f(a+h)-f(a)}{h}=\lim_{h \to 0+}\frac{f(a+h)-f(a)}{h}$이다.

     2. 함수 $f(x)$가 $x=a$에서 미분가능하다는 것을 증명하려면

       $x=a$에서 연속이고 <u>미분계수가 존재</u>

       $\longrightarrow \displaystyle\lim_{x \to a-}f(x)=\lim_{x \to a+}f(x)=f(a)$ $\displaystyle\lim_{x \to a-}f'(x)=\lim_{x \to a+}f'(x)$

       함을 보여야 한다.

(2) 일반적으로 위의 역은 성립하지 않는다. 즉 함수 $y=f(x)$가 $x=a$에서 연속이라고 해서 반드시 $x=a$에서 미분가능한 것은 아니다.

   예 $f(x)=|x|$는 $x=0$에서 $\displaystyle\lim_{x \to 0}f(x)=f(0)$이므로 연속이지만

     $\displaystyle\lim_{h \to 0-}\frac{f(0+h)-f(0)}{h}=\lim_{h \to 0-}\frac{|h|}{h}=\frac{-h}{h}=-1$, $\displaystyle\lim_{h \to 0+}\frac{f(0+h)-f(0)}{h}=\lim_{h \to 0+}\frac{|h|}{h}=\frac{h}{h}=1$로

     $\displaystyle\lim_{h \to 0}\frac{f(0+h)-f(0)}{h}$이 존재하지 않으므로 함수 $f(x)$는 $x=0$에서 미분가능하지 않다.

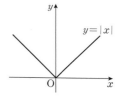

04 $x=a$에서 미분가능한 함수 $f(x)$를 [보기]에서 있는 대로 고른 것은? [3점]

| 보기 |

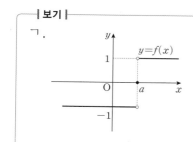   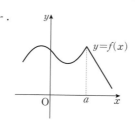   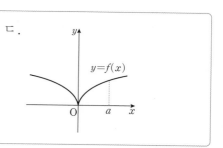

① ㄱ   ② ㄷ   ③ ㄱ, ㄴ   ④ ㄱ, ㄷ   ⑤ ㄱ, ㄴ, ㄷ

함수 $f(x)=ax^2-x+5$에서 x의 값이 0에서 3까지 변할 때의 평균변화율이 5일 때, 상수 a의 값을 구하시오. [3점]

Act ❶
함수 $f(x)$에서 x의 값이 a에서 b까지 변할 때의 평균변화율은 $\dfrac{\Delta y}{\Delta x}=\dfrac{f(b)-f(a)}{b-a}$임을 이용한다.

해결의 실마리

(1) 함수 $f(x)$에서 x의 값이 a에서 b까지 변할 때의 평균변화율 $\Rightarrow \dfrac{\Delta y}{\Delta x}=\dfrac{f(b)-f(a)}{b-a}$

(2) 함수 $f(x)$의 $x=a$에서의 미분계수 $\Rightarrow f'(a)=\lim\limits_{h\to 0}\dfrac{f(a+h)-f(a)}{h}=\lim\limits_{x\to a}\dfrac{f(x)-f(a)}{x-a}$

01
함수 $f(x)$가 $f(x+1)-f(1)=x^3+8x^2+5x$를 만족시킬 때, $f'(1)$의 값은? [3점]

① 5 ② 6 ③ 7
④ 8 ⑤ 9

03
함수 $f(x)=x^2-x$에서 x의 값이 0에서 k까지 변할 때의 평균변화율과 $x=2$에서의 미분계수가 같을 때, 상수 k의 값을 구하시오. [3점]

02
[2008학년도 수능 모의평가]
함수 $f(x)$가 $f(x+2)-f(2)=x^3+6x^2+14x$를 만족시킬 때, $f'(2)$의 값을 구하시오. [3점]

04
[2016학년도 교육청]
함수 $f(x)=x^3+ax$에서 x의 값이 0에서 2까지 변할 때의 평균변화율이 9일 때, $f'(3)$의 값을 구하시오. (단, a는 상수이다.) [3점]

기출유형 02 미분계수를 이용한 극한값의 계산

다항함수 $f(x)$에 대하여 $f'(3)=1$일 때, $\displaystyle\lim_{h \to 0}\frac{f(3+2h)-f(3)}{h}$의 값은? [3점]

① 1   ② 2   ③ 3   ④ 4   ⑤ 5

Act ❶

$\displaystyle\lim_{\star \to 0}\frac{f(a+\star)-f(a)}{\star}$와 같이 $\star$이 모두 같아지도록 변형하면 그 값은 $f'(a)$임을 이용한다.

해결의 실마리

(1) 미분계수를 이용하여 극한값을 계산할 때, 분모의 항이 1개이면

⇨ $\displaystyle\lim_{\star \to 0}\frac{f(a+\star)-f(a)}{\star}=f'(a)$와 같이 $\star$이 모두 같아지도록 변형한다.

(2) 미분계수를 이용하여 극한값을 계산할 때, 분모의 항이 2개이면

⇨ $\displaystyle\lim_{\blacktriangle \to \star}\frac{f(\blacktriangle)-f(\star)}{\blacktriangle-\star}=f'(\star)$와 같이 $\blacktriangle$는 $\blacktriangle$끼리, $\star$은 $\star$끼리 각각 같아지도록 변형한다.

05

[2018학년도 교육청]

다항함수 $f(x)$가 $\displaystyle\lim_{h \to 0}\frac{f(2+h)-f(2)}{3h}=5$를 만족시킬 때, $f'(2)$의 값은? [3점]

① 9   ② 12   ③ 15
④ 18   ⑤ 21

07

[2014학년도 교육청]

다항함수 $f(x)$에 대하여 $f(1)=0$, $f'(1)=7$일 때, $\displaystyle\lim_{x \to 1}\frac{(x^2+2)f(x)}{x-1}$의 값을 구하시오. [3점]

06

다항함수 $f(x)$에 대하여 $f'(3)=5$일 때, $\displaystyle\lim_{h \to 0}\frac{f(3+3h)-f(3-h)}{4h}$의 값을 구하시오. [3점]

08

[2009학년도 수능]

다항함수 $f(x)$에 대하여 $\displaystyle\lim_{x \to 2}\frac{f(x+1)-8}{x^2-4}=5$일 때, $f(3)+f'(3)$의 값을 구하시오. [3점]

다항함수 $f(x)$에 대하여 곡선 $y=f(x)$ 위의 점 $(3, 0)$에서의 접선의 기울기가 4일 때,

$\lim\limits_{h \to 0} \dfrac{f(3+2h)}{h}$의 값은? [3점]

① 2   ② 4   ③ 6   ④ 8   ⑤ 10

Act ❶
점 $(3, 0)$에서의 접선의 기울기가 $f'(3)=4$임을 이용한다.

해결의 실마리
곡선 $y=f(x)$ 위의 점 $(a, f(a))$에서의 접선의 기울기
⇨ $x=a$에서의 미분계수 $f'(a)$

09

곡선 $y=f(x)$ 위의 점 $(3, f(3))$에서의 접선의 기울기가 1일 때, $\lim\limits_{h \to 0} \dfrac{f(3+2h)-f(3+h)}{h}$의 값을 구하시오.

[3점]

10

곡선 $y=f(x)$ 위의 점 $(1, f(1))$에서의 접선의 기울기가 a이다. $\lim\limits_{x \to 1} \dfrac{f(x^3)-f(1)}{x-1}=6$일 때, 상수 a의 값은? [3점]

① 1   ② 2   ③ 3
④ 4   ⑤ 5

11

오른쪽 그림은 미분가능한 함수 $y=f(x)$의 그래프이다. [보기]에서 옳은 것만을 있는 대로 고른 것은? (단, $0<a<b$)[3점]

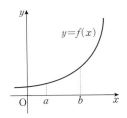

| 보기 |

ㄱ. $f'(a)<f'(b)$

ㄴ. $\dfrac{f(b)-f(a)}{b-a}>f'(a)$

ㄷ. $f'\left(\dfrac{a+b}{2}\right)>f'(\sqrt{ab})$

① ㄱ   ② ㄷ   ③ ㄱ, ㄴ
④ ㄴ, ㄷ   ⑤ ㄱ, ㄴ, ㄷ

기출유형 **04** 미분가능성과 연속성

$x=0$에서 미분가능한 함수만을 [보기]에서 있는 대로 고른 것은? [3점]

Act❶
$x=a$에서 함수 $f(x)$의 미분가 능성을 따질 때는 $x=a$에서 연속인지, 미분계수가 존재하는지를 확인한다.

┤ 보기 ├─

ㄱ. $f(x)=x|x|$ ㄴ. $f(x)=\dfrac{|x|}{x}$ ㄷ. $f(x)=x^2|x|$

① ㄱ   ② ㄷ   ③ ㄱ, ㄴ   ④ ㄱ, ㄷ   ⑤ ㄱ, ㄴ, ㄷ

해결의 실마리

(1) 함수 $f(x)$가 $x=a$에서 미분가능하면 다음 두 조건을 모두 만족한다.
  (i) $x=a$에서 연속이다. 즉 $x=a$에서의 좌극한, 우극한, 함숫값이 모두 같다. ← $\displaystyle\lim_{x \to a} f(x)=f(a)$
  (ii) $x=a$에서의 미분계수 $\displaystyle\lim_{h \to 0} \dfrac{f(a+h)-f(a)}{h}$ 의 값이 존재한다.
(2) 함수 $y=f(x)$의 그래프 위의 점이 미분가능하지 않은 경우는 다음과 같다.
  ① $x=a$에서 불연속인 경우   ② $x=a$에서 연속이지만 그래프가 뾰족하게 꺾이는 경우

12

함수 $f(x)$의 그래프가 그림과 같을 때, 열린구간 $(-2,\ 3)$에서 함수 $f(x)$에 대한 설명 중 옳은 것만을 [보기]에서 고른 것은? [3점]

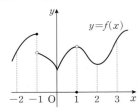

┤ 보기 ├─

ㄱ. 불연속인 점은 2개이다.
ㄴ. 미분가능하지 않은 점은 2개이다.
ㄷ. $f'(x)=0$인 점은 1개이다.

① ㄱ   ② ㄴ   ③ ㄱ, ㄴ
④ ㄱ, ㄷ   ⑤ ㄱ, ㄴ, ㄷ

13

함수 $y=f(x)$의 그래프가 그림과 같을 때, 열린구간 $(-1,\ 5)$에서 함수 $f(x)$가 불연속인 점은 a개, 미분가능하지 않은 점은 b개이다. 이때 $a+b$의 값은? [3점]

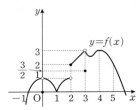

① 3   ② 4   ③ 5
④ 6   ⑤ 7

01

함수 $f(x)=x^2+2x-1$에서 x의 값이 1에서 a까지 변할 때의 평균변화율이 10일 때, 상수 a의 값은? [2점]

① 2   ② 3   ③ 5

④ 7   ⑤ 9

02

함수 $f(x)=x^3+ax+1$에서 x의 값이 0에서 2까지 변할 때의 평균변화율은 3이다. 이때 상수 a의 값은? [2점]

① -1 ② -2 ③ -3

④ -4 ⑤ -5

03

함수 $f(x)=x^3-1$에서 x의 값이 1부터 4까지 변할 때의 평균변화율과 $x=a$에서의 미분계수가 같을 때, 상수 a의 값은? (단, $1<a<4$) [3점]

① $\sqrt{3}$ ② $\sqrt{5}$ ③ $\sqrt{7}$

④ 3   ⑤ $\sqrt{11}$

04

함수 $f(x)=x^3+x^2$에서 x의 값이 a부터 1까지 변할 때의 평균변화율과 $x=1$에서의 미분계수가 같을 때, 상수 a의 값은? (단, $a\neq1$) [3점]

① -1 ② -3 ③ -5

④ -7 ⑤ -9

05

다항함수 $f(x)$에 대하여 $f'(3)=1$일 때, $\displaystyle\lim_{h\to 0}\frac{f(3+2h)-f(3)}{h}$의 값은? [3점]

① 1   ② 2   ③ 3

④ 4   ⑤ 5

06

함수 $f(x)$에 대하여 $f'(0)=6$일 때, $\displaystyle\lim_{h\to 0}\frac{f(2h)-f(0)}{3h}$의 값은? [3점]

① 1   ② 2   ③ 3

④ 4   ⑤ 5

07

다항함수 $f(x)$에 대하여 $\lim_{x \to 1} \dfrac{f(x)-2}{x^3-1}=3$일 때,
$f(1)+f'(1)$의 값은? [3점]

① 3   ② 5   ③ 7
④ 9   ⑤ 11

08

곡선 $y=x^3+ax^2-4$ 위의 점 $(1, -2)$에서의 접선의 기울기는? [3점]

① -5 ② -2 ③ 0
④ 2   ⑤ 5

09

다항함수 $f(x)$에 대하여 곡선 $y=f(x)$ 위의 점 $(1, 3)$에서의 접선의 기울기가 -2일 때,

$\lim_{x \to 1} \dfrac{x^2 f(1)-f(x)}{x-1}$의 값은? [3점]

① 2   ② 4   ③ 6
④ 8   ⑤ 10

10

함수 $f(x)=\begin{cases} ax^2+1 & (x<1) \\ x^4+b & (x \geq 1) \end{cases}$ 이 $x=1$에서 미분가능할 때, 상수 a, b에 대하여 $a+b$의 값은? [3점]

① 3   ② 4   ③ 5
④ 6   ⑤ 7

11

$x=0$에서 미분가능한 함수만을 [보기]에서 있는 대로 고른 것은? [3점]

┤ 보기 ├
ㄱ. $y=\dfrac{1}{x}$ ㄴ. $y=|x|$ ㄷ. $y=x|x|$

① ㄱ   ② ㄴ   ③ ㄷ
④ ㄱ, ㄴ   ⑤ ㄴ, ㄷ

12

미분가능한 함수 $f(x)$가 임의의 실수 x, y에 대하여

$$f(x+y)=f(x)+f(y)$$

를 만족하고 $f'(0)=-3$일 때, $f'(10)$의 값은? [3점]

① -5 ② -4 ③ -3
④ -2 ⑤ -1

II. 미분

04 도함수

출제경향 도함수를 이용하여 미분계수를 구하는 계산 문제, 미분법을 이용한 극한값의 계산 문제, 구간에 따라 달리 정의된 함수의 미분가능성 문제가 매년 빠지지 않고 출제된다. 미분가능성 문제에서 좌미분계수와 우미분계수는 미분법을 이용하여 간단히 계산할 수 있다.

핵심개념 1 · 도함수의 정의

미분가능한 함수 $y=f(x)$의 정의역의 각 원소 x에 미분계수 $f'(x)$를 대응시켜 만든 새로운 함수를 함수 $y=f(x)$의 도함수라 하며, 이것을 기호로

$$f'(x), \ y', \ \frac{dy}{dx}, \ \frac{d}{dx}f(x)$$

와 같이 나타낸다.

$$f'(x)=\lim_{\Delta x \to 0}\frac{f(x+\Delta x)-f(x)}{\Delta x}=\lim_{h \to 0}\frac{f(x+h)-f(x)}{h}$$

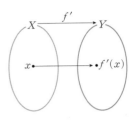

참고 함수 $f(x)$의 $x=a$에서의 미분계수 $f'(a)$는 도함수 $f'(x)$의 $x=a$에서의 함숫값이다.

01 도함수의 정의를 이용하여 함수 $f(x)=x^2$의 $x=3$에서의 미분계수를 구하면? [2점]

① 4　　　　② 6　　　　③ 8　　　　④ 10　　　　⑤ 12

핵심개념 2 · 함수 $f(x)=x^n$ 과 상수함수의 도함수

(1) $f(x)=x^n$ (n은 2 이상의 양의 정수)의 도함수는 $f'(x)=nx^{n-1}$

(2) $f(x)=x$의 도함수는 $f'(x)=1$

(3) $f(x)=c$ (c는 상수)의 도함수는 $f'(x)=0$

[2018학년도 교육청]

02 함수 $f(x)=x^4$에 대하여 $f'(1)$의 값은? [2점]

① 1　　　　② 2　　　　③ 3　　　　④ 4　　　　⑤ 5

핵심개념 3 · 함수의 실수배, 합, 차, 곱의 미분법

(1) 함수의 실수배, 합, 차의 미분법

　두 함수 $f(x)$, $g(x)$가 미분가능할 때

　① $\{cf(x)\}'=cf'(x)$ (단, c는 상수)

　② $\{f(x)+g(x)\}'=f'(x)+g'(x)$　　　③ $\{f(x)-g(x)\}'=f'(x)-g'(x)$

(2) 함수의 곱의 미분법

　두 함수 $f(x)$, $g(x)$가 미분가능할 때

　① $\{f(x)g(x)\}'=f'(x)g(x)+f(x)g'(x)$　　　② $[\{f(x)\}^n]'=n\{f(x)\}^{n-1}f'(x)$

[2012학년도 수능 모의평가]

03 함수 $f(x)=(x^3+5)(x^2-1)$에 대하여 $f'(1)$의 값을 구하시오. [3점]

기출유형 01 다항함수의 미분법

함수 $f(x)=x^3+7x+3$에 대하여 $f'(1)$의 값은? [3점]　[2016학년도 수능]

① 4　　　　② 6　　　　③ 8　　　　④ 10　　　　⑤ 12

Act ①

$f'(a)$의 값을 구할 때는 도함수 $f'(x)$를 구한 다음 $x=a$를 대입한다.

해결의 실마리

(1) 다항함수 $f(x)$의 $x=a$에서의 미분계수 $f'(a)$의 값을 구할 때는

⇨ $f(x)$의 도함수 $f'(x)$를 구한 다음 $x=a$를 대입한다.

(2) $(x)'=1$, $(x^n)'=nx^{n-1}\,(n\geq2)$

01　　[2019학년도 수능]

함수 $f(x)=x^4-3x^2+8$에 대하여 $f'(2)$의 값을 구하시오. [3점]

02　　[2017학년도 수능]

함수 $f(x)=x^3+3x^2+3$에 대하여 $f'(2)$의 값을 구하시오. [3점]

03　　[2015학년도 교육청]

함수 $f(x)=2x^3+ax$에 대하여 $f'(1)=30$을 만족시키는 상수 a의 값을 구하시오. [3점]

04　　[2014학년도 수능 모의평가]

함수 $f(x)=7x^3-ax+3$에 대하여 $f'(1)=2$를 만족시키는 상수 a의 값을 구하시오. [3점]

함수 $f(x)=(2x+5)(x^2-4x)$에 대하여 $f'(3)$의 값은? [3점]

① 12   ② 14   ③ 16   ④ 18   ⑤ 20

Act ①

미분가능한 두 함수
$f(x)$, $g(x)$의 곱의 미분은
$\{f(x)g(x)\}'$
$=f'(x)g(x)+f(x)g'(x)$
임을 이용한다.

해결의 실마리

두 함수 $f(x)$, $g(x)$가 미분가능할 때 이들의 곱으로 이루어진 함수의 도함수를 구할 때는 전개하여 미분하지 않고 곱의 미분법을 이용하면 간편하게 미분할 수 있다.

① $\{f(x)g(x)\}'=f'(x)g(x)+f(x)g'(x)$ ② $[\{f(x)\}^n]'=n\{f(x)\}^{n-1}f'(x)$

05

[2006학년도 수능 모의평가]

함수 $f(x)=(2x^2-1)(x^2+x-2)$에 대하여 $f'(2)$의 값을 구하시오. [3점]

06

[2010학년도 수능]

함수 $f(x)=(x^2+1)(x^2+x-2)$에 대하여 $f'(2)$의 값을 구하시오. [3점]

07

[2010학년도 수능 모의평가]

함수 $f(x)=(2x^3+1)(x-1)^2$에 대하여 $f'(-1)$의 값을 구하시오. [3점]

08

함수 $f(x)=(ax^3+1)(ax+1)$에 대하여 $f'(1)=24$일 때, 양수 a의 값은? [3점]

① 2   ② 4   ③ 6

④ 8   ⑤ 10

기출유형 03 미분계수와 미분법을 이용한 극한값의 계산

[2015학년도 수능 모의평가]

함수 $f(x)=x^2+4x$에 대하여 $\lim\limits_{h \to 0} \dfrac{f(1+h)-f(1)}{2h}$의 값은? [3점]

Act ❶
미분계수의 정의를 이용할 수 있도록 식을 변형한다.

① 1　　　　② 2　　　　③ 3　　　　④ 4　　　　⑤ 5

해결의 실마리

① 주어진 식을 $f'(a)$가 포함된 식으로 변형한다. ← $f'(a)=\lim\limits_{h \to 0} \dfrac{f(a+h)-f(a)}{h}=\lim\limits_{x \to a} \dfrac{f(x)-f(a)}{x-a}$

② $f(x)$의 도함수 $f'(x)$를 구한 후 $f'(x)$에 $x=a$를 대입하여 $f'(a)$의 값을 구한다.

③ $f'(a)$의 값을 ①에 대입하여 주어진 식의 값을 구한다.

09
[2016학년도 수능 모의평가]

함수 $f(x)=x^2+8x$에 대하여 $\lim\limits_{h \to 0} \dfrac{f(1+2h)-f(1)}{h}$의 값은? [3점]

① 16　　　　② 17　　　　③ 18

④ 19　　　　⑤ 20

11
[2014학년도 수능]

함수 $f(x)=2x^2+ax$에 대하여 $\lim\limits_{h \to 0} \dfrac{f(1+h)-f(1)}{h}=6$일 때, 상수 a의 값은? [3점]

① -4　　　　② -2　　　　③ 0

④ 2　　　　⑤ 4

10
[2018학년도 교육청]

함수 $f(x)=x^2+4x-2$에 대하여 $\lim\limits_{h \to 0} \dfrac{f(1+2h)-3}{h}$의 값은? [3점]

① 12　　　　② 14　　　　③ 16

④ 18　　　　⑤ 20

12
[2015학년도 교육청]

함수 $f(x)=x^2+ax$에 대하여 $\lim\limits_{h \to 0} \dfrac{f(1+h)-f(1)}{2h}=6$일 때, 상수 a의 값은? [3점]

① 10　　　　② 11　　　　③ 12

④ 13　　　　⑤ 14

[2013학년도 수능]

함수 $f(x) = \begin{cases} x^3 + ax & (x < 1) \\ bx^2 + x + 1 & (x \geq 1) \end{cases}$ 이 $x = 1$에서 미분가능할 때, $a + b$의 값은? (단, a, b는 상수이다.) [4점]

① 5   ② 6   ③ 7   ④ 8   ⑤ 9

Act ❶

$x = a$에서 함수 $f(x)$의 미분가능성을 따질 때는 $x = a$에서 연속인지, 미분계수가 존재하는지를 확인한다.

해결의 실마리

다항함수 $f(x)$, $g(x)$에 대하여 함수 $h(x) = \begin{cases} f(x) & (x \geq a) \\ g(x) & (x < a) \end{cases}$ 가 $x = a$에서 미분가능하면 다음 두 조건을 만족한다.

① 함수 $h(x)$는 $x = a$에서 연속이다. ← $\lim\limits_{x \to a-} g(x) = f(a)$

② $x = a$에서의 함수 $h(x)$의 미분계수가 존재한다. ← $\lim\limits_{x \to a-} \dfrac{g(x) - g(a)}{x - a} = \lim\limits_{x \to a+} \dfrac{f(x) - f(a)}{x - a}$

13

[2013학년도 교육청]

함수 $f(x) = \begin{cases} -x^2 + ax + 2 & (x \geq 2) \\ 2x + b & (x < 2) \end{cases}$ 가 $x = 2$에서 미분가능할 때, 상수 a, b에 대하여 ab의 값을 구하시오. [3점]

14

[2016학년도 교육청]

실수 전체의 집합에서 정의된 함수

$$f(x) = \begin{cases} -x^2 + a & (x < 1) \\ 2x^2 + bx + 4 & (x \geq 1) \end{cases}$$

이 $x = 1$에서 미분가능할 때, $a^2 + b^2$의 값은? (단, a, b는 상수이다.) [4점]

① 33   ② 35   ③ 37

④ 39   ⑤ 41

15

[2017학년도 교육청]

두 상수 a, b에 대하여 함수

$$f(x) = \begin{cases} 2x^2 + ax + b & (x < 2) \\ 5ax - 12 & (x \geq 2) \end{cases}$$

가 $x = 2$에서 미분가능할 때, $a^2 + b^2$의 값을 구하시오. [3점]

16

[2018학년도 수능 모의평가]

함수

$$f(x) = \begin{cases} x^2 + ax + b & (x \leq -2) \\ 2x & (x > -2) \end{cases}$$

가 실수 전체의 집합에서 미분가능할 때, $a + b$의 값은? (단, a와 b는 상수이다.) [4점]

① 6   ② 7   ③ 8

④ 9   ⑤ 10

기출유형 05 관계식이 주어질 때 도함수 구하기

미분가능한 함수 $f(x)$가 모든 실수 x, y에 대하여 $f(x+y)=f(x)+f(y)-2xy$를 만족시키고 $f'(0)=5$일 때, $f'(1)$의 값은? [3점]

① 1   ② 2   ③ 3   ④ 4   ⑤ 5

Act ①

먼저 주어진 식의 양변에 $x=0$, $y=0$을 대입하여 $f(0)$의 값을 구한 후 도함수의 정의를 이용하여 $f'(x)$를 구한다.

해결의 실마리

x, y에 대한 관계식이 주어질 때 도함수 구하기

① 주어진 관계식의 x, y에 적당한 수를 대입하여 $f(0)$의 값을 구한다.

② 주어진 관계식을 $f'(x)=\lim\limits_{h \to 0}\dfrac{f(x+h)-f(x)}{h}$에 대입하여 $f'(x)$를 구한다.

17

미분가능한 함수 $f(x)$가 모든 실수 x, y에 대하여
$$f(x+y)=f(x)+f(y)+3xy$$
를 만족시키고 $f'(0)=2$일 때, $f'(1)$의 값을 구하시오.

[3점]

18

항상 양의 값을 갖는 미분가능한 함수 $f(x)$가 임의의 두 실수 x, y에 대하여
$$f(x+y)=f(x)f(y)$$
를 만족시킨다. $f'(0)=3$일 때, $\dfrac{f'(x)}{f(x)}$의 값을 구하시오. [3점]

19

미분가능한 함수 $f(x)$가 임의의 두 실수 x, y에 대하여
$$f(x+y)=f(x)+f(y)+5xy$$
를 만족시키고 $f'(0)=4$일 때, 다음 [보기] 중 옳은 것을 있는 대로 고른 것은? [3점]

보기

ㄱ. $f(0)=0$

ㄴ. $f'(x)=5x+4$

ㄷ. 모든 실수 a에 대하여 $f(a)=\lim\limits_{x \to a} f(x)$

① ㄱ   ② ㄴ   ③ ㄱ, ㄴ

④ ㄴ, ㄷ   ⑤ ㄱ, ㄴ, ㄷ

01

함수 $f(x)=-4x^3-3x^2+6x-1$에 대하여 $f'(a)=0$을 만족하는 양수 a의 값은? [2점]

① $\dfrac{1}{5}$ ② $\dfrac{1}{4}$ ③ $\dfrac{1}{3}$

④ $\dfrac{1}{2}$ ⑤ 1

02

함수 $f(x)=1+\dfrac{1}{2}x^2+\dfrac{1}{4}x^4+\dfrac{1}{6}x^6\cdots+\dfrac{1}{100}x^{100}$에 대하여 $f'(-1)$의 값은? [3점]

① -90 ② -70 ③ -50

④ -30 ⑤ -10

03

함수 $f(x)=(4x-3)(3x-2)(-2x+a)$에 대하여 $f'(1)=-2$일 때, 상수 a의 값은? [3점]

① 1 ② 2 ③ 3

④ 4 ⑤ 5

04

함수 $f(x)=(x-1)(x-2)(x-3)\cdots(x-10)$에 대하여 $f'(1)+f'(10)$의 값은?

(단, $n!=n$ $(n-1)$ $(n-2)$ $\cdots$ 2 1) [3점]

① $-10!$ ② $-9!$ ③ 0

④ $9!$ ⑤ $10!$

05

다항함수 $f(x)$에 대하여 $f(1)=3$, $f'(1)=2$이고 $g(x)=(x^2+x)f(x)$일 때, $g'(1)$의 값은? [3점]

① 10 ② 11 ③ 12

④ 13 ⑤ 14

06

함수 $f(x)=x^2+ax+b$에 대하여 $f(2)=3$, $f'(0)=2$일 때, $a-b$의 값을 구하시오. (단, a, b는 상수) [3점]

07

$\lim\limits_{x \to 1} \dfrac{x^n - 3x + 2}{x-1} = 12$를 만족하는 자연수 n의 값은? [3점]

① 11 ② 12 ③ 13
④ 14 ⑤ 15

08

함수 $f(x) = \begin{cases} ax^2 & (x \leq 1) \\ (x-2)^2 + b & (x > 1) \end{cases}$ 가 $x = 1$에서 미분가능

하도록 하는 상수 a, b의 합 $a+b$의 값은? [3점]

① -1 ② -3 ③ -5
④ -7 ⑤ -9

09

함수 $f(x) = \begin{cases} x^2 - ax & (x < -1) \\ ax + b & (x \geq -1) \end{cases}$ 가 $x = -1$에서 미분가능

하도록 하는 상수 a, b의 합 $a+b$의 값은? [3점]

① -2 ② -1 ③ 0
④ 1 ⑤ 2

10

미분가능한 함수 $f(x)$가 $f(1) = 2$, $f'(1) = 3$을 만족시킬 때, 함수 $g(x) = (x^2 + 2x)f(x)$에 대하여 $g'(1)$의 값을 구하시오. [3점]

11

다항함수 $f(x)$에 대하여 함수 $g(x)$를
$$g(x) = (x^2 + 1)f(x)$$
라 하자. $g(1) = 4$, $g'(1) = 6$일 때, $f'(1)$의 값을 구하시오. [3점]

12

최고차항의 계수가 1이고 $f(1) = 0$인 삼차함수 $f(x)$가
$$\lim\limits_{x \to 2} \dfrac{f(x)}{(x-2)\{f'(x)\}^2} = \dfrac{1}{4}$$
을 만족시킬 때, $f(3)$의 값은? [3점]

① 10 ② 11 ③ 12
④ 13 ⑤ 14

05 접선의 방정식과 평균값 정리

출제경향 주로 출제되는 곡선 위의 점에서의 접선의 방정식에 대한 문제는 쉽게 풀 수 있는 유형이다. 간혹 출제되는 기울기가 주어진 접선의 방정식과 곡선 밖의 한 점에서 그은 접선의 방정식은 4점짜리이지만 개념만 알면 쉽게 풀 수 있는 유형이다.

핵심개념 1 　 접선의 방정식

(1) 함수 $f(x)$가 $x=a$에서 미분가능할 때, 곡선 $y=f(x)$ 위의 점 $(a, f(a))$에서의 접선의 기울기는 $x=a$에서의 미분계수 $f'(a)$와 같다.

(2) 함수 $f(x)$가 $x=a$에서 미분가능할 때, 곡선 $y=f(x)$ 위의 점 $(a, f(a))$에서의 접선의 방정식은

$$y-f(a)=f'(a)(x-a)$$

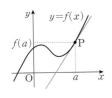

01 곡선 $y=-x^2+x$ 위의 점 $(2, -2)$에서의 접선의 기울기는? [2점]

① -5 　　② -4 　　③ -3 　　④ -2 　　⑤ -1

핵심개념 2 　 접선의 방정식 구하는 방법

(1) 접점의 좌표 (a, b)가 주어진 경우

① 접선의 기울기 $f'(a)$를 구한다.　　② 접선의 방정식은 ⇨ $y-b=f'(a)(x-a)$

(2) 기울기 m이 주어진 경우

① 접점의 좌표를 $(a, f(a))$로 놓는다.　　② $f'(a)=m$에서 접점의 좌표 $(a, f(a))$를 구한다.

③ 접선의 방정식은 ⇨ $y-f(a)=m(x-a)$

(3) 곡선 밖의 한 점의 좌표 (x_1, y_1)이 주어진 경우

① 접점의 좌표를 $(a, f(a))$로 놓는다.　　② $y-f(a)=f'(a)(x-a)$에 점 (x_1, y_1)의 좌표를 대입하여 a의 값을 구한다.

③ 접선의 방정식은 ⇨ a의 값을 $y-f(a)=f'(a)(x-a)$에 대입한다.

---

02 곡선 $y=-x^2+1$ 위의 점 $(1, 0)$에서의 접선의 방정식은 $y=mx+n$이다. $m+n$의 값을 구하시오. (단, m, n은 상수이다.) [3점]

핵심개념 3 　 평균값 정리

(1) 롤의 정리

함수 $f(x)$가 닫힌구간 $[a, b]$에서 연속이고 열린구간 (a, b)에서 미분가능할 때, $f(a)=f(b)$이면 $f'(c)=0$인 c가 열린구간 (a, b)에 적어도 하나 존재한다.

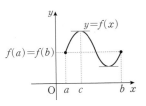

(2) 평균값 정리

함수 $f(x)$가 닫힌구간 $[a, b]$에서 연속이고 열린구간 (a, b)에서 미분가능할 때,

$$\frac{f(b)-f(a)}{b-a}=f'(c)$$

인 c가 열린구간 (a, b)에 적어도 하나 존재한다.

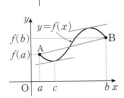

참고 평균값 정리에서 $f(a)=f(b)$인 경우가 롤의 정리이다.

---

03 함수 $f(x)=x^2-3x$에 대하여 닫힌구간 $[0, 3]$에서 롤의 정리를 만족시키는 상수 c의 값은? [3점]

① 1 　　② $\dfrac{3}{2}$ 　　③ 2 　　④ $\dfrac{5}{2}$ 　　⑤ 3

유형따라잡기

사차함수 $f(x)=x^4-4x^3+6x^2+4$의 그래프 위의 점 (a, b)에서의 접선의 기울기가 4일 때, a^2+b^2 의 값을 구하시오. [3점]

[2007학년도 수능]

Act❶
$f'(a)=4$, $f(a)=b$임을 이용 하여 a, b의 값을 구한다.

해결의 실마리
곡선 $y=f(x)$ 위의 점 (a, b)에서의 접선의 기울기가 m이면
$\Rightarrow f'(a)=m$, $f(a)=b$

01

곡선 $y=2x^2+ax+b$ 위의 점 $(1, 0)$에서의 접선의 기울기가 2일 때, 상수 a, b에 대하여 $a-b$의 값은? [3점]

① 2   ② 3   ③ 4
④ 5   ⑤ 6

03

곡선 $y=2x^3+ax^2+bx+2$ 위의 점 $(-1, 2)$에서의 접선의 기울기가 6일 때, 상수 a, b에 대하여 ab의 값을 구하시오. [3점]

02

[2013학년도 수능]

삼차함수 $f(x)=x^3+ax^2+9x+3$의 그래프 위의 점 $(1, f(1))$에서의 접선의 방정식이 $y=2x+b$이다. $a+b$의 값은? (단, a, b는 상수이다.) [4점]

① 1   ② 2   ③ 3
④ 4   ⑤ 5

04

[2014학년도 교육청]

곡선 $y=2x^3+ax+b$ 위의 점 $(1, 1)$에서의 접선과 수직인 직선의 기울기가 $-\dfrac{1}{2}$이다. 상수 a, b에 대하여 a^2+b^2의 값은? [3점]

① 25   ② 27   ③ 29
④ 31   ⑤ 33

[2013학년도 교육청]

곡선 $y=x^3+6x^2-11x+7$ 위의 점 $(1, 3)$에서의 접선의 방정식을 $y=mx+n$이라 할 때, 상수 m, n에 대하여 $m-n$의 값은? [3점]

① 5　　　　　② 7　　　　　③ 9　　　　　④ 11　　　　　⑤ 13

Act①
$y=f(x)$ 위의 점 (a, b)에서의 접선의 방정식은
$y-b=f'(a)(x-a)$임을 이용한다.

해결의 실마리

곡선 $y=f(x)$ 위의 점 (a, b)에서의 접선의 방정식
① 접선의 기울기 $f'(a)$를 구한다.
② 접선의 방정식은 ⇨ $y-b=f'(a)(x-a)$

05

[2012학년도 수능]

곡선 $y=-x^3+4x$ 위의 점 $(1, 3)$에서의 접선의 방정식이 $y=ax+b$이다. $10a+b$의 값을 구하시오. (단, a, b는 상수이다.) [4점]

07

[2012학년도 수능 모의평가]

곡선 $y=x^3-x^2+a$ 위의 점 $(1, a)$에서의 접선이 점 $(0, 12)$를 지날 때, 상수 a의 값을 구하시오. [4점]

06

[2015학년도 수능 모의평가]

곡선 $y=-x^3+2x$ 위의 점 $(1, 1)$에서의 접선이 점 $(-10, a)$를 지날 때, a의 값을 구하시오. [4점]

08

[2016학년도 수능 모의평가]

함수 $f(x)=(x-3)^2$에 대하여 함수 $g(x)$의 도함수가 $f(x)$이고, 곡선 $y=g(x)$ 위의 점 $(2, g(2))$에서의 접선의 y절편이 -5일 때, 이 접선의 x절편은? [3점]

① 1　　　　② 2　　　　③ 3
④ 4　　　　⑤ 5

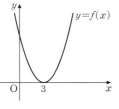

기출유형 03 기울기가 주어진 접선의 방정식

곡선 $y=x^3-3x^2+1$에 접하고 직선 $y=-3x$에 평행한 직선의 y절편은? [3점]

① -2　　　② -1　　　③ 0　　　④ 1　　　⑤ 2

Act ❶
접선의 기울기를 이용하여 접점의 좌표를 구한 후 접선의 방정식을 구한다.

해결의 실마리

곡선 $y=f(x)$에 접하고 기울기가 m인 직선의 방정식

① 접점의 좌표를 $(a, f(a))$로 놓는다.

② $f'(a)=m$에서 접점의 좌표 $(a, f(a))$를 구한다.

③ 접선의 방정식은 ⇨ $y-f(a)=m(x-a)$

09

곡선 $y=x^2-4x+3$에 접하고 직선 $y=2x+5$에 평행한 직선의 y절편은? [3점]

① -6　　　② -5　　　③ -4

④ -3　　　⑤ -2

11

곡선 $y=x^3-3x^2+11$ 위의 서로 다른 두 점 A, B에서의 접선이 서로 평행하다. 점 A의 x좌표가 -1일 때, 점 B에서의 접선의 y절편은? [4점]

① -16　　　② -15　　　③ -14

④ -13　　　⑤ -12

10

곡선 $y=-x^2+4x+6$에 접하고 직선 $y=\dfrac{1}{2}x+3$에 수직인 직선의 y절편을 구하시오. [3점]

12

[2014학년도 수능 모의평가]

곡선 $y=x^3-3x^2+x+1$ 위의 서로 다른 두 점 A, B에서의 접선이 서로 평행하다. 점 A의 x좌표가 3일 때, 점 B에서의 접선의 y절편의 값은? [4점]

① 5　　　② 6　　　③ 7

④ 8　　　⑤ 9

원점에서 곡선 $y=x^3+2$에 그은 접선의 기울기는? [3점]

Act ①
접점의 좌표를 (t, t^3+2)라 하면 기울기는 $3t^2$이고 접선이 점 $(0, 0)$을 지남을 이용하여 t의 값을 구한다.

① 1   ② $\dfrac{3}{2}$ ③ 2   ④ $\dfrac{5}{2}$ ⑤ 3

해결의 실마리

곡선 $y=f(x)$ 밖의 한 점 (x_1, y_1)에서 곡선에 그은 접선의 방정식
① 접점의 좌표를 $(a, f(a))$로 놓는다.
② $y-f(a)=f'(a)(x-a)$에 점 (x_1, y_1)의 좌표를 대입하여 a의 값을 구한다.
③ 접선의 방정식은 ⇨ a의 값을 $y-f(a)=f'(a)(x-a)$에 대입한다.

13

점 $(1, 2)$에서 곡선 $y=x^2+2$에 그은 접선의 방정식을 $y=mx+n$이라 할 때, $m+n$의 값을 구하시오. [3점]

15

점 $(0, 2)$에서 곡선 $y=x^3$에 그은 접선이 점 $(2, k)$를 지날 때, 상수 k의 값은? [3점]

① 5   ② 6   ③ 7
④ 8   ⑤ 9

14

[2012학년도 수능 모의평가]

점 $(0, -4)$에서 곡선 $y=x^3-2$에 그은 접선이 x축과 만나는 점의 좌표를 $(a, 0)$이라 할 때, a의 값은? [4점]

① $\dfrac{7}{6}$ ② $\dfrac{4}{3}$ ③ $\dfrac{3}{2}$

④ $\dfrac{5}{3}$ ⑤ $\dfrac{11}{6}$

16

[2016학년도 교육청]

함수 $f(x)=x^3-ax$에 대하여 점 $(0, 16)$에서 곡선 $y=f(x)$에 그은 접선의 기울기가 8일 때, $f(a)$의 값을 구하시오. (단, a는 상수이다.) [4점]

기출유형 **05** 두 곡선에 동시에 접하는 직선의 방정식

두 함수 $f(x)=x^3+ax$, $g(x)=bx^2+c$의 그래프가 점 $(1, 2)$에서 공통인 접선을 가질 때, 상수 a, b, c에 대하여 $a+b+c$의 값은? [3점]

Act①
두 곡선 $y=f(x)$, $y=g(x)$가 $x=t$에서 공통인 접선을 가지면 $f(t)=g(t)$, $f'(t)=g'(t)$임을 이용한다.

① 2   ② 3   ③ 4   ④ 5   ⑤ 6

해결의 실마리

(1) 한 점에서 접할 때

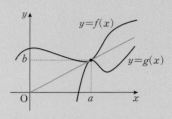

⇨ 접점에서의 함숫값과 접선의 기울기가 같으므로
$f(a)=b$, $g(a)=b$, $f'(a)=g'(a)$

(2) 접점이 서로 다를 때

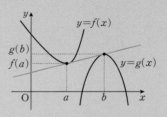

⇨ 두 접점에서의 접선이 일치함을 이용한다. 즉 두 접선의 방정식의 기울기와 y절편이 같다.

17

두 곡선 $f(x)=x^3-ax+1$, $g(x)=x^2$이 한 점에서 접할 때, 상수 a의 값을 구하시오. [3점]

18

곡선 $f(x)=x^2+3x-1$ 위의 점 $(3, 17)$에서의 접선이 곡선 $g(x)=x^3+ax+6$에 접할 때, 상수 a의 값은? [3점]

① -5 ② -4 ③ -3
④ -2 ⑤ -1

19

[2010학년도 수능 모의평가]

곡선 $y=x^2$ 위의 점 $(-2, 4)$에서의 접선이 곡선 $y=x^3+ax-2$에 접할 때, 상수 a의 값은? [2점]

① -9 ② -7 ③ -5
④ -3 ⑤ -1

20

두 곡선 $y=x^2$과 $y=x^2+4x$에 동시에 접하는 직선의 방정식을 $y=mx+n$이라 할 때, $m+n$의 값은? [3점]

① -2 ② -1 ③ 0
④ 1   ⑤ 2

함수 $f(x)=x^2-4x+3$에 대하여 닫힌구간 $[1, 4]$에서 평균값 정리를 만족시키는 상수 c의 값은? [3점]

① $\dfrac{1}{2}$ ② 1 ③ $\dfrac{3}{2}$ ④ 2 ⑤ $\dfrac{5}{2}$

Act ❶

$\dfrac{f(4)-f(1)}{4-1}=f'(c)$인 c $(1<c<4)$를 찾는다.

해결의 실마리

(1) 닫힌구간 $[a, b]$에서 롤의 정리를 만족시키는 상수 c의 값은 ⇨ $f'(c)=0$인 c $(a<c<b)$를 찾는다.

(2) 닫힌구간 $[a, b]$에서 평균값 정리를 만족시키는 상수 c의 값은 ⇨ $\dfrac{f(b)-f(a)}{b-a}=f'(c)$인 c $(a<c<b)$를 찾는다.

(3) 평균값 정리에서 $f(a)=f(b)$인 경우가 롤의 정리이다.

21

함수 $f(x)=-x^2+2x$에 대하여 닫힌구간 $[0, 4]$에서 평균값 정리를 만족시키는 상수 c의 값은? [3점]

① 1 ② $\dfrac{3}{2}$ ③ 2

④ $\dfrac{5}{2}$ ⑤ 3

22

함수 $f(x)=(x+1)^2(x-2)$에 대하여 닫힌구간 $[-1, 2]$에서 롤의 정리를 만족시키는 상수 c의 값은? [3점]

① $\dfrac{1}{3}$ ② $\dfrac{2}{3}$ ③ 1

④ $\dfrac{4}{3}$ ⑤ $\dfrac{5}{3}$

23

함수 $f(x)=x^3-3x^2$에 대하여 닫힌구간 $[0, 3k]$에서 평균값 정리를 만족시키는 상수의 값이 $2k$일 때, 양수 k의 값을 구하시오. [3점]

24

함수 $f(x)=x^2-3x$에 대하여 닫힌구간 $[-1, a]$에서 평균값 정리를 만족시키는 상수의 값이 $\dfrac{1}{2}$일 때, 상수 a의 값을 구하시오. (단, $a>-1$) [3점]

Very Important Test

01

곡선 $y=x^2-ax$ 위의 한 점 P$(1, 1-a)$에서의 접선의 방정식이 $y=2x+b$일 때, 상수 a, b의 합 $a+b$의 값은? [3점]

① -2 ② -1 ③ 0

④ 1 ⑤ 2

02

곡선 $y=x^3-3x^2+x+1$ 위의 점 $(3, 4)$에서의 접선이 점 $(4, a)$를 지날 때, 상수 a의 값은? [3점]

① 13 ② 14 ③ 15

④ 16 ⑤ 17

03

곡선 $y=x^3+3x^2+ax-1$ 위의 임의의 점에서 그은 접선에 대하여 그 기울기의 최솟값이 5일 때, 상수 a의 값을 구하시오. [3점]

04

함수 $y=f(x)$의 그래프 위의 점 $(1, 1)$에서의 접선의 방정식이 $y=2x-1$일 때, 함수 $g(x)=x^2f(x)$의 그래프 위의 $x=1$인 점에서의 접선의 방정식은 $y=ax+b$이다. 상수 a, b에 대하여 a^2+b^2의 값은? [3점]

① 13 ② 18 ③ 25

④ 26 ⑤ 32

05

곡선 $y=-x^3+2x^2-x+1$ 위의 점 $(-1, 5)$에서의 접선이 x축, y축과 만나는 점을 각각 A, B라 할 때, 삼각형 OAB의 넓이는? (단, O는 원점이다.) [3점]

① $\dfrac{5}{16}$ ② $\dfrac{7}{16}$ ③ $\dfrac{9}{16}$

④ $\dfrac{11}{16}$ ⑤ $\dfrac{13}{16}$

06

곡선 $y=x^3-1$ 위의 점 $(-1, -2)$를 지나고 이 점에서의 접선에 수직인 직선의 방정식은 $x+ay+b=0$이다. 상수 a, b의 합 $a+b$의 값은? [3점]

① 6 ② 7 ③ 8

④ 9 ⑤ 10

07

곡선 $y=x^3-6x^2+8x$ 위의 점 $(3, -3)$에서의 접선이 이 곡선과 다시 만나는 점의 좌표가 (a, b)일 때, 상수 a, b의 합 $a+b$의 값은? [3점]

① -1　　　　② 0　　　　③ 1
④ 2　　　　⑤ 3

08

원점 O에서 곡선 $y=x^4+3$에 그은 접선의 접점을 P라 할 때, 선분 OP의 길이는? [3점]

① $\sqrt{15}$　　　　② 4　　　　③ $\sqrt{17}$
④ $3\sqrt{2}$　　　　⑤ $\sqrt{19}$

09

함수 $f(x)=x^3+ax^2+bx$의 그래프가 직선 $y=6x-4$와 점 $(1, 2)$에서 접할 때, $f(2)$의 값은? (단, a, b는 상수)
　　　　　　　　　　　　　　　　　　　　　　　　[3점]

① 8　　　　② 10　　　　③ 12
④ 14　　　　⑤ 16

10

두 함수 $f(x)=x^2+ax+b$, $g(x)=x^3+c$의 그래프가 점 $(1, 2)$에서 만나고, $f'(1)=g'(1)$일 때, 실수 a, b, c에 대하여 $a^2+b^2+c^2$의 값은? [3점]

① 1　　　　② 2　　　　③ 3
④ 4　　　　⑤ 5

11

곡선 $y=x^2+1$ 위의 점 $(-2, 5)$에서의 접선이 곡선 $y=x^3+ax-1$에 접할 때, 상수 a의 값은? [3점]

① -3　　　　② -5　　　　③ -7
④ -9　　　　⑤ -11

12

곡선 $y=x^2$ 위의 점 $A(-1, 1)$에서의 접선이 곡선 $y=-x^3+ax-3$에 접할 때, 그 접점을 P라 하자. 이때 선분 AP의 길이는? [3점]

① $2\sqrt{2}$　　　　② $2\sqrt{3}$　　　　③ $2\sqrt{5}$
④ $2\sqrt{6}$　　　　⑤ $2\sqrt{7}$

13

점 $(-1, 2)$에서 곡선 $y=2x^2-5x$에 그은 두 접선의 기울기를 각각 m_1, m_2라 할 때, m_1+m_2의 값은? [3점]

① -10 ② -12 ③ -14

④ -16 ⑤ -18

14

함수 $f(x)=x^2-2x-1$에 대하여 닫힌구간 $[0, 4]$에서 평균값 정리를 만족시키는 c의 값을 구하시오. [3점]

15

함수 $f(x)=x^3-kx^2+2x$는 닫힌구간 $[0, 3]$에서 평균값 정리를 만족시키는 상수 2가 존재하고, 닫힌구간 $[1, 2]$에서 롤의 정리를 만족시키는 c가 존재한다. $k+c$의 값은? (단, k는 상수) [3점]

① $2+\dfrac{\sqrt{3}}{3}$ ② $3+\dfrac{\sqrt{3}}{3}$ ③ $4+\dfrac{\sqrt{3}}{3}$

④ $5+\dfrac{\sqrt{3}}{3}$ ⑤ $6+\dfrac{\sqrt{3}}{3}$

16

함수 $f(x)=\dfrac{1}{3}x^3+x^2-3x+2$에 대하여 구간 $[-a, a]$에서 롤의 정리를 만족시키는 상수 c와 자연수 a에 대하여 $c+a$의 값을 구하시오. [3점]

17

함수 $f(x)$가 닫힌구간 $[0, 5]$에서 연속이고 열린구간 $(0, 5)$에서 미분가능할 때, 다음 조건을 모두 만족시킨다. $f(4)$의 값을 구하시오. [3점]

(가) 열린구간 $(0, 5)$의 모든 실수 x에 대하여
$\qquad f'(x)=0$
(나) $f(1)=1$

18

다항함수 $f(x)$에 대하여 $f(-1)=2$, $f(2)=5$일 때, 함수 $g(x)$를 $g(x)=(x+2)f(x)$로 정의한다. 함수 $g(x)$에 대하여 닫힌구간 $[-1, 2]$에서 평균값 정리를 만족시키는 실수의 값을 a라 할 때, $g'(a)$의 값은? [3점]

① 6   ② 7   ③ 8

④ 9   ⑤ 10

06 함수의 증가·감소와 극대·극소

출제경향 극댓값, 극솟값 문제는 매년 빠지지 않고 출제되며, 제한된 구간에서의 최댓값 또는 최솟값 문제도 출제된다. 함수의 증감표 또는 그래프의 개형에서 극대, 극소를 판정하고 제한된 구간에서 최댓값 또는 최솟값을 구할 수 있어야 한다.

핵심개념 1 · 함수의 증가, 감소

(1) 함수의 증가, 감소

함수 $f(x)$가 어떤 구간에 속하는 임의의 두 실수 x_1, x_2에 대하여

① $x_1 < x_2$일 때 $f(x_1) < f(x_2)$이면 $f(x)$는 이 구간에서 증가한다고 한다.

② $x_1 < x_2$일 때 $f(x_1) > f(x_2)$이면 $f(x)$는 이 구간에서 감소한다고 한다.

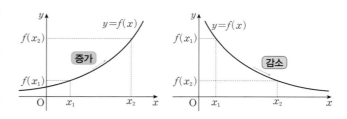

(2) 함수의 증가, 감소의 판정

함수 $f(x)$가 어떤 구간에서 미분가능하고 이 구간의 모든 x에 대하여

① $f'(x) > 0$이면 $f(x)$는 이 구간에서 증가한다.　　② $f'(x) < 0$이면 $f(x)$는 이 구간에서 감소한다.

참고 일반적으로 위의 역은 성립하지 않는다. 예를 들어 함수 $f(x) = x^3$은 열린구간 $(-\infty, \infty)$에서 증가하지만 $f'(x) = 3x^2$에서 $f'(0) = 0$이다.

(3) 함수가 증가, 감소하기 위한 조건

함수 $f(x)$가 어떤 구간에서 미분가능하고 그 구간에서

① $f(x)$가 증가하면 그 구간의 모든 x에 대하여 $f'(x) \geq 0$　② $f(x)$가 감소하면 그 구간의 모든 x에 대하여 $f'(x) \leq 0$

01 함수 $f(x) = x^3 - 3ax^2 - 24x + 5$가 감소하는 구간이 $-2 < x < 4$일 때, 상수 a의 값을 구하시오. [3점]

핵심개념 2 · 함수의 극대, 극소

함수 $f(x)$가 실수 a를 포함하는 어떤 열린구간에 속하는 모든 x에 대하여

(1) $f(x) \leq f(a)$이면 함수 $f(x)$는 $x = a$에서 극대라 하고, $f(a)$를 극댓값이라 한다.

(2) $f(x) \geq f(a)$이면 함수 $f(x)$는 $x = a$에서 극소라 하고, $f(a)$를 극솟값이라 한다.

이때 극댓값과 극솟값을 통틀어 극값이라 한다.

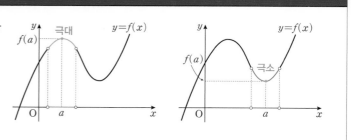

[2014학년도 수능 예비 평가]

02 함수 $f(x) = x^3 - 9x^2 + 24x + 5$의 극댓값을 구하시오. [3점]

핵심개념 3　　**함수의 극대, 극소의 판정**

(1) **극값과 미분계수** : 함수 $f(x)$가 $x=a$에서 미분가능하고 $x=a$에서 극값을 가지면 $f'(a)=0$이다.

　　참고 일반적으로 위의 역은 성립하지 않는다. 예를 들어 함수 $f(x)=x^3$에서 $f'(x)=3x^2$이므로 $f'(0)=0$이지만 $x=0$에서 극값을 갖지 않는다.

(2) **함수의 극대, 극소의 판정**

　　함수 $f(x)$가 미분가능하고 $f'(a)=0$일 때, $x=a$의 좌우에서 $f'(x)$의 부호가

　　① 양($+$)에서 음($-$)으로 바뀌면 $f(x)$는 $x=a$에서 극대이고 극댓값 $f(a)$를 갖는다.

　　② 음($-$)에서 양($+$)으로 바뀌면 $f(x)$는 $x=a$에서 극소이고 극솟값 $f(a)$를 갖는다.

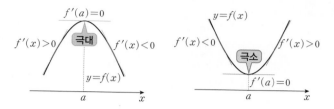

　　참고 절댓값이 있는 함수 $f(x)=|x-1|$은 $x=1$에서 미분불가능이지만 $f(x)$의 값이 $x=1$의 좌우에서 감소하다가 증가하므로 극값을 갖는다.

03 함수 $y=f(x)$의 그래프가 그림과 같을 때, 닫힌구간 $[a, h]$에서 함수 $f(x)$의 극댓값의 개수를 m, 극솟값의 개수를 n이라 할 때, $m+n$의 값을 구하시오. [3점]

핵심개념 4　　**함수의 그래프**

미분가능한 함수 $y=f(x)$의 그래프의 개형은 다음 순서로 그린다.

(i) 도함수 $f'(x)$를 구한다.　　　　　　　　　　(ii) $f'(x)=0$인 x의 값을 구한다.

(iii) 함수 $f(x)$의 증가와 감소를 표로 나타내고, 극값을 구한다. (iv) 함수 $y=f(x)$의 그래프와 x축 또는 y축의 교점의 좌표를 구한다.

(v) 함수 $y=f(x)$의 그래프의 개형을 그린다.

04 함수 $f(x)=x^3-6x^2+9x-2$는 $x=a$에서 극댓값 M, $x=b$에서 극솟값 m을 갖고 y절편은 q이다. 이때 $a+b+M+m+q$의 값을 구하시오. [3점]

핵심개념 5　　**함수의 최대, 최소**

함수 $f(x)$가 닫힌구간 $[a, b]$에서 연속일 때, 최댓값과 최솟값은 다음 순서로 구한다.

(i) 주어진 구간에서 $f(x)$의 극댓값과 극솟값을 구한다.

(ii) 주어진 구간의 양 끝에서의 함숫값 $f(a)$, $f(b)$를 구한다.

(iii) (i), (ii)에서 구한 극댓값, 극솟값, $f(a)$, $f(b)$ 중에서 가장 큰 값이 최댓값이고, 가장 작은 값이 최솟값이다.

[2013학년도 수능 모의평가]

05 닫힌구간 $[1, 4]$에서 함수 $f(x)=x^3-3x^2+a$의 최댓값을 M, 최솟값을 m이라 하자. $M+m=20$일 때, 상수 a의 값은? [3점]

① 1　　　　　　② 2　　　　　　③ 3　　　　　　④ 4　　　　　　⑤ 5

함수 $f(x)=x^3-3ax^2+ax$가 실수 전체의 집합에서 증가하기 위한 실수 a의 최댓값은? [3점]

① $\dfrac{1}{3}$ ② $\dfrac{2}{3}$ ③ 1 ④ $\dfrac{4}{3}$ ⑤ $\dfrac{5}{3}$

Act ❶
함수 $f(x)$가 실수 전체의 집합에서 증가하면 $f'(x)\geq0$임을 이용한다.

해결의 실마리

(1) 삼차함수 $f(x)$가 증가 또는 감소하기 위한 조건은 이차방정식 $f'(x)=0$의 판별식을 이용한다.

(2) 삼차함수 $f(x)$가 실수 전체의 집합에서

   ① 증가하면 ⇨ 모든 실수 x에 대하여 $f'(x)\geq0$ ⇨ 이차방정식 $f'(x)=0$의 판별식 D가 $D\leq0$

   ② 감소하면 ⇨ 모든 실수 x에 대하여 $f'(x)\leq0$ ⇨ 이차방정식 $f'(x)=0$의 판별식 D가 $D\leq0$

01

함수 $f(x)=-x^3+6x^2-ax+3$이 실수 전체의 집합에서 감소하기 위한 실수 a의 최솟값을 구하시오. [3점]

03

함수 $f(x)=-x^3+kx^2-3x+1$이 열린구간 $(-\infty,\ \infty)$에서 감소하도록 하는 정수 k의 개수를 구하시오. [3점]

02

[2012학년도 수능 모의평가]

삼차함수 $f(x)=x^3+ax^2+2ax$가 구간 $(-\infty,\ \infty)$에서 증가하도록 하는 실수 a의 최댓값을 M이라 하고, 최솟값을 m이라 할 때, $M-m$의 값은? [4점]

① 3 ② 4 ③ 5

④ 6 ⑤ 7

04

[2012학년도 수능 모의평가]

함수 $f(x)=\dfrac{1}{3}x^3-ax^2+3ax$의 역함수가 존재하도록 하는 상수 a의 최댓값은? [4점]

① 3 ② 4 ③ 5

④ 6 ⑤ 7

기출유형 02 함수의 극대, 극소

함수 $f(x)=x^3-6x^2+9x+1$이 $x=\alpha$에서 극댓값 M을 가질 때, $\alpha+M$의 값은? [3점]

[2018학년도 교육청]

① 4 ② 6 ③ 8 ④ 10 ⑤ 12

Act ①
$f'(x)=0$인 x의 값을 기준으로 $f'(x)$의 부호의 변화를 조사한다.

해결의 실마리

(1) 미분가능한 함수 $f(x)$의 극값은 다음과 같은 순서로 구한다.

| $f'(x)$를 구한다. | → | $f'(x)=0$을 만족시키는 x의 값을 구한다. | → | 구한 x의 값의 좌우에서 $f'(x)$의 부호를 조사하여 극대, 극소를 판단한다. | → | 극값을 구한다. |

(2) 극대, 극소의 판단

$f'(x)=0$을 만족하는 $x=\alpha$의 좌우에서 $f'(x)$의 부호가 $\begin{cases} \text{양}(+)\text{에서 음}(-)\text{으로 변하면} \Rightarrow f(\alpha)\text{는 극대} \\ \text{음}(-)\text{에서 양}(+)\text{으로 변하면} \Rightarrow f(\alpha)\text{는 극소} \end{cases}$

05
[2007학년도 수능 모의평가]

함수 $f(x)=2x^3-9x^2+12x+2$의 극댓값을 M, 극솟값을 m이라 할 때, Mm의 값을 구하시오. [3점]

07
[2015학년도 수능 모의평가]

함수 $f(x)=x^3-9x^2+24x+a$의 극댓값이 10일 때, 상수 a의 값은? [4점]

① -12 ② -10 ③ -8
④ -6 ⑤ -4

06
[2019학년도 수능]

함수 $f(x)=x^3-3x+a$의 극댓값이 7일 때, 상수 a의 값은? [3점]

① 1 ② 2 ③ 3
④ 4 ⑤ 5

08
[2013학년도 교육청]

함수 $f(x)=x^3-x^2-5x+k$의 극댓값이 20일 때, 상수 k의 값은? [3점]

① 13 ② 14 ③ 15
④ 16 ⑤ 17

[2007학년도 수능 모의평가]

두 상수 a, b에 대하여 함수 $f(x)=x^3+ax^2+9x+b$가 $x=1$에서 극댓값 0을 가질 때, ab의 값을 구하시오. [3점]

Act①
함수 $f(x)$가 $x=1$에서 극댓값 0을 가지므로 $f'(1)=0$, $f(1)=0$임을 이용한다.

해결의 실마리

(1) 미분가능한 함수 $f(x)$가 $x=\alpha$에서 극값 β를 가지면 $\Rightarrow f'(\alpha)=0$, $f(\alpha)=\beta$

(2) 삼차함수 $f(x)$가 $x=\alpha$, $x=\beta$에서 극값을 가지면 $\Rightarrow \alpha$, β는 이차방정식 $f'(x)=0$의 두 근이다.

09

[2019학년도 수능 모의평가]

함수 $f(x)=x^3-ax+6$이 $x=1$에서 극소일 때, 상수 a의 값은? [3점]

① 1 ② 2 ③ 3
④ 4 ⑤ 5

11

[2015학년도 수능 모의평가]

함수 $f(x)=x^3-3x^2+a$의 모든 극값의 곱이 -4일 때, 상수 a의 값은? [4점]

① 2 ② 4 ③ 6
④ 8 ⑤ 10

10

[2014학년도 수능]

함수 $f(x)=2x^3-12x^2+ax-4$가 $x=1$에서 극댓값 M을 가질 때, $a+M$의 값을 구하시오. (단, a는 상수이다.) [3점]

12

함수 $f(x)=x^3+2ax^2+bx+2$가 $x=-1$에서 극댓값을 갖고, $x=2$에서 극솟값을 가질 때, 상수 a, b에 대하여 ab의 값은? [3점]

① $\dfrac{5}{2}$ ② 3 ③ $\dfrac{7}{2}$
④ 4 ⑤ $\dfrac{9}{2}$

기출유형 **04** 삼차함수가 극값을 가질 조건

함수 $f(x)=\frac{1}{3}x^3+ax^2+(2a^2-a)x-1$이 극값을 갖도록 하는 실수 a의 범위가 $\alpha<a<\beta$일 때, $\alpha+\beta$의 값을 구하시오. [3점]

Act ❶

극댓값과 극솟값을 모두 가져야 하므로 이차방정식 $f'(x)=0$이 서로 다른 두 실근을 가져야 함을 이용한다.

해결의 실마리

삼차함수 $f(x)$에 대하여

(1) $f(x)$가 극값을 가진다. ➡ $f'(x)=0$이 서로 다른 두 실근을 가진다.

(2) $f(x)$가 극값을 갖지 않는다. ➡ $f'(x)=0$이 중근 또는 허근을 가진다.

$f'(x)=0$이 서로 다른 두 실근을 가질 때	$f'(x)=0$이 중근을 가질 때	$f'(x)=0$이 허근을 가질 때

13

삼차함수 $f(x)=ax^3-3x^2+ax+1$이 극값을 갖도록 하는 정수 a의 개수는? [3점]

① 2   ② 3   ③ 4

④ 5   ⑤ 6

15

함수 $f(x)=\frac{1}{3}x^3+ax^2+x+4$가 극값을 갖지 않도록 하는 상수 a의 값의 범위는 $\alpha\leq a\leq\beta$이다. $\alpha\beta$의 값은? [3점]

① -2 ② -1 ③ 0

④ 1 ⑤ 2

14

함수 $f(x)=x^3+ax^2+3x+4$가 극값을 갖도록 하는 양의 정수 a의 최솟값을 구하시오. [3점]

16

함수 $f(x)=\frac{4}{3}x^3+ax^2-ax+1$이 극값을 갖지 않도록 하는 정수 a의 최솟값은? [3점]

① -4 ② -2 ③ 0

④ 2 ⑤ 4

다음 중 함수 $f(x)=x^4+2x^3+ax^2+1$이 극댓값을 갖도록 하는 실수 a의 값이 될 수 있는 것은? [3점]

① 1 ② 3 ③ 5 ④ 7 ⑤ 9

Act ❶

사차항의 계수가 양수인 사차함수 $f(x)$가 극댓값을 가지려면 삼차방정식 $f'(x)=0$은 서로 다른 세 실근을 가져야 함을 이용한다.

해결의 실마리

사차항의 계수가 양수인 사차함수 $f(x)$에 대하여

(1) $f(x)$가 극댓값과 극솟값을 모두 가진다. ⇨ 삼차방정식 $f'(x)=0$이 서로 다른 세 실근을 가진다.

(2) $f(x)$가 극댓값을 갖지 않는다. ⇨ 삼차방정식 $f'(x)=0$이 서로 다른 세 실근을 가지지 않는 경우로, 다음과 같이 한 실근과 중근, 삼중근, 한 실근과 두 허근을 가지는 경우이다.

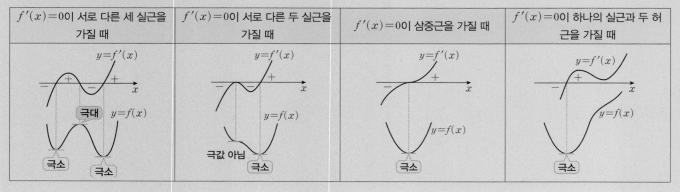

$f'(x)=0$이 서로 다른 세 실근을 가질 때	$f'(x)=0$이 서로 다른 두 실근을 가질 때	$f'(x)=0$이 삼중근을 가질 때	$f'(x)=0$이 하나의 실근과 두 허근을 가질 때

17

다음 중 함수 $f(x)=-x^4+8x^3+2ax^2+3$이 극솟값을 갖도록 하는 실수 a의 값이 될 수 있는 것은? [3점]

① -20 ② -15 ③ -10

④ -5 ⑤ 0

18

함수 $f(x)=x^4-\dfrac{4}{3}x^3+2ax^2-4a+1$이 극댓값을 갖지 않도록 하는 양의 정수 a의 최솟값은? [3점]

① 1 ② 2 ③ 3

④ 4 ⑤ 5

기출유형 06 함수의 최댓값과 최솟값

[2018학년도 수능 모의평가]

닫힌구간 $[-1, 3]$에서 함수 $f(x)=x^3-3x+5$의 최솟값은? [3점]

① 1　　　　② 2　　　　③ 3　　　　④ 4　　　　⑤ 5

Act ❶

닫힌구간 $[-1, 3]$에서 $f(x)$의 극값, $f(-1)$, $f(3)$을 비교한다.

해결의 실마리

함수 $f(x)$가 닫힌구간 $[a, b]$에서 연속일 때, 최댓값과 최솟값은 다음 순서로 구한다.

(ⅰ) 주어진 구간에서 $f(x)$의 극댓값과 극솟값을 구한다.

(ⅱ) 주어진 구간의 양 끝에서의 함숫값 $f(a)$, $f(b)$를 구한다.

(ⅲ) (ⅰ), (ⅱ)에서 구한 극댓값, 극솟값, $f(a)$, $f(b)$ 중에서 가장 큰 값이 최댓값이고, 가장 작은 값이 최솟값이다.

19
[2009학년도 수능 모의평가]

구간 $[-2, 0]$에서 함수 $f(x)=x^3-3x^2-9x+8$의 최댓값을 구하시오. [3점]

21
[2016학년도 교육청]

닫힌구간 $[0, 5]$에서 정의된 함수
$f(x)=x^3-9x^2+15x+a$의 최솟값이 -15일 때, 최댓값은? (단, a는 상수이다.) [4점]

① 15　　　　② 16　　　　③ 17
④ 18　　　　⑤ 19

20
[2017학년도 교육청]

닫힌구간 $[1, 4]$에서 함수 $f(x)=x^3-3x^2+8$의 최댓값을 M, 최솟값을 m이라 할 때, $M+m$의 값은? [4점]

① 28　　　　② 32　　　　③ 36
④ 40　　　　⑤ 44

22
[2014학년도 교육청]

닫힌구간 $[-2, 2]$에서 정의된 함수 $f(x)=-x^3+3x^2+a$의 최솟값이 -4일 때, 최댓값은? (단, a는 상수이다.)
[3점]

① 16　　　　② 18　　　　③ 20
④ 22　　　　⑤ 24

Very Important Test

01

함수 $f(x)=x^3+ax^2+ax+1$이 $x_1<x_2$인 임의의 두 실수 x_1, x_2에 대하여 항상 $f(x_1)<f(x_2)$가 성립하도록 하는 모든 정수 a의 개수는? [3점]

① 1   ② 2   ③ 3
④ 4   ⑤ 5

02

함수 $f(x)=x^3-ax^2+ax+3$의 역함수가 존재하도록 하는 모든 정수 a의 값의 합은? [3점]

① 0   ② 3   ③ 6
④ 9   ⑤ 12

03

함수 $f(x)=x^3-3x^2+ax+1$이 구간 $(1, 3)$에서 감소하기 위한 실수 a의 값의 범위는? [3점]

① $a\leq-9$ ② $a<-9$ ③ $a\leq-6$
④ $a<6$ ⑤ $a\leq3$

04

함수 $f(x)=x^3+ax^2+bx+30$이 $x=-1$에서 극댓값 35를 가질 때, 이 함수의 극솟값은? (단, a, b는 상수) [3점]

① 1   ② 3   ③ 5
④ 7   ⑤ 9

05

함수 $f(x)=x^4+2x^3+x^2$이 $x=a$에서 극댓값 b를 가질 때, 상수 a, b의 합 $a+b$의 값은? [3점]

① $-\dfrac{9}{16}$ ② $-\dfrac{7}{16}$ ③ $-\dfrac{5}{16}$
④ $-\dfrac{3}{16}$ ⑤ $-\dfrac{1}{16}$

06

함수 $f(x)=x^4-4x^3+4x^2+6$의 그래프에서 극대 또는 극소인 세 점을 꼭짓점으로 하는 삼각형의 넓이는? [3점]

① $\dfrac{1}{4}$ ② $\dfrac{1}{2}$ ③ 1
④ $\dfrac{3}{2}$ ⑤ 2

07

삼차함수 $y=f(x)$의 도함수 $y=f'(x)$의 그래프가 그림과 같을 때, 다음 중 옳은 것은? [3점]

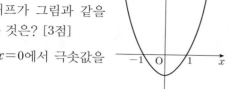

① 함수 $f(x)$는 $x=0$에서 극솟값을 가진다.

② 함수 $f(x)$는 $-1<x<1$에서 증가한다.

③ 함수 $f(x)$는 $x=-1$에서 극댓값, $x=1$에서 극솟값을 가진다.

④ 함수 $f(x)$는 $x=-1$에서 극솟값, $x=1$에서 극댓값을 가진다.

⑤ 함수 $f(x)$는 $x=0$에서 극댓값을 가진다.

08

최고차항의 계수가 1인 사차함수 $y=f(x)$가 다음 조건을 모두 만족시킬 때 함수 $f(x)$의 극댓값은? [3점]

> (가) 모든 실수 x에 대하여 $f(x)=f(-x)$이다.
> (나) $x=2$에서 극솟값 -6을 갖는다.

① 2   ② 4   ③ 6

④ 8   ⑤ 10

09

$2 \leq x \leq 5$에서 함수 $f(x)=x^3-6x^2+a$의 최솟값이 -20일 때, $f(x)$의 최댓값은? (단, a는 상수) [3점]

① -4 ② -2 ③ 1

④ 2   ⑤ 4

10

닫힌구간 $[0, 4]$에서 함수 $f(x)=x^3-3x^2+a$의 최댓값을 M, 최솟값을 m이라 하자. $M+m=6$일 때, 상수 a의 값은? [3점]

① -5 ② -3 ③ -1

④ 1   ⑤ 3

11

$-1 \leq x \leq 2$에서 함수 $f(x)=ax^3-6ax^2+b$의 최댓값이 3, 최솟값이 -29일 때, 양수 a, b의 합 $a+b$의 값은? [3점]

① 5   ② 6   ③ 7

④ 8   ⑤ 9

12

그림과 같이 밑면의 한 변의 길이가 n, 높이가 $n^2-10n+27$인 정사각기둥이 있다. 이 정사각기둥의 부피는 $n=\alpha$일 때 최소이고, 이때의 최솟값을 β라 할 때, $\alpha+\beta$의 값은? (단, $n \geq 3$인 자연수) [3점]

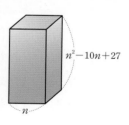

① 50   ② 52   ③ 54

④ 56   ⑤ 58

Ⅱ. 미분

07 방정식과 부등식, 속도와 가속도

출제경향 함수의 그래프와 방정식의 실근의 개수, 방정식의 실근의 부호, 속도와 가속도에 대한 문제가 출제된다. 도함수의 활용에서 가장 어렵게 출제될 수 있는 부분이지만 기본 개념만 정확히 알고 대비하면 충분히 고득점이 가능하다.

핵심개념 1   **함수의 그래프와 방정식의 실근**

(1) 방정식 $f(x)=0$의 실근은 함수 $y=f(x)$의 그래프와 x축의 교점의 x좌표와 같다.

(2) 방정식 $f(x)=g(x)$의 실근은 두 함수 $y=f(x)$, $y=g(x)$의 그래프의 교점의 x좌표와 같고, 함수 $y=f(x)-g(x)$의 그래프와 x축의 교점의 x좌표와도 같다.

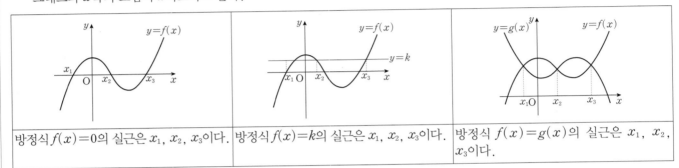

방정식 $f(x)=0$의 실근은 x_1, x_2, x_3이다.	방정식 $f(x)=k$의 실근은 x_1, x_2, x_3이다.	방정식 $f(x)=g(x)$의 실근은 x_1, x_2, x_3이다.

01 방정식 $x^3-3x-1=0$의 서로 다른 실근의 개수를 구하시오. [3점]

핵심개념 2   **삼차함수 $f(x)$의 극댓값, 극솟값의 곱의 부호와 삼차방정식 $f(x)=0$의 실근의 개수**

삼차함수 $f(x)$가 극댓값과 극솟값을 가지는 경우 ← 즉 $f'(x)=0$이 서로 다른 두 실근 α, β를 가지는 경우 그래프를 그리지 않고 두 극값의 곱의 부호에 따라 삼차방정식의 실근의 개수를 판단할 수 있다.

(1) (극댓값)×(극솟값)＜0 ⇨ 서로 다른 세 실근

(2) (극댓값)×(극솟값)＝0 ⇨ 서로 다른 두 실근(중근과 다른 한 실근)

(3) (극댓값)×(극솟값)＞0 ⇨ 하나의 실근

$f(\alpha) \times f(\beta) < 0$	$f(\alpha) \times f(\beta) = 0$	$f(\alpha) \times f(\beta) > 0$

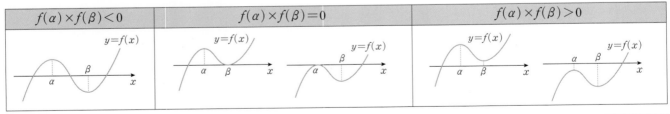

02 방정식 $x^3-6x^2+9x-3=0$의 서로 다른 실근의 개수를 구하시오. [3점]

03 방정식 $-2x^3-3x^2+12x-7=0$의 서로 다른 실근의 개수를 구하시오. [3점]

핵심개념 3 　 함수의 그래프와 부등식의 증명

(1) ① 어떤 구간에서 부등식 $f(x) \geq 0$이 성립하는 것을 증명할 때는

　　⇨ 그 구간에서 $(f(x)$의 최솟값$) \geq 0$임을 보인다.

　② 어떤 구간에서 부등식 $f(x) \geq g(x)$가 성립하는 것을 증명할 때는

　　⇨ $h(x) = f(x) - g(x)$로 놓고 주어진 구간에서 $(h(x)$의 최솟값$) \geq 0$임을 보인다.

(2) 모든 실수 x에 대하여 부등식 $f(x) \geq 0$이 성립하는 것을 증명할 때는 ⇨ $(f(x)$의 최솟값$) \geq 0$임을 보인다.

04 $x \geq 0$일 때, 부등식 $x^3 - x^2 - x + k \geq 0$이 성립하게 하는 실수 k의 최솟값을 구하시오. [3점]

핵심개념 4 　 수직선 위를 움직이는 점의 속도와 가속도

수직선 위를 움직이는 점 P의 시각 t에서의 위치 x가 $x = f(t)$일 때,

시각 t에서 점 P의 속도 v와 가속도 a는

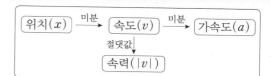

(1) $v = \dfrac{dx}{dt} = f'(t)$ ←위치의 순간변화율

(2) $a = \dfrac{dv}{dt}$ ←속도의 순간변화율

05 원점을 출발하여 수직선 위를 움직이는 점 P의 시각 t에서의 위치 x가 $x = t^3 - 9t^2 + 27t$일 때, 점 P의 속도가 처음으로 3이 되는 순간의 점 P의 가속도는? [3점]

① -8 　　　　　 ② -6 　　　　　 ③ -4 　　　　　 ④ -2 　　　　　 ⑤ 0

핵심개념 5 　 시각에 대한 길이, 넓이, 부피의 변화율

어떤 물체의 시각 t에서의 길이를 l, 넓이를 S, 부피를 V라 할 때, 시간이 Δt만큼 경과한 후 길이, 넓이 부피가 각각 Δl,

ΔS, ΔV만큼 변했다고 하면 시각 t에서의

(1) 길이 l의 변화율은 $\displaystyle\lim_{\Delta t \to 0} \dfrac{\Delta l}{\Delta t} = \dfrac{dl}{dt}$

(2) 넓이 S의 변화율은 $\displaystyle\lim_{\Delta t \to 0} \dfrac{\Delta S}{\Delta t} = \dfrac{dS}{dt}$

(3) 부피 V의 변화율은 $\displaystyle\lim_{\Delta t \to 0} \dfrac{\Delta V}{\Delta t} = \dfrac{dV}{dt}$

06 어떤 물체의 시각 t에서의 부피 V가 $V = t^3 - 4t + 4$로 주어져 있다. $t = 4$일 때, 이 물체의 부피의 변화율은? [3점]

① 40 　　　　　 ② 42 　　　　　 ③ 44 　　　　　 ④ 46 　　　　　 ⑤ 48

기출유형 01 함수의 그래프와 방정식의 실근의 개수

방정식 $x^3 - 6x^2 + 9x - k = 0$이 서로 다른 세 실근을 갖도록 하는 정수 k의 개수는? [3점]

① 1   ② 2   ③ 3   ④ 4   ⑤ 5

Act ❶
$f(x) = k$로 변형한 후 $y = f(x)$의 그래프와 직선 $y = k$의 교점의 개수를 이용하여 k의 값의 범위를 구한다.

해결의 실마리
방정식 $f(x) = k$의 서로 다른 실근의 개수는 ⇨ 함수 $y = f(x)$의 그래프와 직선 $y = k$의 교점의 개수와 같다.

01

[2019학년도 수능 모의평가]

방정식 $x^3 - 3x^2 - 9x - k = 0$의 서로 다른 실근의 개수가 3이 되도록 하는 정수 k의 최댓값은? [4점]

① 2   ② 4   ③ 6
④ 8   ⑤ 10

03

방정식 $x^3 - 3x^2 - k = 0$이 서로 다른 두 실근을 갖도록 하는 모든 실수 k의 합은? [3점]

① -5 ② -4 ③ -3
④ -2 ⑤ -1

02

방정식 $2x^3 - 3x^2 - 12x + k = 0$이 서로 다른 두 실근을 갖도록 하는 모든 실수 k의 합을 구하시오. [3점]

04

방정식 $x^4 - 8x^2 - k = 0$이 서로 다른 세 실근을 갖도록 하는 실수 k의 값을 구하시오. [3점]

기출유형 02 삼차방정식 $f(x)=0$의 실근의 개수

방정식 $x^3-3x+k=0$이 서로 다른 세 실근을 갖도록 하는 실수 k의 값의 범위는 $a<k<b$이다. 이 때 상수 a, b에 대하여 $b-a$의 값은? [3점]

Act ①
삼차방정식이 서로 다른 세 실근을 가지려면 (극댓값)×(극솟값)<0이어야 함을 이용한다.

① 1　　　② 2　　　③ 3　　　④ 4　　　⑤ 5

해결의 실마리

삼차함수 $f(x)$가 극댓값과 극솟값을 가지는 경우 ← 즉 이차방정식 $f'(x)=0$이 서로 다른 두 실근 α, β를 가지는 경우
⇨ 그래프를 그리지 않고 두 극값의 곱의 부호에 따라 삼차방정식의 실근의 개수를 판단할 수 있다.
(1) (극댓값)×(극솟값)<0 ⇨ 서로 다른 세 실근
(2) (극댓값)×(극솟값)=0 ⇨ 서로 다른 두 실근(중근과 다른 한 실근)
(3) (극댓값)×(극솟값)>0 ⇨ 하나의 실근

05

방정식 $2x^3+3x^2-12x+k=0$이 서로 다른 세 실근을 갖도록 하는 정수 k의 개수는? [3점]

① 20　　　② 22　　　③ 24
④ 26　　　⑤ 28

07

방정식 $x^3-6x^2+9x-k=0$이 오직 한 실근을 갖도록 하는 자연수 k의 최솟값은? [3점]

① 1　　　② 2　　　③ 3
④ 4　　　⑤ 5

06

방정식 $2x^3-3x^2+k=0$이 서로 다른 두 실근을 갖도록 하는 모든 실수 k의 값의 합은? [3점]

① -2　　　② -1　　　③ 0
④ 1　　　⑤ 2

08

곡선 $y=x^3+3x^2-7x-2$와 직선 $y=2x+k$가 서로 다른 세 점에서 만나도록 하는 정수 k의 개수는? [3점]

① 31　　　② 33　　　③ 35
④ 37　　　⑤ 39

삼차방정식 $2x^3-3x^2-12x+k=0$이 한 개의 양의 실근과 두 개의 음의 실근을 갖도록 하는 모든 정수 k의 개수는? [3점]

① 6   ② 7   ③ 8   ④ 9   ⑤ 10

Act ①
$f(x)=k$로 변형한 후 $y=f(x)$의 그래프와 직선 $y=k$의 교점의 부호를 생각하여 k의 범위를 정한다.

해결의 실마리
방정식 $f(x)=k$의 실근의 부호는 ⇨ $y=f(x)$의 그래프와 직선 $y=k$의 교점의 x좌표의 부호와 같다.

09

방정식 $x^3-3x^2-9x+k=0$이 서로 다른 두 개의 양의 실근과 한 개의 음의 실근을 갖도록 하는 정수 k의 최댓값은? [3점]

① 22   ② 23   ③ 24
④ 25   ⑤ 26

11

[2016학년도 수능 모의평가]

두 함수 $f(x)=3x^3-x^2-3x$, $g(x)=x^3-4x^2+9x+a$에 대하여 방정식 $f(x)=g(x)$가 서로 다른 두 개의 양의 실근과 한 개의 음의 실근을 갖도록 하는 모든 정수 a의 개수는? [4점]

① 6   ② 7   ③ 8
④ 9   ⑤ 10

10

방정식 $x^3-3x-k+1=0$이 서로 다른 두 개의 양의 실근과 한 개의 음의 실근을 갖도록 하는 정수 k의 개수를 구하시오. [3점]

12

두 함수 $f(x)=3x^4-12x^2+1$, $g(x)=-4x^3-1+a$에 대하여 방정식 $f(x)=g(x)$가 서로 다른 두 개의 양의 실근과 서로 다른 두 개의 음의 실근을 갖도록 하는 모든 정수 a의 개수는? [4점]

① 4   ② 5   ③ 6
④ 7   ⑤ 8

기출유형 04 주어진 구간에서 부등식이 항상 성립할 조건

$x \geq -3$일 때, 부등식 $x^3 - 27x + k \geq 0$이 항상 성립하도록 하는 실수 k의 최솟값은? [3점]

① 48   ② 50   ③ 52   ④ 54   ⑤ 56

Act ①
주어진 구간에서 $f(x) \geq 0$이 성립하려면 그 구간에서 ($f(x)$의 최솟값)≥ 0임을 이용한다.

해결의 실마리

(1) 어떤 구간에서 부등식 $f(x) \geq 0$이 성립하는 것을 증명할 때는
⇨ 그 구간에서 ($f(x)$의 최솟값)≥ 0임을 보인다.
참고 어떤 구간에서 $f(x)$의 최솟값이 a이면 그 구간에서 $f(x) \geq a$이다.

(2) 어떤 구간에서 부등식 $f(x) \geq g(x)$가 성립하는 것을 증명할 때는
⇨ $h(x) = f(x) - g(x)$로 놓고 주어진 구간에서 ($h(x)$의 최솟값)≥ 0임을 보인다.

13

$x > 0$일 때, 부등식 $2x^3 - 3x^2 + k > 0$이 항상 성립하도록 하는 정수 k의 최솟값은? [3점]

① -1 ② 0   ③ 1
④ 2   ⑤ 3

14

$2 < x < 4$일 때, 부등식 $x^3 + x^2 - x + k > 0$이 항상 성립하도록 하는 실수 k의 최솟값은? [3점]

① -10 ② -8 ③ -6
④ -4 ⑤ -2

15

$x > 0$일 때, 부등식 $2x^3 + 6x^2 \geq 18x + k$가 항상 성립하도록 하는 실수 k의 최댓값은? [3점]

① -10 ② -8 ③ -6
④ -4 ⑤ -2

16

$-1 \leq x \leq 1$일 때, 부등식 $4x^3 + x^2 + 1 < 4x^2 - k$가 항상 성립하도록 하는 정수 k의 최댓값은? [3점]

① -5 ② -4 ③ -3
④ -2 ⑤ -1

모든 실수 x에 대하여 $x^4-4x+k>0$이 성립하도록 하는 정수 k의 최솟값은? [3점]

① 1   ② 2   ③ 3   ④ 4   ⑤ 5

Act ❶
$f(x)>0$이 성립하려면
($f(x)$의 **최솟값**)>0임을 이용한다.

해결의 실마리
모든 실수 x에 대하여 부등식 $f(x)\geq0$이 성립하려면
⇨ ($f(x)$의 최솟값)≥0

17

모든 실수 x에 대하여 부등식
$$-x^4+2x^2+k\leq0$$
이 성립하도록 하는 정수 k의 최댓값은? [3점]

① -5 ② -4 ③ -3

④ -2 ⑤ -1

19

모든 실수 x에 대하여 부등식
$$x^4-2x^2-5x>4x^2+3x-k$$
가 성립하도록 하는 정수 k의 최솟값은? [3점]

① 21   ② 23   ③ 25

④ 27   ⑤ 29

18

모든 실수 x에 대하여 부등식
$$-3x^4+4x^3\leq k$$
가 성립하도록 하는 실수 k의 최솟값을 구하시오. [3점]

20

두 다항함수
$$f(x)=x^4+x^2-2x+4a,\ g(x)=x^2+2x+a^2$$
에 대하여 곡선 $y=f(x)$가 곡선 $y=g(x)$보다 항상 위쪽에 있도록 하는 정수 a의 개수를 구하시오. [3점]

기출유형 06 속도와 가속도

[2016학년도 교육청]

수직선 위를 움직이는 점 P의 시각 $t(t \geq 0)$에서의 위치 x가 $x=t^3-6t^2+5$이다. 점 P의 가속도가 0일 때, 점 P의 속도는? [3점]

Act ❶
위치를 미분하면 속도, 속도를 미분하면 가속도임을 이용한다.

① -12 ② -10 ③ -8 ④ -6 ⑤ -4

해결의 실마리

(1) 수직선 위를 움직이는 점 P의 시각 t에서의 위치 x가 $x=f(t)$일 때, 시각 t에서 점 P의 속도 v와 가속도 a는 ⇨ $v=\dfrac{dx}{dt}=f'(t)$, $a=\dfrac{dv}{dt}$

(2) 점 P가 운동 방향을 바꾸는 시각 t ⇨ $v=f'(t)=0$임을 이용

21

[2013학년도 교육청]

원점을 출발하여 수직선 위를 움직이는 점 P의 시각 t에서의 위치는 $P(t)=t^3-9t^2+34t$이다. 점 P의 속도가 처음으로 10이 되는 순간 점 P의 위치는? [3점]

① 38   ② 40   ③ 42
④ 44   ⑤ 46

23

[2015학년도 교육청]

수직선 위를 움직이는 점 P의 시각 t에서의 위치 x가 $x=t^3-4t^2-3t+4$일 때, 점 P가 출발 후 운동 방향을 바꾸는 순간의 시각 t의 값은? [3점]

① 1   ② 2   ③ 3
④ 4   ⑤ 5

22

[2019학년도 수능]

수직선 위를 움직이는 점 P의 시각 $t(t \geq 0)$에서의 위치 x가

$$x=-\frac{1}{3}t^3+3t^2+k \ (k는 \ 상수)$$

이다. 점 P의 가속도가 0일 때, 점 P의 위치는 40이다. k의 값을 구하시오. [4점]

24

[2013학년도 수능 모의평가]

수직선 위를 움직이는 두 점 P, Q의 시각 t일 때의 위치는 각각 $f(t)=2t^2-2t$, $g(t)=t^2-8t$이다. 두 점 P와 Q가 서로 반대 방향으로 움직이는 시각 t의 범위는? [3점]

① $\dfrac{1}{2}<t<4$ ② $1<t<5$ ③ $2<t<5$
④ $\dfrac{3}{2}<t<6$ ⑤ $2<t<8$

[2006학년도 수능 모의평가]

오른쪽 그림은 수직선 위를 움직이는 점 P의 시각 t에서의 속도 $v(t)$를 나타내는 그래프이다. $v(t)$는 $t=2$를 제외한 열린구간 $(0, 3)$에서 미분가능한 함수이고, $v(t)$의 그래프는 열린구간 $(0, 1)$에서 원점과 점 $(1, k)$를 잇는 직선과 한 점에서 만난다. 점 P의 시각 t에서의 가속도 $a(t)$를 나타내는 그래프의 개형으로 가장 알맞은 것은? [3점]

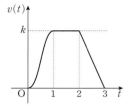

Act ❶
수직선 위를 움직이는 점 P의 시각 t에서의 속도 $v(t)$의 그래프가 주어질 때, 가속도는 접선의 기울기 $v'(t)$임을 이용하여 구간별로 그래프의 모양을 추론한다.

①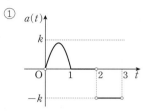

②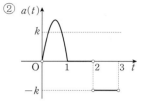

③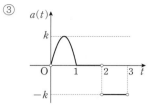

④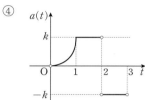

⑤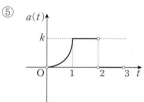

해결의 실마리

수직선 위를 움직이는 점 P의 시각 t에서의 속도 $v(t)$의 그래프가 주어질 때

(1) 가속도 ⇨ 접선의 기울기 $v'(t)$

(2) 운동 방향 ⇨ $v(t)$의 부호

① $v(t) > 0$이면 양의 방향　　② $v(t) < 0$이면 음의 방향　　③ $v(t) = 0$이면 정지 또는 운동 방향을 바꾼다.

25

원점을 출발하여 수직선 위를 움직이는 점 P의 시각 t에서의 속도 $v(t)$의 그래프가 그림과 같을 때, 점 P에 대한 설명으로 옳지 않은 것은? [3점]

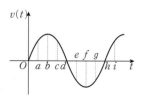

① $t=g$일 때 가속도는 양의 값이다.
② $0 < t < i$에서 운동 방향을 2번 바꾼다.
③ $f < t < g$에서 속도는 증가한다.
④ $0 < t < i$에서 $t=d$일 때 원점으로부터 가장 멀리 떨어진다.
⑤ $t=a$일 때와 $t=g$일 때 점 P의 운동 방향은 같다.

26

수직선 위를 움직이는 점 P의 시각 t에서의 위치 $x(t)$의 그래프가 그림과 같을 때, [보기]에서 옳은 것을 있는 대로 고른 것은? [3점]

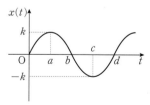

┤보기├
ㄱ. $t=b$일 때 점 P의 속도는 0이다.
ㄴ. 점 P는 $t=a$일 때 운동 방향을 바꾼다.
ㄷ. $b < t < d$에서 점 P의 속도는 $t=c$일 때 최소이다.

① ㄱ　　　② ㄴ　　　③ ㄱ, ㄴ
④ ㄴ, ㄷ　　　⑤ ㄱ, ㄴ, ㄷ

01

x에 대한 방정식 $x^4 = 4x^3 + 8x^2 + k$가 서로 다른 네 실근을 갖도록 하는 모든 정수 k의 값의 합은? [3점]

① -5 ② -4 ③ -3

④ -2 ⑤ -1

02

방정식 $x^4 + 4x + a = 0$이 실근을 갖지 않게 하는 실수 a의 값의 범위는? [3점]

① $a < -3$ ② $a > 1$ ③ $1 < a < 3$

④ $a < 3$ ⑤ $a > 3$

03

x에 대한 방정식 $x^3 - 7 = 12x + a$가 서로 다른 두 개의 음의 근과 한 개의 양의 근을 가지도록 하는 모든 정수 a의 값의 합은? [3점]

① 15   ② 16   ③ 17

④ 18   ⑤ 19

04

삼차함수 $f(x)$의 도함수 $y = f'(x)$의 그래프가 오른쪽 그림과 같고 $f(0) + f(2) = 0$일 때, 방정식 $|f(x)| = f(0)$의 서로 다른 실근의 개수는? [3점]

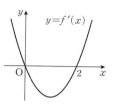

① 1   ② 2   ③ 3

④ 4   ⑤ 5

05

방정식 $x^3 - 3x - a = 0$이 한 개의 양의 근과 서로 다른 두 개의 음의 근을 갖도록 하는 실수 a의 값의 범위는? [3점]

① $-2 < a < 2$ ② $-2 < a < 0$ ③ $-1 < a < 4$

④ $-3 < a < 3$ ⑤ $0 < a < 2$

06

$x \geq 0$일 때, 부등식 $2x^3 - 15x^2 + 24x > a$가 성립하도록 하는 정수 a의 최댓값은? [3점]

① -17 ② -16 ③ -15

④ -14 ⑤ -13

07

$x \geq 0$일 때, 부등식 $x^3 - 2x^2 - 4x + a \geq 0$이 성립하게 하는 실수 a의 최솟값을 구하시오. [3점]

08

두 함수 $f(x) = 4x^3 - 3x^2$, $g(x) = 6x - a$에 대하여 $-1 \leq x \leq 2$일 때, $f(x) \geq g(x)$를 만족시키는 실수 a의 최솟값은? [3점]

① 1　　　　② 2　　　　③ 3
④ 4　　　　⑤ 5

09

$x > 1$일 때 곡선 $y = x^3 - 3x^2 + k$가 x축과 만나지 않게 하는 정수 k의 최솟값을 구하시오. [3점]

10

모든 실수 x에 대하여 부등식 $x^4 - 2x^2 + a \geq 0$이 성립하도록 하는 실수 a의 최솟값을 구하시오. [3점]

11

부등식 $x^4 - 32x + a > 0$이 항상 성립하게 하는 정수 a의 최솟값을 구하시오. [3점]

12

지면에서 30의 속도로 지면과 수직으로 쏘아 올린 물체의 t초 후의 높이 h가 $h = 30t - 5t^2$일 때, 물체를 쏘아 올리고 4초가 지난 후의 속도는? [3점]

① -10　　　② -8　　　③ -6
④ -4　　　⑤ -2

13

수직선 위를 움직이는 점 P의 시각 $t(t>0)$에서의 위치 x 가 $x=t^3-12t+k(k$는 상수)이다. 점 P의 운동 방향이 원점에서 바뀔 때, k의 값은? [3점]

① 13　　　　② 14　　　　③ 15
④ 16　　　　⑤ 17

14

원점을 출발하여 수직선 위를 움직이는 점 P의 시각 $t(t>0)$에서의 위치 x가 $x=t^3-9t^2+15t$이다. 점 P가 원점을 출발한 후 시각 $t=a$, $t=b$에서 운동 방향을 바꾼다고 할 때, $b-a$의 값은? (단, $a<b$) [3점]

① 1　　　　② 2　　　　③ 3
④ 4　　　　⑤ 5

15

원점을 출발하여 수직선 위를 움직이는 점 P의 시각 $t(t>0)$에서의 위치 x가 $x=9t-\dfrac{1}{3}t^3$일 때, 점 P가 처음으로 운동 방향을 바꿀 때의 위치는? [3점]

① 13　　　　② 18　　　　③ 20
④ 24　　　　⑤ 29

16

x축 위를 움직이는 점 P의 시각 t에서의 위치 x가 $x=-\dfrac{1}{3}t^3+3t^2-4t$이다. 점 P의 속도가 최대일 때의 가속도를 구하시오. [3점]

17

원점을 출발하여 수직선 위를 움직이는 점 P의 시각 $t(t>0)$에서의 위치 x가 $x=t^3-7t^2+12t$일 때, 점 P가 마지막으로 원점을 통과할 때의 가속도는? [3점]

① 2　　　　② 4　　　　③ 6
④ 8　　　　⑤ 10

18

수직선 위를 움직이는 두 점 P, Q의 시각 $t(t>0)$에서의 위치는 각각

$$x_P=t^2-5t-6, \quad x_Q=2t^2-15t$$

이다. 두 점 P, Q가 서로 반대 방향으로 움직이는 시각 t의 범위가 $\alpha<t<\beta$일 때, $\beta-\alpha$의 값은? [3점]

① 1　　　　② $\dfrac{5}{4}$　　　　③ $\dfrac{3}{2}$
④ 2　　　　⑤ $\dfrac{9}{4}$

08 부정적분

출제경향 함수의 부정적분에서 주어진 조건을 이용하여 적분상수의 값을 정한 후 함숫값을 구하는 문제가 매년 출제된다. 부정적분의 계산과 적분상수를 정하는 문제, 함수와 그 부정적분의 관계식에 대한 문제를 충분히 연습해 두어야 한다.

핵심개념 1 ─ 부정적분의 정의

(1) 함수 $f(x)$에 대하여 $F'(x)=f(x)$가 되는 함수 $F(x)$를 함수 $f(x)$의 부정적분이라 하고, 기호로 $\displaystyle\int f(x)dx$와 같이 나타낸다.

> **예** 세 함수 x^2, x^2+1, x^2+2를 미분하면 모두 $2x$이므로 이들은 모두 $2x$의 부정적분이다. 이들 외에도 $2x$의 부정적분은 무수히 많이 있으며 모두 상수항만 다르다.
>
> **참고** $\displaystyle\int f(x)dx$는 '적분 $f(x)dx$' 또는 'integral $f(x)dx$'로 읽는다.

(2) 함수 $f(x)$의 한 부정적분을 $F(x)$라 하면 $f(x)$의 임의의 부정적분은 $\displaystyle\int f(x)dx=F(x)+C$와 같이 나타낼 수 있다.

이때 상수 C를 적분상수라 한다.

> **예** $(x^3)'=3x^2$이므로 $\displaystyle\int 3x^2dx=x^3+C$

01 등식 $\displaystyle\int f(x)dx=x^2-4x+C$를 만족시키는 함수 $f(x)$를 $ax+b$라 할 때, $a+b$의 값은? (단, C는 적분상수) [2점]

① -2 ② -1 ③ 0 ④ 1 ⑤ 2

02 등식 $\displaystyle\int xf(x)dx=\frac{1}{6}x^3-\frac{3}{4}x^2+C$를 만족시키는 함수 $f(x)$를 구하면? (단, C는 적분상수) [3점]

① $\frac{1}{2}x-\frac{3}{4}$ ② $\frac{1}{3}x-\frac{3}{4}$ ③ $\frac{1}{3}x-\frac{3}{2}$ ④ $\frac{1}{2}x-\frac{3}{2}$ ⑤ $x-3$

03 함수 $f(x)$의 한 부정적분이 $2x^2+3x-4$일 때, $f(1)$의 값을 구하시오. [3점]

04 등식 $\displaystyle\int (6x^2+mx+3)dx=nx^3-2x^2+3x-2$를 만족시키는 상수 m, n에 대하여 $n-m$의 값을 구하시오. [3점]

핵심개념 2 ─ 부정적분과 미분의 관계

(1) $\displaystyle\frac{d}{dx}\left\{\underbrace{\int f(x)dx}_{F(x)+C}\right\}=f(x)$

(2) $\displaystyle\int\left\{\underbrace{\frac{d}{dx}f(x)}_{f'(x)}\right\}dx=f(x)+C$ (단, C는 적분상수)

> **주의** $\displaystyle\frac{d}{dx}\left\{\int f(x)dx\right\}\neq\int\left\{\frac{d}{dx}f(x)\right\}dx$

05 다항함수 $f(x)$에 대하여 $\displaystyle f(x)=\frac{d}{dx}\int\{2f(x)-x^3\}dx$일 때, $f(3)$의 값을 구하시오. [3점]

핵심개념 3 | **함수 $y=x^n$ (n은 양의 정수)과 함수 $y=1$의 부정적분**

(1) 함수 $y=x^n$ (n은 양의 정수)의 부정적분은

$$\int x^n dx = \frac{1}{n+1}x^{n+1}+C$$

(2) 함수 $y=1$의 부정적분은

$$\int 1\,dx = x+C$$

→ $\int 1dx$는 $\int dx$로 나타낼 수 있다.

[2016학년도 교육청]

06 함수 $f(x)$가 $f(x)=\int 3x^2 dx$이고 $f(0)=1$일 때, $f(3)$의 값은? [3점]

① 20   ② 22   ③ 24   ④ 26   ⑤ 28

07 함수 $f(x)$에 대하여 $f'(x)=x^3$, $f(0)=3$일 때, $f(2)$의 값을 구하시오. [3점]

핵심개념 4 | **함수의 실수배, 합, 차의 부정적분**

두 함수 $f(x)$, $g(x)$에 대하여

(1) $\displaystyle\int kf(x)dx=k\int f(x)dx$ (단, k는 0이 아닌 상수)

(2) $\displaystyle\int \{f(x)+g(x)\}dx=\int f(x)dx+\int g(x)dx$

(3) $\displaystyle\int \{f(x)-g(x)\}dx=\int f(x)dx-\int g(x)dx$

합, 차의 성질은 세 개 이상의 함수에서도 성립한다.

08 함수 $f(x)=\int (1+2x+3x^2+4x^3)dx$에 대하여 $f(0)=1$일 때, $f(-1)$의 값은? [3점]

① -1 ② 0   ③ 1   ④ 2   ⑤ 3

09 함수 $f(x)=\int (x+1)^2 dx+\int (x-1)^2 dx$에 대하여 $f(0)=\dfrac{1}{3}$일 때, $f(1)$의 값을 구하시오. [3점]

기출유형 01 부정적분의 계산

함수 $f(x)$가

$$f(x)=\int (4x^3-2x^2+3x)dx+\int (2x^2-x)dx$$

이고 $f(0)=5$일 때, $f(1)$의 값은? [3점]

① 3   ② 4   ③ 5   ④ 6   ⑤ 7

해결의 실마리

(1) 함수 $f(x)$의 한 부정적분을 $F(x)$라 하면 $\int f(x)dx=F(x)+C$

(2) x^n과 1의 부정적분, 함수의 실수배, 합, 차의 부정적분

  ① n이 양의 정수일 때 $\int x^n dx=\dfrac{1}{n+1}x^{n+1}+C$ ② $\int 1\, dx=x+C$

  ③ $\int kf(x)dx=k\int f(x)dx$ (단, k는 0이 아닌 상수)   ④ $\int \{f(x)\pm g(x)\}dx=\int f(x)dx\pm \int g(x)dx$ (복호동순)

01

[2017학년도 교육청]

함수 $f(x)=\int (3x^2-6x)dx$에 대하여 $f(0)=7$일 때,

$f(1)$의 값은? [3점]

① 1   ② 2   ③ 3

④ 4   ⑤ 5

02

함수 $f(x)=\int (6x^2-2x)dx$에 대하여 $f(0)=3$일 때,

$f(1)$의 값은? [3점]

① 1   ② 2   ③ 3

④ 4   ⑤ 5

03

[2016학년도 수능 모의평가]

함수 $f(x)$가

$$f(x)=\int \left(\frac{1}{2}x^3+2x+1\right)dx-\int \left(\frac{1}{2}x^3+x\right)dx$$

이고 $f(0)=1$일 때, $f(4)$의 값은? [3점]

① $\dfrac{23}{2}$ ② 12   ③ $\dfrac{25}{2}$

④ 13   ⑤ $\dfrac{27}{2}$

04

함수 $f(x)=\int (x-1)(x+1)(x^2+1)dx$에 대하여

$f(0)=\dfrac{3}{5}$일 때, $f(2)$의 값을 구하시오. [3점]

기출유형 02   도함수가 주어진 경우의 부정적분

다항함수 $f(x)$의 도함수 $f'(x)$가 $f'(x) = -x + 1$이다. $f(0) = 2$일 때, $f(2)$의 값은? [3점]

① 1   ② 2   ③ 3   ④ 4   ⑤ 5

Act①

$f(x) = \int f'(x) dx$를 이용하여 부정적분하고 $f(0) = 2$에서 적분상수 C의 값을 구한다.

해결의 실마리

함수 $f(x)$와 그 도함수 $f'(x)$에 대하여 $\Rightarrow f(x) = \int f'(x) dx$

05
[2018학년도 교육청]

다항함수 $f(x)$의 도함수 $f'(x)$가 $f'(x) = 3x^2 - 2x + 7$이다. $f(1) = 0$일 때, $f(2)$의 값은? [3점]

① 7   ② 8   ③ 9

④ 10   ⑤ 11

07
[2015학년도 수능]

다항함수 $f(x)$의 도함수 $f'(x)$가 $f'(x) = 6x^2 + 4$이다. 함수 $y = f(x)$의 그래프가 점 $(0, 6)$을 지날 때, $f(1)$의 값을 구하시오. [4점]

06
[2015학년도 교육청]

다항함수 $f(x)$의 도함수 $f'(x)$가 $f'(x) = 2x + 5$이다. $f(0) = 1$일 때, $f(2)$의 값은? [3점]

① 9   ② 11   ③ 13

④ 15   ⑤ 17

08
[2018학년도 교육청]

함수 $f(x)$의 그래프 위의 임의의 점 $(x, f(x))$에서의 접선의 기울기가 $4x - 1$이고 $f(0) = 1$일 때, $f(2)$의 값을 구하시오. [3점]

다항함수 $f(x)$의 한 부정적분 $F(x)$에 대하여

$$F(x) = xf(x) - 2x^3 - 2x^2$$

이다. $f(0) = 0$일 때, $f(1)$의 값은? [3점]

① 5   ② 6   ③ 7   ④ 8   ⑤ 9

Act ①

주어진 식의 양변을 x에 대하여 미분하여 $f'(x)$를 구한 다음 $f'(x)$를 적분하여 $f(x)$를 구한다.

해결의 실마리

(1) 부정적분과 미분의 관계

$$① \frac{d}{dx}\left\{ \underbrace{\int f(x)dx}_{F(x)+C} \right\} = f(x) \qquad ② \int \left\{ \underbrace{\frac{d}{dx}f(x)}_{f'(x)} \right\} dx = f(x) + C \ (단, C는 \ 적분상수)$$

(2) 함수 $f(x)$와 그 부정적분 $F(x)$ 사이의 관계식이 주어지면

⇨ 양변을 x에 대하여 미분한 후 $F'(x) = f(x)$임을 이용한다.

09

다항함수 $f(x)$의 한 부정적분 $F(x)$에 대하여

$$F(x) + \int xf(x)dx = x^3 + x^2 - x$$

인 관계가 성립할 때, $f(1)$의 값은? [3점]

① 1   ② 2   ③ 3

④ 4   ⑤ 5

11

다항함수 $f(x)$가

$$f(x) + \int xf(x)dx = x^3 + x^2 + 3x$$

를 만족시킬 때, $f(2)$의 값은? [3점]

① 5   ② 6   ③ 7

④ 8   ⑤ 9

10

다항함수 $f(x)$의 한 부정적분 $F(x)$에 대하여

$$(x-1)f(x) - F(x) = 4x^3 - 6x^2$$

인 관계가 성립한다. $f(1) = 1$일 때, $f(2)$의 값은? [3점]

① 16   ② 17   ③ 18

④ 19   ⑤ 20

12

[2016학년도 교육청]

두 다항함수 $f(x)$, $g(x)$가

$$f(x) = \int xg(x)dx, \quad \frac{d}{dx}\{f(x) - g(x)\} = 4x^3 + 2x$$를 만족

시킬 때, $g(1)$의 값은? [4점]

① 10   ② 11   ③ 12

④ 13   ⑤ 14

기출유형 04 극값이 주어진 경우의 부정적분

함수 $f(x)$의 도함수가 $f'(x)=6x^2-10x+4$이고 $f(x)$의 극솟값이 3일 때, $f(2)$의 값은? [3점]

① 5　　　　② 6　　　　③ 7　　　　④ 8　　　　⑤ 9

Act①
극소인 점을 찾아 $f'(x)$의 부정적분에서 적분상수를 구한다.

해결의 실마리

함수 $f(x)$의 도함수와 극값이 주어지면
⇨ 극값을 갖는 점을 찾아 $f'(x)$의 부정적분에서 적분상수를 구한다.

13

최고차항의 계수가 2인 삼차함수 $f(x)$가
$$f'(-1)=f'(2)=0$$
을 만족시킨다. $f(x)$의 극댓값이 12일 때, $f(x)$의 극솟값은? [3점]

① -15　　　② -12　　　③ -9
④ -6　　　⑤ -3

15

함수 $f(x)$의 도함수가 $f'(x)=3x^2-6x$이고 $f(x)$의 극솟값이 0일 때, $f(x)$의 극댓값을 구하시오. [3점]

14

함수 $f(x)$의 도함수가 $f'(x)=3(x^2-4)$이고, $f(x)$의 극솟값이 -10일 때, $f(x)$의 극댓값을 구하시오. [3점]

16

함수 $f(x)$의 도함수가 $f'(x)=x^2+2x$일 때, $f(x)$의 극댓값과 극솟값의 차는? [3점]

① $\dfrac{1}{3}$　　　② $\dfrac{2}{3}$　　　③ 1
④ $\dfrac{4}{3}$　　　⑤ $\dfrac{5}{3}$

01

함수 $f(x)$의 부정적분 중 하나가 x^4-2x+3일 때, 함수 $f(x)$의 상수항은? [2점]

① -2 ② -1 ③ 1
④ 2 ⑤ 3

02

모든 실수 x에 대하여

$$\frac{d}{dx}\int(ax^2+2x+3)dx=9x^2+bx+c$$

가 성립할 때, 상수 a, b, c의 합 $a+b+c$의 값은? [2점]

① 11 ② 12 ③ 13
④ 14 ⑤ 15

03

함수 $f(x)=\dfrac{5}{3}x^2-2x$에 대하여

$$F(x)=\frac{d}{dx}\int xf(x)dx$$

라 할 때, $F(3)$의 값은? [3점]

① 19 ② 21 ③ 23
④ 25 ⑤ 27

04

함수 $f(x)$가

$$f(x)=\int\left(\frac{1}{2}x^3+2x+1\right)dx-\int\left(\frac{1}{2}x^3+x\right)dx$$

이고 $f(0)=1$일 때, $f(4)$의 값은? [3점]

① $\dfrac{23}{2}$ ② 12 ③ $\dfrac{25}{2}$
④ 13 ⑤ $\dfrac{27}{2}$

05

이차함수 $f(x)$와 그 부정적분 $F(x)$ 사이에

$$F(x)=xf(x)+x^3-2x^2+5$$

인 관계가 있다. $f(0)=1$일 때, $f(2)$의 값은? [3점]

① 1 ② 2 ③ 3
④ 4 ⑤ 5

06

함수 $f(x)$에 대하여

$$\int(x+1)f(x)dx=2x^3+3x^2$$

일 때, $f\left(\dfrac{1}{2}\right)$의 값은? [3점]

① 1 ② 3 ③ 5
④ 7 ⑤ 9

07

함수 $f(x)$에 대하여 $\int(x+2)f(x)dx=\dfrac{1}{4}x^4+8x$일 때, $f(2)$의 값은? [3점]

① 0　　　　　② 1　　　　　③ 4

④ 9　　　　　⑤ 16

08

함수 $f(x)=\int(x^2+2x)dx$일 때, $\displaystyle\lim_{h\to 0}\dfrac{f(2+h)-f(2-h)}{h}$ 의 값은? [3점]

① 12　　　　　② 14　　　　　③ 16

④ 18　　　　　⑤ 20

09

점 $(1,\ -2)$를 지나는 곡선 $y=f(x)$ 위의 임의의 점 $(x,\ f(x))$에서의 접선의 기울기가 $6x^2-6x$이다. 이 곡선이 점 $(2,\ k)$를 지날 때, 상수 k의 값은? [3점]

① 1　　　　　② 2　　　　　③ 3

④ 4　　　　　⑤ 5

10

곡선 $y=f(x)$가 x축에 접하고 $f'(x)=6x(x-2)$가 성립할 때, $f(1)$의 값은? (단, $f(1)>0$) [3점]

① 1　　　　　② 2　　　　　③ 3

④ 4　　　　　⑤ 5

11

함수 $f(x)$의 도함수 $y=f'(x)$의 그래프가 오른쪽 그림과 같이 꼭짓점이 $(2,\ -12)$인 포물선이다. 함수 $f(x)$의 극댓값이 5일 때, 극솟값은? [3점]

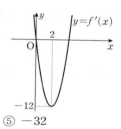

① 0　　　　　② -5

③ -16　　　　④ -27

⑤ -32

12

사차함수 $f(x)$의 도함수 $f'(x)$는 최고차항의 계수가 1이고, $y=f'(x)$의 그래프가 오른쪽 그림과 같다. 구간 $[0,\ 2]$에서 함수 $f(x)$의 최댓값을 M, 최솟값을 m이라 할 때, $M-m$의 값을 구하시오. [3점]

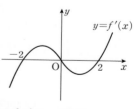

09 정적분

출제경향 간단한 정적분의 계산 문제 또는 정적분의 성질을 이용하는 문제가 매년 출제된다. 최근에는 적분 구간에 변수가 있는 정적분을 포함한 등식에 대한 문제도 많이 출제되며, 절댓값 기호를 포함한 함수의 정적분, 정적분으로 정의된 함수의 극한 문제도 출제된다.

핵심개념 1   정적분의 정의

(1) 닫힌구간 $[a,\ b]$에서 연속인 함수 $f(x)$의 한 부정적분을 $F(x)$라 할 때 $F(b)-F(a)$를 함수 $f(x)$의 a에서 b까지의 정적분이라 한다. 이 값은 적분상수 C와 관계없는 값이며, 기호로 $\int_a^b f(x)dx$와 같이 나타낸다.

즉 $\int_a^b f(x)dx = F(b)-F(a)$이고 우변을 기호 $\Big[F(x)\Big]_a^b$로도 나타낸다.

또 정적분 $\int_a^b f(x)dx$를 구하는 것을 $f(x)$를 a에서 b까지 적분한다고 한다.

> 정적분 $\int_a^b f(x)dx$를 'integral a에서 b까지 $f(x)dx$'로 읽는다. 이때 a를 아래끝, b를 위끝이라 한다.

(2) a, b의 대소에 관계없이 정적분 $\int_a^b f(x)dx$에 대하여 다음 등식이 성립한다.

① $\int_a^a f(x)\,dx = 0$ ② $\int_a^b f(x)dx = -\int_b^a f(x)dx$ ←a, b의 대소에 관계없이 성립한다.

[2012학년도 수능]

01 $\int_0^5 (4x-3)dx$의 값을 구하시오. [3점]

[2014학년도 수능 모의평가]

02 $\int_0^1 (4x^3+a)dx = 8$일 때, 상수 a의 값은? [3점]

   ① 6   ② 7   ③ 8   ④ 9   ⑤ 10

핵심개념 2   적분과 미분의 관계

함수 $f(t)$가 주어진 구간에서 연속일 때

(1) $\dfrac{d}{dx}\displaystyle\int_a^x f(t)dt = f(x)$ (단, a는 상수)

(2) $\dfrac{d}{dx}\displaystyle\int_x^{x+a} f(t)dt = f(x+a)-f(x)$ (단, a는 상수)

함수 $f(t)$의 한 부정적분을 $F(t)$라 하면 $F'(t)=f(t)$
$\displaystyle\int_a^x f(t)dt = \Big[F(t)\Big]_a^x = F(x)-F(a)$
이 식의 양변을 x에 대하여 미분하면
$\dfrac{d}{dx}\displaystyle\int_a^x f(t)dt = \dfrac{d}{dx}\{F(x)-F(a)\} = F'(x)-0 = f(x)$

03 모든 실수 x에 대하여 $\int_3^x f(t)dt = x^2-2x-3$을 만족시키는 함수 $f(x)$에 대하여 $f(4)$의 값은? [3점]

   ① 6   ② 8   ③ 10   ④ 12   ⑤ 14

04 함수 $f(x)=4x^3-3x+1$일 때, $\displaystyle\lim_{x\to 1}\dfrac{1}{x-1}\int_1^x f(t)dt$의 값은? [3점]

   ① 1   ② 2   ③ 3   ④ 4   ⑤ 5

핵심개념 3　정적분의 성질

(1) 두 함수 $f(x)$, $g(x)$가 닫힌구간 $[a, b]$에서 연속일 때

① $\int_a^b kf(x)dx = k\int_a^b f(x)dx$ (단, k는 상수)

② $\int_a^b \{f(x)+g(x)\}dx = \int_a^b f(x)dx + \int_a^b g(x)dx$　　③ $\int_a^b \{f(x)-g(x)\}dx = \int_a^b f(x)dx - \int_a^b g(x)dx$

(2) 함수 $f(x)$가 임의의 세 실수 a, b, c를 포함하는 닫힌구간에서 연속일 때

$\int_a^c f(x)dx + \int_c^b f(x)dx = \int_a^b f(x)dx$ ←a, b, c의 대소에 관계없이 성립한다.

05 $\int_0^3 (3x^2+2x)dx - \int_0^3 (2x-1)dx$의 값을 구하시오. [3점]

06 $\int_1^2 (3x^2-1)dx + \int_2^3 (3x^2-1)dx$의 값을 구하시오. [3점]

핵심개념 4　여러 가지 함수의 정적분

(1) 절댓값 기호를 포함한 함수의 정적분

적분 구간에서 절댓값 기호 안의 식의 값이 양수인지, 음수인지 판단하여 구간을 나누어서 적분한다.

(2) 우함수와 기함수의 정적분

함수 $f(x)$가 닫힌구간 $[-a, a]$에서 연속일 때

① $f(-x)=f(x)$이면 함수 $f(x)$를 우함수라 하고 $\int_{-a}^a f(x)dx = 2\int_0^a f(x)dx$

② $f(-x)=-f(x)$이면 함수 $f(x)$를 기함수라 하고 $\int_{-a}^a f(x)dx = 0$

(3) 주기함수의 정적분

함수 $f(x)$가 $f(x+p)=f(x)$ (p는 0이 아닌 상수), 즉 주기함수일 때,
→p의 값 중에서 최소인 양수가 함수 f의 주기이다.
한 주기에 해당하는 그래프가 반복해서 나타나므로 정적분의 값을 구할 때 계산하기 간단한 적분 구간을 선택하여 계산한다.

① $\int_a^b f(x)dx = \int_{a+np}^{b+np} f(x)dx$ (단, n은 정수)　　② $\int_a^{a+p} f(x)dx = \int_b^{b+p} f(x)dx$ ←한 주기의 정적분의 값은 항상 같다.

③ $\int_a^{a+np} f(x)dx = n\int_0^p f(x)dx$ (단, n은 정수)

07 $\int_0^2 |x-1|dx$의 값을 구하시오. [3점]

[2017학년도 교육청]
08 $\int_{-2}^2 (3x^2+2x+1)dx$의 값은? [3점]

① 12　　② 14　　③ 16　　④ 18　　⑤ 20

기출유형 **01** 정적분의 정의

[2018학년도 교육청]

$\int_0^1 (3x^2-2)dx$의 값은? [3점]

① -2 ② -1 ③ 0 ④ 1 ⑤ 2

Act ❶

$f(x)$의 한 부정적분을 $F(x)$라 하면

$\int_a^b f(x)dx = \Big[F(x) \Big]_a^b$

$= F(b) - F(a)$임을 이용한다.

해결의 실마리

닫힌구간 $[a, b]$에서 연속인 함수 $f(x)$의 한 부정적분을 $F(x)$라 하면

$$\int_a^b f(x)dx = \Big[F(x) \Big]_a^b = F(b) - F(a)$$

01

[2019학년도 수능 모의평가]

$\int_0^2 (3x^2+2x)dx$의 값은? [3점]

① 6 ② 8 ③ 10

④ 12 ⑤ 14

03

[2015학년도 수능]

$\int_0^1 (2x+a)dx = 4$일 때, 상수 a의 값은? [3점]

① 1 ② 2 ③ 3

④ 4 ⑤ 5

02

[2017학년도 수능]

$\int_0^2 (6x^2-x)dx$의 값은? [3점]

① 15 ② 14 ③ 13

④ 12 ⑤ 11

04

[2018학년도 수능]

$\int_0^a (3x^2-4)dx = 0$을 만족시키는 양수 a의 값은? [3점]

① 2 ② $\dfrac{9}{4}$ ③ $\dfrac{5}{2}$

④ $\dfrac{11}{4}$ ⑤ 3

기출유형 02 정적분의 성질

$$\int_0^2 (x-1)(x+3)dx + \int_0^2 (2x^2+3)dx$$의 값을 구하시오. [3점]

Act ①
적분 구간이 같은 두 정적분은 하나의 정적분으로 나타내어 계산한다.

해결의 실마리

(1) 함수 $f(x)$, $g(x)$가 닫힌구간 $[a, b]$에서 연속일 때

① $\int_a^b kf(x)dx = k\int_a^b f(x)dx$ (단, k는 상수)

② $\int_a^b \{f(x)+g(x)\}dx = \int_a^b f(x)dx + \int_a^b g(x)dx$　　③ $\int_a^b \{f(x)-g(x)\}dx = \int_a^b f(x)dx - \int_a^b g(x)dx$

(2) 함수 $f(x)$가 임의의 세 실수 a, b, c를 포함하는 닫힌구간에서 연속일 때

$\int_a^c f(x)dx + \int_c^b f(x)dx = \int_a^b f(x)dx$ ← a, b, c의 대소에 관계없이 성립한다.

05 [2015학년도 교육청]

$$\int_0^{10} (x+1)^2 dx - \int_0^{10} (x-1)^2 dx$$의 값을 구하시오. [3점]

07

$$\int_0^1 (t^3-1)dt + \int_2^1 (1-x^3)dx$$의 값은? [3점]

① -2　　　② -1　　　③ 0
④ 1　　　⑤ 2

06

$$\int_{-2}^1 (2x^3+3x^2+4x)dx - \int_2^1 (2x^3+3x^2+4x)dx$$의 값을 구하시오. [3점]

08

$$\int_{-1}^2 (3x^2+2x)dx + \int_2^3 (3x^2+2x)dx - \int_4^3 (3x^2+2x)dx$$의 값을 구하시오. [3점]

$\int_0^3 (x+|x-1|)dx$의 값을 구하시오. [3점]

Act ❶
절댓값 기호가 있으면 구간을
나누어 절댓값 기호를 없앤다.

해결의 실마리

(1) 구간에 따라 다르게 정의된 함수의 정적분은 구간을 나눈 후 $\int_a^b f(x)dx=\int_a^c f(x)dx+\int_c^b f(x)dx$를 이용한다.

(2) 절댓값 기호를 포함한 함수의 정적분은 절댓값 기호 안의 식의 값을 0으로 하는 x의 값을 경계로 피적분함수가 바뀌므로 반드시 구간을 나누어 정적분의 값을 구한다.

09
[2019학년도 수능]

$\int_1^4 (x+|x-3|)dx$의 값을 구하시오. [3점]

11

$\int_0^3 |x(x-2)|dx$의 값은? [3점]

① $\dfrac{2}{3}$ ② $\dfrac{5}{3}$ ③ $\dfrac{8}{3}$

④ $\dfrac{11}{3}$ ⑤ $\dfrac{14}{3}$

10

$\int_{-1}^2 (2|x-1|+1)dx$의 값을 구하시오. [3점]

12

$\int_{-1}^2 (2|x|+k)dx=11$을 만족시키는 상수 k의 값을 구하시오. [3점]

기출유형 **04** 우함수, 기함수의 정적분

실수 a에 대하여 $\int_{-a}^{a}(4x^3+3x^2)dx=\frac{1}{4}$일 때, a의 값은? [3점]

Act ❶
아래끝과 위끝의 절댓값이 같고 부호가 다를 때, 피적분함수를 우함수와 기함수로 나누어 계산한다.

① $\frac{1}{2}$ ② $\frac{1}{3}$ ③ $\frac{1}{4}$ ④ $\frac{1}{5}$ ⑤ $\frac{1}{6}$

해결의 실마리

(1) 우함수 : $f(-x)=f(x)$이면 함수 $f(x)$를 우함수라 한다. ←$f(x)$는 짝수차항만으로 이루어진 함수로 y축에 대하여 대칭

  $f(x)$가 우함수일 때 ⇨ $\int_{-a}^{a}f(x)dx=2\int_{0}^{a}f(x)dx$

(2) 기함수 : $f(-x)=-f(x)$이면 함수 $f(x)$를 기함수라 한다.←$f(x)$는 홀수차항만으로 이루어진 함수로 원점에 대하여 대칭

  $f(x)$가 기함수일 때 ⇨ $\int_{-a}^{a}f(x)dx=0$

13
[2014학년도 수능]

실수 a에 대하여 $\int_{-a}^{a}(3x^2+2x)dx=\frac{1}{4}$일 때, $50a$의 값을 구하시오. [3점]

15
[2013학년도 수능]

함수 $f(x)=x+1$에 대하여
$$\int_{-1}^{1}\{f(x)\}^2dx=k\left(\int_{-1}^{1}f(x)dx\right)^2$$
일 때, 상수 k의 값은? [3점]

① $\frac{1}{6}$ ② $\frac{1}{3}$ ③ $\frac{1}{2}$

④ $\frac{2}{3}$ ⑤ $\frac{5}{6}$

14

일차함수 $f(x)=ax+b$에 대하여
$\int_{-1}^{1}xf(x)dx=4$, $\int_{-1}^{1}x^2f(x)dx=-2$일 때, $a+b$의 값을 구하시오. (단, a, b는 상수이다.) [3점]

16

함수 $f(x)=x^3+1$에 대하여 $\int_{-1}^{1}f(x)\{f'(x)+1\}dx$의 값은? [3점]

① 2 ② 4 ③ 6

④ 8 ⑤ 10

연속함수 $f(x)$가 모든 실수 x에 대하여 다음 조건을 만족시킨다.

> (가) $f(x+2)=f(x)$ (나) $0\leq x\leq 2$일 때, $f(x)=-x^2+2x$

$\displaystyle\int_{-6}^{6} f(x)dx$의 값은? [3점]

① 6   ② 8   ③ 10   ④ 12   ⑤ 14

Act ①
주기함수는 한 주기의 그래프가 반복해서 나타나므로 계산하기 간단한 적분 구간을 선택하여 계산한다.

해결의 실마리

함수 $f(x)$가 $f(x+p)=f(x)$ (p는 0이 아닌 상수), 즉 주기함수일 때,

한 주기에 해당하는 그래프가 반복해서 나타나므로 정적분의 값을 구할 때 계산하기 간단한 적분 구간을 선택하여 계산한다.

① $\displaystyle\int_{a}^{b} f(x)dx=\int_{a+np}^{b+np} f(x)dx$ (단, n은 정수)   ② $\displaystyle\int_{a}^{a+p} f(x)dx=\int_{b}^{b+p} f(x)dx$

③ $\displaystyle\int_{a}^{a+np} f(x)dx=n\int_{0}^{p} f(x)dx$ (단, n은 정수)

17
[2015학년도 수능]

함수 $f(x)$는 모든 실수 x에 대하여 $f(x+3)=f(x)$를 만족시키고,

$$f(x)=\begin{cases}x & (0\leq x<1)\\ 1 & (1\leq x<2)\\ -x+3 & (2\leq x<3)\end{cases}$$

이다. $\displaystyle\int_{-a}^{a} f(x)dx=13$일 때, 상수 a의 값은? [4점]

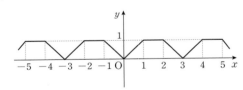

① 10   ② 12   ③ 14
④ 16   ⑤ 18

18
[2014학년도 교육청]

연속함수 $f(x)$가 모든 실수 x에 대하여 다음 조건을 만족시킨다.

> (가) $f(-x)=f(x)$
> (나) $f(x+2)=f(x)$
> (다) $\displaystyle\int_{-1}^{1} (2x+3)f(x)dx=15$

$\displaystyle\int_{-6}^{10} f(x)dx$의 값을 구하시오. [4점]

기출유형 06 적분 구간이 상수인 정적분을 포함한 등식

함수 $f(x)$가 $f(x)=3x^2+\int_0^2 f(t)dt$를 만족시킬 때, $f(1)$의 값은? [3점]

① -5　　　② -4　　　③ -3　　　④ -2　　　⑤ -1

Act ❶
$\int_a^b f(t)dt=k$ (k는 상수)로 놓고 k의 값을 구한다.

해결의 실마리

적분 구간이 상수이면 정적분은 상수가 된다.

$f(x)=g(x)+\int_a^b f(t)dt$ (a, b는 상수)와 같이 적분 구간이 상수인 정적분을 포함한 등식이 주어지면 다음 순서로 $f(x)$를 구한다.

① $\int_a^b f(t)dt=k$ (k는 상수) ……★로 놓으면 $f(x)=g(x)+k$이고, 이것을 ★에 대입하여 k의 값을 구한다.

② k의 값을 $f(x)=g(x)+k$에 대입하여 $f(x)$를 구한다.

19

함수 $f(x)$가 $f(x)=x^2+1+\int_0^3 f(t)dt$를 만족시킬 때, $f(4)$의 값을 구하시오. [3점]

21

[2013학년도 교육청]

함수 $f(x)$가 $f(x)=x^2-2x+\int_0^1 tf(t)dt$를 만족시킬 때, $f(3)$의 값은? [3점]

① $\dfrac{13}{6}$　　　② $\dfrac{5}{2}$　　　③ $\dfrac{17}{6}$

④ $\dfrac{19}{6}$　　　⑤ $\dfrac{7}{2}$

20

함수 $f(x)$가 $f(x)=3x^2+2x-\int_0^2 f(t)dt$를 만족시킬 때, $f(1)$의 값을 구하시오. [3점]

22

함수 $f(x)$가 $f(x)=x^2+\int_0^1 (6x-1)f(t)dt$를 만족시킬 때, 정적분 $\int_0^1 f(x)dx$의 값은? [3점]

① $-\dfrac{1}{2}$　　　② $-\dfrac{1}{3}$　　　③ $-\dfrac{1}{4}$

④ $-\dfrac{1}{5}$　　　⑤ $-\dfrac{1}{6}$

[2015학년도 수능 모의평가]

다항함수 $f(x)$가 모든 실수 x에 대하여

$$\int_0^x f(t)dt = x^3 + 4x$$

를 만족시킬 때, $f(10)$의 값을 구하시오. [4점]

Act ①
주어진 등식의 양변을 x에 대하여 미분한다.

해결의 실마리

적분 구간이 변수이면 정적분은 함수가 된다.

$\int_a^x f(t)dt = g(x)$ (a는 상수)……★와 같이 적분 구간이 변수인 정적분을 포함한 등식이 주어지면 다음 성질을 이용하여 $f(x)$를 구한다.

(1) ★의 양변을 x에 대하여 미분하면 $\Rightarrow \dfrac{d}{dx}\int_a^x f(t)dt = g'(x)$이므로 $f(x)=g'(x)$

(2) ★의 양변에 $x=a$를 대입하면 $\Rightarrow \int_a^a f(t)dt = g(a)$이므로 $g(a)=0$

23
[2018학년도 수능 모의평가]

함수 $f(x) = \int_1^x (t-2)(t-3)dt$에 대하여 $f'(4)$의 값은?

[3점]

① 1　　　　② 2　　　　③ 3
④ 4　　　　⑤ 5

25
[2017학년도 교육청]

다항함수 $f(x)$가 모든 실수 x에 대하여

$$\int_1^x f(t)dt = x^3 + ax^2 - 3x + 1$$

을 만족시킬 때, $f(a)$의 값은? (단, a는 상수이다.) [3점]

① -2　　　　② -1　　　　③ 0
④ 1　　　　⑤ 2

24
[2016학년도 수능 모의평가]

함수 $f(x)$가

$$f(x) = \int_0^x (2at+1)dt$$

이고 $f'(2)=17$일 때, 상수 a의 값을 구하시오. [3점]

26
[2018학년도 교육청]

다항함수 $f(x)$가 모든 실수 x에 대하여

$$\int_a^x f(t)dt = \frac{1}{3}x^3 - 9$$

를 만족시킬 때, $f(a)$의 값을 구하시오. (단, a는 실수이다.) [3점]

기출유형 **08** 정적분으로 정의된 함수의 극한

함수 $f(x)=4x^3-3x+1$에 대하여 $\displaystyle\lim_{x\to 1}\frac{1}{x-1}\int_1^x f(t)dt$의 값을 구하시오. [3점]

Act ❶
미분계수의 정의를 이용한다.

해결의 실마리

(1) $\displaystyle\lim_{x\to a}\frac{1}{x-a}\int_a^x f(t)dt=\lim_{x\to a}\frac{\Big[F(t)\Big]_a^x}{x-a}=\lim_{x\to a}\frac{F(x)-F(a)}{x-a}=F'(a)=f(a)$

(2) $\displaystyle\lim_{x\to 0}\frac{1}{x}\int_a^{x+a} f(t)dt=\lim_{x\to 0}\frac{\Big[F(t)\Big]_a^{x+a}}{x-a}=\lim_{x\to 0}\frac{F(x+a)-F(a)}{x}=F'(a)=f(a)$

27

함수 $f(x)=x^2+x+1$에 대하여 $\displaystyle\lim_{x\to 2}\frac{1}{x-2}\int_2^x f(t)dt$의 값을 구하시오. [3점]

29

[2017학년도 교육청]

함수 $f(x)=\displaystyle\int_0^x(3t^2+5)dt$에 대하여 $\displaystyle\lim_{x\to 2}\frac{f(x)-f(2)}{x-2}$의 값을 구하시오. [3점]

28

함수 $f(x)=x^2-2x+2$에 대하여 $\displaystyle\lim_{h\to 0}\int_3^{3+h}f(t)dt$의 값을 구하시오. [3점]

30

함수 $f(x)=\displaystyle\int_0^x(3t^2-t-1)dt$에 대하여

$\displaystyle\lim_{x\to 2}\frac{f(x)-f(2)}{x^2-4}$의 값은? [3점]

① $\dfrac{1}{4}$　　　② $\dfrac{3}{4}$　　　③ $\dfrac{5}{4}$

④ $\dfrac{7}{4}$　　　⑤ $\dfrac{9}{4}$

01

정적분 $\int_0^3 (x^2-4x+11)dx$의 값은? [3점]

① 21   ② 24   ③ 27
④ 30   ⑤ 33

02

$\int_0^1 (2x+a)dx=4$일 때, 상수 a의 값은? [3점]

① 1   ② 2   ③ 3
④ 4   ⑤ 5

03

함수 $f(x)=6x^2+2ax$가 $\int_0^1 f(x)dx=f(1)$을 만족시킬 때, 상수 a의 값은? [3점]

① −5   ② −4   ③ −3
④ −2   ⑤ −1

04

$f(x)=\begin{cases} x^2 & (x\leq1) \\ 2-x & (x>1) \end{cases}$ 일 때, 정적분 $\int_{-2}^2 f(x)dx$의 값은? [3점]

① $\dfrac{3}{2}$ ② $\dfrac{5}{2}$ ③ $\dfrac{7}{2}$
④ $\dfrac{9}{2}$ ⑤ $\dfrac{11}{2}$

05

연속함수 $f(x)$에 대하여 $\int_0^4 f(x)dx=2$, $\int_2^6 f(x)dx=4$, $\int_2^4 f(x)dx=3$이 성립할 때, 정적분 $\int_0^6 f(x)dx$의 값을 구하시오. [3점]

06

정적분 $\int_0^1 \dfrac{x^2}{x-2}dx+\int_1^0 \dfrac{4}{t-2}dt$의 값은? [3점]

① $\dfrac{1}{2}$ ② 1   ③ $\dfrac{3}{2}$
④ 2   ⑤ $\dfrac{5}{2}$

07

$f(x)=3x^2+2x$일 때, 정적분

$\int_1^4 f(x)dx - \int_2^4 f(x)dx + \int_{-3}^1 f(x)dx$의 값은? [3점]

① 26   ② 28   ③ 30

④ 32   ⑤ 34

08

정적분 $\int_0^2 |x^2+x-2|dx$의 값은? [3점]

① $\frac{1}{3}$ ② 1   ③ $\frac{5}{3}$

④ $\frac{7}{3}$ ⑤ 3

09

연속함수 $f(x)$에 대하여 $f(0)=1$, $f'(x)=2|x-1|$일 때, $f(2)$의 값은? [3점]

① 1   ② 2   ③ 3

④ 4   ⑤ 5

10

함수 $f(x)$가 $f(x)=3x^2+x+\int_0^2 f(t)dt$를 만족시킬 때, $f(2)$의 값은? [3점]

① 1   ② 2   ③ 3

④ 4   ⑤ 5

11

함수 $f(x)$가 $\int_a^x f(t)dt=x^2-4x+4$를 만족시킬 때, $f(a)$의 값은? (단, a는 상수이다.) [3점]

① -3 ② -1 ③ 0

④ 1   ⑤ 3

12

$f(x)=\int_0^x (3t^2-2t+1)dt$일 때,

$\lim_{h \to 0} \frac{f(1+h)-f(1-h)}{2h}$의 값을 구하시오. [3점]

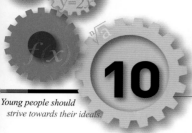

III. 적분

10 정적분의 활용

출제경향 곡선과 x축 사이의 넓이, 두 곡선 사이의 넓이, 물체의 위치와 위치의 변화량 문제, 물체가 움직인 거리에 대한 문제가 매년 출제된다. 기본적인 출제 패턴이 거의 유사하므로 충분한 연습이 필요하다.

Young people should
strive towards their ideals.

핵심개념 1 　곡선과 x축 사이의 넓이

(1) 정적분과 넓이의 관계

함수 $f(x)$가 닫힌구간 $[a, b]$에서 연속이고 $f(x) \geq 0$일 때, 곡선 $y=f(x)$와 x축 및 두 직선 $x=a$, $x=b$로 둘러싸인 도형의 넓이 S는

$$S=\int_a^b f(x)dx$$

(2) 곡선과 x축 사이의 넓이

함수 $f(x)$가 닫힌구간 $[a, b]$에서 연속일 때, 곡선 $y=f(x)$와 x축 및 두 직선 $x=a$, $x=b$로 둘러싸인 도형의 넓이 S는

$$S=\int_a^b |f(x)|dx$$

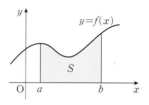

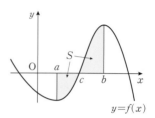

참고 닫힌구간 $[a, b]$에서 $f(x)$의 값이 양수인 경우와 음수인 경우가 모두 나타나면
① 곡선 $y=f(x)$와 x축의 교점의 x좌표를 구한다.
② ①에서 구한 값을 기준으로 $f(x)$의 값이 양수인 구간과 음수인 구간을 나누어 적분한다.
이때 $f(x) \leq 0$이면 $S=\int_a^c \{-f(x)\}dx$, $f(x) \geq 0$이면 $S=\int_c^b f(x)dx$

01 곡선 $y=x^2+3x$와 x축 및 두 직선 $x=-1$, $x=1$로 둘러싸인 도형의 넓이는? [3점]

① $\dfrac{3}{2}$ 　　② 2 　　③ $\dfrac{5}{2}$ 　　④ 3 　　⑤ $\dfrac{7}{2}$

핵심개념 2 　두 곡선 사이의 넓이

두 함수 $f(x)$, $g(x)$가 닫힌구간 $[a, b]$에서 연속일 때, 두 곡선 $y=f(x)$, $y=g(x)$와 두 직선 $x=a$, $x=b$로 둘러싸인 도형의 넓이 S는

$$S=\int_a^b |f(x)-g(x)|dx$$

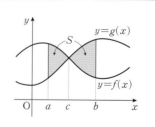

참고 닫힌구간 $[a, b]$에서 $f(x)$와 $g(x)$의 값의 대소가 바뀌면
① 두 곡선 $y=f(x)$, $y=g(x)$의 교점의 x좌표를 구한다.
② ①에서 구한 값을 기준으로 $f(x)-g(x)$의 값이 양수인 구간과 음수인 구간을 나누어 적분한다.

02 두 곡선 $y=x^2-4x+4$, $y=-x^2+6x+4$로 둘러싸인 도형의 넓이는? [3점]

① $\dfrac{116}{3}$ 　　② $\dfrac{119}{3}$ 　　③ $\dfrac{122}{3}$ 　　④ $\dfrac{125}{3}$ 　　⑤ $\dfrac{128}{3}$

핵심개념 **3**　위치와 위치의 변화량

수직선 위를 움직이는 점 P의 시각 t에서의 속도가 $v(t)$이고, 시각 $t=a$에서의 위치를 x_0이라 할 때

(1) 시각 t에서 점 P의 위치 x는

$$x=x_0+\int_a^t v(t)dt$$

출발 위치　　　↳위치의 변화량

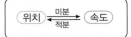

(2) 시각 $t=a$에서 $t=b$까지 점 P의 위치의 변화량은

$$\int_a^b v(t)dt$$

03 지상 10 m 높이에서 똑바로 위로 쏘아 올린 물체의 t초 후의 속도는 $v(t)=30-10t\,(\mathrm{m/s})$라 한다. 이 물체가 최고 높이에 도달했을 때, 지상으로부터의 높이는? [3점]

① 40 m　　　② 45 m　　　③ 50 m　　　④ 55 m　　　⑤ 60 m

핵심개념 **4**　움직인 거리

(1) 수직선 위를 움직이는 점 P의 시각 t에서의 속도가 $v(t)$일 때, 시각 $t=a$에서 $t=b$까지 점 P가 움직인 거리 s는

$$s=\int_a^b |v(t)|dt$$

참고 위치의 변화량과 움직인 거리

위치의 변화량은 단순히 처음 위치에서 마지막 위치로 변화한 양을 나타내지만, 움직인 거리는 양의 방향이든 음의 방향이든 움직인 거리의 총합을 의미한다.

(2) 속도 그래프에서 위치의 변화량과 움직인 거리 해석

수직선 위를 움직이는 점 P의 시각 t에서의 속도 $v(t)$의 그래프가 그림과 같을 때

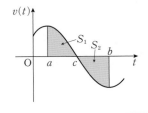

① $t=a$에서 $t=b$까지의 위치의 변화량은 ⇨ S_1-S_2

② $t=a$에서 $t=b$까지의 움직인 거리는 ⇨ S_1+S_2

04 원점을 출발하여 수직선 위를 움직이는 점 P의 시각 t에서의 속도가 $v(t)=2t^2-6t$라 한다. 점 P가 $t=0$에서 $t=6$까지 움직인 거리를 구하시오. [3점]

유형따라잡기

기출유형 01 · 곡선과 x축 사이의 넓이

곡선 $y=x^2-4x+3$과 x축으로 둘러싸인 부분의 넓이는? [3점]

① $\dfrac{1}{3}$ ② $\dfrac{2}{3}$ ③ 1 ④ $\dfrac{4}{3}$ ⑤ $\dfrac{5}{3}$

Act①
곡선과 x축의 교점의 x좌표에서 적분 구간을 정한 후 $|f(x)|$의 정적분의 값을 구한다.

해결의 실마리

곡선 $y=f(x)$와 x축으로 둘러싸인 도형의 넓이 S는

$$\Rightarrow S=\int_a^b|f(x)|\,dx=\underbrace{\int_a^c f(x)dx}_{x축\ 위쪽\ 넓이}+\underbrace{\int_c^b\{-f(x)\}dx}_{x축\ 아래쪽\ 넓이}$$

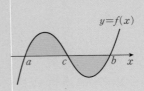

01
[2018학년도 수능 모의평가]

곡선 $y=6x^2-12x$와 x축으로 둘러싸인 부분의 넓이를 구하시오. [4점]

03
[2015학년도 교육청]

함수 $f(x)=x^3-9x$의 그래프와 x축으로 둘러싸인 부분의 넓이는? [3점]

① $\dfrac{77}{2}$ ② 39 ③ $\dfrac{79}{2}$

④ 40 ⑤ $\dfrac{81}{2}$

02

곡선 $y=|x^2-9|$와 x축으로 둘러싸인 도형의 넓이를 구하시오. [3점]

04
[2014학년도 수능 예비 평가]

함수 $y=4x^3-12x^2+8x$의 그래프와 x축으로 둘러싸인 부분의 넓이를 구하시오. [4점]

기출유형 02 두 곡선 사이의 넓이

[2015학년도 교육청]

곡선 $y=x^3-2x^2+k$와 직선 $y=k$로 둘러싸인 부분의 넓이는? (단, k는 상수이다.) [3점]

① $\dfrac{1}{3}$ ② $\dfrac{2}{3}$ ③ 1 ④ $\dfrac{4}{3}$ ⑤ $\dfrac{5}{3}$

Act ❶

두 곡선의 교점의 x좌표에서 적분 구간을 정한 후 {(위쪽 그래프의 식)−(아래쪽 그래프의 식)}의 정적분의 값을 구한다.

해결의 실마리

두 곡선 $y=f(x)$, $y=g(x)$와 두 직선 $x=a$, $x=b$로 둘러싸인 도형의 넓이 S는

$$\Rightarrow S=\int_a^b |f(x)-g(x)|\,dx=\int_a^c \{f(x)-g(x)\}\,dx+\int_c^b \{g(x)-f(x)\}\,dx$$

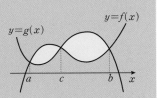

05

[2012학년도 수능 모의평가]

곡선 $y=x^2-x+2$와 직선 $y=2$로 둘러싸인 부분의 넓이는? [3점]

① $\dfrac{1}{9}$ ② $\dfrac{1}{6}$ ③ $\dfrac{2}{9}$

④ $\dfrac{5}{18}$ ⑤ $\dfrac{1}{3}$

07

[2018학년도 수능]

곡선 $y=-2x^2+3x$와 직선 $y=x$로 둘러싸인 부분의 넓이가 $\dfrac{q}{p}$일 때, $p+q$의 값을 구하시오. (단, p와 q는 서로소인 자연수이다.) [4점]

06

[2014학년도 수능]

곡선 $y=x^2-4x+3$과 직선 $y=3$으로 둘러싸인 부분의 넓이는? [3점]

① 10 ② $\dfrac{31}{3}$ ③ $\dfrac{32}{3}$

④ 11 ⑤ $\dfrac{34}{3}$

08

두 곡선 $y=x^2-2x+3$, $y=-2x^2+10x-6$으로 둘러싸인 도형의 넓이를 구하시오. [3점]

곡선 $y=x(x-2)(x-a)$와 x축으로 둘러싸인 두 도형의 넓이가 같을 때, 상수 a의 값은?

(단, $a>2$) [3점]

① 3   ② 4   ③ 5   ④ 6   ⑤ 7

Act①

x축 위, 아래에 있는 두 도형의 넓이가 같고 $a>2$이므로

$$\int_0^a x(x-2)(x-a)dx=0$$

임을 이용한다.

해결의 실마리

(1) x축 위, 아래에 있는 두 도형의 넓이가 같을 때

오른쪽 그림에서 $S_1=S_2$이면 $\Rightarrow \int_a^b f(x)dx=0$

(2) 넓이를 이등분할 때

오른쪽 그림에서 $y=f(x)$와 x축으로 둘러싸인 도형의 넓이 S를 $y=g(x)$가 이등분하면

$\Rightarrow \int_0^a \{f(x)-g(x)\}dx=\dfrac{1}{2}S$

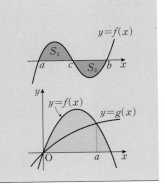

09

곡선 $y=x^3-(a+1)x^2+ax$와 x축으로 둘러싸인 두 도형의 넓이가 같을 때, 상수 a의 값은? (단, $0<a<1$) [3점]

① $\dfrac{1}{4}$ ② $\dfrac{3}{8}$ ③ $\dfrac{1}{2}$

④ $\dfrac{5}{8}$ ⑤ $\dfrac{3}{4}$

10

곡선 $y=-x^2+2x$와 x축으로 둘러싸인 도형의 넓이와 곡선과 x축 및 직선 $x=a$로 둘러싸인 도형의 넓이가 같을 때, 상수 a의 값을 구하시오. (단, $a>2$) [3점]

11

[2010학년도 수능 모의평가]

두 곡선 $y=x^4-x^3$, $y=-x^4+x$로 둘러싸인 도형의 넓이가 곡선 $y=ax(1-x)$에 의하여 이등분될 때, 상수 a의 값은? (단, $0<a<1$) [3점]

① $\dfrac{1}{4}$ ② $\dfrac{3}{8}$

③ $\dfrac{5}{8}$ ④ $\dfrac{3}{4}$

⑤ $\dfrac{7}{8}$

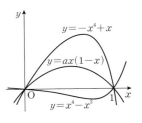

12

곡선 $y=-x^2+2x$와 x축으로 둘러싸인 도형의 넓이를 직선 $y=mx$가 이등분할 때, 상수 m에 대하여 $(2-m)^3$의 값을 구하시오. [3점]

기출유형 **04** 함수와 그 역함수의 그래프로 둘러싸인 도형의 넓이

함수 $f(x)=x^2+1(x\geq0)$의 역함수를 $g(x)$라 할 때, $\int_0^1 f(x)dx+\int_1^2 g(x)dx$의 값은? [3점]

Act ①
$f(x)$, $g(x)$의 그래프는 직선 $y=x$에 대하여 대칭임을 이용한다.

① 2   ② 3   ③ 4   ④ 5   ⑤ 6

해결의 실마리

함수 $y=f(x)$의 그래프와 그 역함수 $y=f^{-1}(x)$의 그래프는 직선 $y=x$에 대하여 대칭이므로
⇨ $y=x$에 대하여 대칭이동하였을 때 넓이가 같은 도형을 찾는다.

13

함수 $f(x)=\dfrac{1}{3}x^3+3$ $(x\geq0)$의 역함수를 $g(x)$라 할 때,

$\int_0^3 f(x)dx+\int_3^{12} g(x)dx$의 값은? [3점]

① 30   ② 32   ③ 34
④ 36   ⑤ 38

15

함수 $f(x)=x^3+2x-2$의 역함수를 $g(x)$라 할 때,

$\int_1^2 f(x)dx+\int_1^{10} g(x)dx$의 값은? [3점]

① 15   ② 17   ③ 19
④ 21   ⑤ 23

14

함수 $f(x)=\sqrt{x-2}$의 역함수를 $g(x)$라 할 때,

$\int_0^2 g(x)dx+\int_2^6 f(x)dx$의 값은? [3점]

① 8   ② 9   ③ 10
④ 11   ⑤ 12

16

함수 $f(x)=x^3$의 역함수를 $g(x)$라 할 때,

$\int_1^2 f(x)dx+\int_1^8 g(x)dx$의 값을 구하시오. [3점]

[2018학년도 교육청]

원점을 동시에 출발하여 수직선 위를 움직이는 두 점 P, Q의 시각 t ($t \geq 0$)에서의 속도가 각각 $3t^2+6t-6$, $10t-6$이다. 두 점 P, Q가 출발 후 $t=a$에서 다시 만날 때, 상수 a의 값은? [4점]

Act ①
두 점 P, Q의 위치를 각각 x_P, x_Q라 하면 두 점이 다시 만날 때 $x_P=x_Q$임을 이용한다.

① 1 ② $\dfrac{3}{2}$ ③ 2 ④ $\dfrac{5}{2}$ ⑤ 3

해결의 실마리

수직선 위를 움직이는 점 P의 시각 t에서의 속도가 $v(t)$이고 시각 $t=a$에서의 위치가 x_0일 때

(1) 시각 t에서 점 P의 위치 x는 ⇨ $x=x_0+\displaystyle\int_a^t v(t)dt$

(2) 시각 $t=a$에서 $t=b$까지 점 P의 위치의 변화량은 ⇨ $\displaystyle\int_a^b v(t)dt$

17

원점을 출발하여 수직선 위를 움직이는 점 P의 시각 t에서의 속도가 $v(t)=3t^2-2t+1$일 때, $t=3$에서의 점 P의 위치는? [3점]

① -21 ② -12 ③ -3
④ 12 ⑤ 21

18

원점을 출발하여 수직선 위를 움직이는 점 P의 t초 후의 속도가 $v(t)=t^2-2t-3$일 때, 점 P의 운동 방향이 바뀌는 시각에서의 점 P의 위치는? [3점]

① -9 ② -4 ③ 0
④ 4 ⑤ 9

19

5 m 높이의 건물 옥상에서 공을 지면과 수직이 되도록 위로 던질 때, 공을 던진 지 t초 후의 공의 속도는
$$v(t)=20-10t \ (\text{m/s})$$
라 한다. 지면으로부터 공의 최고 높이는? [3점]

① 15 m ② 20 m ③ 25 m
④ 30 m ⑤ 35 m

20

[2019학년도 수능 모의평가]

시각 $t=0$일 때 동시에 원점을 출발하여 수직선 위를 움직이는 두 점 P, Q의 시각 t ($t \geq 0$)에서의 속도가 각각
$$v_1(t)=3t^2+t, \ v_2(t)=2t^2+3t$$
이다. 출발한 두 점 P, Q의 속도가 같아지는 순간 두 점 P, Q 사이의 거리를 a라 할 때, $9a$의 값을 구하시오. [4점]

기출유형 06 물체가 움직인 거리

원점을 출발하여 수직선 위를 움직이는 점 P의 시각 t에서의 속도가 $v(t)=3t^2-6t$일 때, 점 P가 $t=0$에서 $t=5$까지 움직인 거리는? [3점]

Act ①
이동 거리를 구할 때에는 속도 $v(t)$의 부호에 주의하여 적분한다.

① 42   ② 46   ③ 50   ④ 54   ⑤ 58

해결의 실마리

수직선 위를 움직이는 점 P의 시각 t에서의 속도가 $v(t)$일 때, 시각 $t=a$에서 $t=b$까지 점 P가 움직인 거리 s는 $\Rightarrow s=\int_a^b |v(t)|\,dt$

21

[2017학년도 수능]

수직선 위를 움직이는 점 P의 시각 $t(t\geq 0)$에서의 속도 $v(t)$가 $v(t)=-2t+4$이다. $t=0$부터 $t=4$까지 점 P가 움직인 거리는? [3점]

① 8   ② 9   ③ 10
④ 11   ⑤ 12

23

[2018학년도 교육청]

수직선 위를 움직이는 점 P의 시각 $t(t\geq 0)$에서의 위치 x가 $x=t^4+at^3$ (a는 상수)이다. $t=2$에서 점 P의 속도가 0일 때, $t=0$에서 $t=2$까지 점 P가 움직인 거리는? [3점]

① $\dfrac{16}{3}$ ② $\dfrac{20}{3}$ ③ 8
④ $\dfrac{28}{3}$ ⑤ $\dfrac{32}{3}$

22

직선으로 된 철로에서 매초 20 m의 속도로 달리는 열차가 제동을 건 지 t초 후의 속도는 $v(t)=20-2t$(m/s)라 한다. 제동을 건 후 정지할 때까지 이 열차가 달린 거리는? [3점]

① 70 m   ② 85 m   ③ 100 m
④ 115 m   ⑤ 130 m

24

지면에서 똑바로 쏘아 올린 물체의 t초 후의 속도가 $v(t)=30-10t$(m/s)일 때, 이 물체가 최고 높이에 도달한 후 2초 동안 움직인 거리는? [3점]

① 15 m   ② 20 m   ③ 25 m
④ 30 m   ⑤ 35 m

[2014학년도 수능 예비 평가]

원점을 출발하여 수직선 위를 움직이는 점 P의 시각 $t(0 \le t \le 6)$에서의 속도 $v(t)$의 그래프가 그림과 같다. 점 P가 시각 $t=0$에서 시각 $t=6$까지 움직인 거리는? [3점]

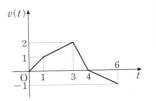

Act ①
원점에서 출발한 점 P의 이동 거리는 $|v(t)|$를 정적분한 값이므로 $v(t)$의 그래프와 t축으로 둘러싸인 도형의 넓이와 같음을 이용한다.

① $\dfrac{3}{2}$　　② $\dfrac{5}{2}$　　③ $\dfrac{7}{2}$　　④ $\dfrac{9}{2}$　　⑤ $\dfrac{11}{2}$

해결의 실마리

수직선 위를 움직이는 점 P의 시각 t에서의 속도 $v(t)$의 그래프가 그림과 같을 때
(1) 시각 $t=a$에서 $t=b$까지의 위치의 변화량은 ⇨ S_1-S_2
(2) 시각 $t=a$에서 $t=b$까지의 움직인 거리는 ⇨ S_1+S_2

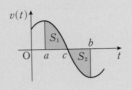

25

[2005학년도 수능]

다음은 '가'지점에서 출발하여 '나'지점에 도착할 때까지 직선 경로를 따라 이동한 세 자동차 A, B, C의 시간 t에 따른 속도 v를 각각 나타낸 그래프이다.

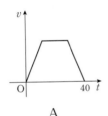

A　　　　B　　　　C

'가'지점에서 출발하여 '나'지점에 도착할 때까지의 상황에 대한 다음 설명 중 옳은 것을 모두 고른 것은? [3점]

보기
ㄱ. A와 C의 평균속도는 같다.
ㄴ. B와 C 모두 가속도가 0인 순간이 적어도 한 번 존재한다.
ㄷ. A, B, C 각각의 속도 그래프와 t축으로 둘러싸인 영역의 넓이는 모두 같다.

① ㄱ　　　　② ㄷ　　　　③ ㄱ, ㄴ
④ ㄴ, ㄷ　　　⑤ ㄱ, ㄴ, ㄷ

26

[2007학년도 수능]

원점을 출발하여 수직선 위를 움직이는 점 P의 시각 $t(0 \le t \le d)$에서의 속도 $v(t)$를 나타내는 그래프이다.

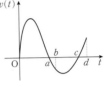

$\displaystyle\int_0^a |v(t)|dt = \int_a^d |v(t)|dt$일 때,
[보기]에서 옳은 것을 모두 고른 것은? (단, $0<a<b<c<d$이다.) [3점]

보기
ㄱ. 점 P는 출발하고 나서 원점을 다시 지난다.
ㄴ. $\displaystyle\int_0^c v(t)dt = \int_c^d v(t)dt$
ㄷ. $\displaystyle\int_0^b v(t)dt = \int_b^d |v(t)|dt$

① ㄴ　　　　② ㄷ　　　　③ ㄱ, ㄴ
④ ㄴ, ㄷ　　　⑤ ㄱ, ㄴ, ㄷ

Very Important Test

친절한 해설 60쪽

01

곡선 $y=x^2-4x+3$과 직선 $y=3$으로 둘러싸인 도형의 넓이는? [3점]

① 10   ② $\dfrac{31}{3}$ ③ $\dfrac{32}{3}$

④ 11   ⑤ $\dfrac{34}{3}$

02

곡선 $y=x^2-6x$와 x축 및 두 직선 $x=-1$, $x=1$로 둘러싸인 도형의 넓이를 구하시오. [3점]

03

곡선 $y=x^3-4x$와 x축으로 둘러싸인 도형의 넓이는? [3점]

① 2   ② 4   ③ 6

④ 8   ⑤ 10

04

곡선 $y=x(|x|-1)$과 x축으로 둘러싸인 도형의 넓이는? [3점]

① $\dfrac{1}{3}$ ② $\dfrac{2}{3}$ ③ 1

④ $\dfrac{4}{3}$ ⑤ $\dfrac{5}{3}$

05

곡선 $y=x^3-x^2-x$와 직선 $y=x$로 둘러싸인 도형의 넓이는? [3점]

① $\dfrac{31}{12}$ ② $\dfrac{35}{12}$ ③ $\dfrac{37}{12}$

④ $\dfrac{41}{12}$ ⑤ $\dfrac{43}{12}$

06

두 곡선 $y=2x^2-7x+5$, $y=-x^2+5x-4$로 둘러싸인 도형의 넓이는? [3점]

① 2   ② 4   ③ 8

④ 16   ⑤ 32

07

곡선 $y=x^2$과 이 곡선 위의 점 $(2, 4)$에서의 접선 및 y축으로 둘러싸인 도형의 넓이는? [3점]

① $\dfrac{2}{3}$ ② $\dfrac{4}{3}$ ③ 2

④ $\dfrac{8}{3}$ ⑤ $\dfrac{10}{3}$

08

함수 $y=f(x)$의 그래프가 그림과 같을 때, 정적분 $\displaystyle\int_{-2}^{2} xf(x)dx$의 값은? [3점]

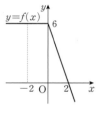

① 16   ② 8
③ -8 ④ -14
⑤ -16

09

곡선 $y=x^2-3x$와 직선 $y=ax$로 둘러싸인 도형의 넓이가 $\dfrac{32}{3}$일 때, 양수 a의 값을 구하시오. [3점]

10

함수 $y=f(x)\,(0\leq x\leq 5)$의 그래프가 그림과 같을 때, 함수 $F(x)=\displaystyle\int_{0}^{x}f(t)dt$의 극솟값은? [3점]

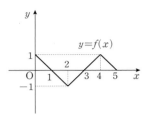

① -1 ② $-\dfrac{1}{2}$ ③ 0

④ $\dfrac{1}{2}$ ⑤ 1

11

두 곡선 $y=x^3-ax^2$과 $y=2x^2-2ax$로 둘러싸인 두 도형의 넓이가 서로 같을 때, 상수 a의 값은? $(a>2)$ [3점]

① 3   ② 4   ③ 5
④ 6   ⑤ 7

12

수직선 위를 움직이는 점 P의 시각 t에서의 속도 $v(t)$가 $v(t)=20-4t$일 때, 시각 $t=2$에서 $t=5$까지 점 P가 움직인 거리는? [3점]

① 12   ② 14   ③ 16
④ 18   ⑤ 20

13

직선 궤도를 달리는 고속 열차가 출발하여 9 km를 달리는 동안은 시각 t분에서의 속도 $v(t)$ km/min가 $v(t)=\dfrac{3}{4}t^2+\dfrac{1}{2}t$이고, 그 이후로는 속도가 일정하다고 한다. 출발 후 5분 동안 이 열차가 달린 거리가 a km일 때, a의 값은? [3점]

① $\dfrac{49}{2}$ ② 25 ③ $\dfrac{51}{2}$

④ 26 ⑤ $\dfrac{53}{2}$

14

직선 궤도를 24 m/s의 속도로 달리는 전동차가 제동이 걸린 시점으로부터 t초 후의 속도 $v(t)$ m/s는 $v(t)=24-3t\ (0\le t\le 8)$라 한다. 이 전동차가 제동이 걸린 후 정지할 때까지 달린 거리는? [3점]

① 80 m ② 84 m ③ 88 m

④ 92 m ⑤ 96 m

15

원점을 출발하여 수직선 위를 움직이는 점 P의 시각 t에서의 속도 $v(t)$가 $v(t)=10-5t$일 때, 점 P가 다시 원점으로 돌아오는 시각은? [3점]

① 1 ② 2 ③ 3

④ 4 ⑤ 5

16

원점을 출발하여 수직선 위를 움직이는 점 P의 시각 t에서의 속도 $v(t)\ (0\le t\le 7)$의 그래프가 오른쪽 그림과 같을 때, 시각 $t=0$에서 $t=7$까지 점 P가 움직인 거리는? [3점]

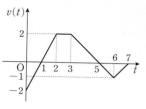

① 5 ② 6 ③ 7

④ 8 ⑤ 9

17

지상 28 m의 높이에서 28 m/s의 속력으로 똑바로 위로 쏘아 올린 물체의 속도가 $v(t)=28-9.8t$ (m/s)일 때, 이 물체가 지면에 떨어질 때까지 움직인 거리는? [3점]

① 102 m ② 104 m ③ 106 m

④ 108 m ⑤ 110 m

18

원점을 동시에 출발하여 수직선 위를 움직이는 두 점 P, Q가 있다. 출발한 지 t초 후의 속도가 각각 $v_1=3t^2-8t+4$, $v_2=12-8t$이다. 출발 후 두 점 P, Q가 다시 만나는 것은 몇 초 후인가? [3점]

① $\sqrt{2}$ ② 2 ③ $2\sqrt{2}$

④ 4 ⑤ $4\sqrt{2}$

memo

조금이라도 달라지고 싶다면
지금 이 순간부터 변해야 한다.
-프레드 스미스

당신이 친구들이 보고 싶으면
친구들이 당신에게 관심을 가지게 하려 하지 말고
당신이 먼저 친구들에게 관심을 가져라.
- 데일 카네기

좋은 기회를 만나지 못한 사람은 아무도 없다.
다만 그것을 붙잡지 못했을 뿐이다.
- 앤드류 카네기

memo

조금이라도 달라지고 싶다면
지금 이 순간부터 변해야 한다.
-프레드 스미스

당신이 친구들이 보고 싶으면
친구들이 당신에게 관심을 가지게 하려 하지 말고
당신이 먼저 친구들에게 관심을 가져라.
- 데일 카네기

좋은 기회를 만나지 못한 사람은 아무도 없다.
다만 그것을 볼잡지 못했을 뿐이다.
-앤드류 카네기

memo

조금이라도 달라지고 싶다면
지금 이 순간부터 변해야 한다.
－프레드 스미스

당신이 친구들이 보고 싶으면
친구들이 당신에게 관심을 가지게 하려 하지 말고
당신이 먼저 친구들에게 관심을 가져라.
－데일 카네기

좋은 기회를 만나지 못한 사람은 아무도 없다.
다만 그것을 붙잡지 못했을 뿐이다.
－앤드루 카네기

참 쉬운 3점

정답과 해설

고등 **수학 Ⅱ**

참 쉬운 3점

정답과 해설

고등 수학 II

I 함수의 극한과 연속

01 함수의 극한

pp. 6~7

01. ④   **02.** ②   **03.** ⑤   **04.** ③   **05.** ①

01 $f(x)=x^2-4x+9$라 하면 x의 값이 0에 한없이 가까워질 때, $f(x)$의 값은 $f(0)$에 한없이 가까워진다.

$$\therefore \lim_{x \to 0}(x^2-4x+9)=9 \qquad \text{답 ④}$$

02 $\lim_{x \to 1-}f(x)+\lim_{x \to 2+}f(x)=1+1=2 \qquad \text{답 ②}$

03 $\lim_{x \to 1}\{2f(x)+g(x)\}=2\lim_{x \to 1}f(x)+\lim_{x \to 1}g(x)$
$$=2\times(-1)+4=2 \qquad \text{답 ⑤}$$

04 $\lim_{x \to -2}\dfrac{(x+2)(x^2+5)}{x+2}$
$$=\lim_{x \to -2}(x^2+5)$$
$$=(-2)^2+5=9 \qquad \text{답 ③}$$

05 $\lim_{x \to \infty}\dfrac{x^2+2x}{3x^2+2}=\dfrac{1}{3}$, $\lim_{x \to \infty}=\dfrac{x^2+4x+1}{3x^2+1}=\dfrac{1}{3}$
이므로 함수의 극한의 대소 관계에 의하여
$$\lim_{x \to \infty}f(x)=\dfrac{1}{3} \qquad \text{답 ①}$$

유형따라잡기

pp. 8~16

기출유형 01 26	**01.** 14	**02.** 11	**03.** 27	**04.** 16
기출유형 02 ④	**05.** ③	**06.** ③	**07.** ②	**08.** ④
기출유형 03 30	**09.** ①	**10.** ②	**11.** ④	**12.** ②
기출유형 04 ④	**13.** ④	**14.** 10	**15.** ⑤	**16.** 20
기출유형 05 3	**17.** 8	**18.** ③	**19.** ②	**20.** ⑤
기출유형 06 ③	**21.** ④	**22.** 2	**23.** ③	**24.** ④
기출유형 07 ①	**25.** ①	**26.** ②	**27.** 15	**28.** 14
기출유형 08 8	**29.** ②	**30.** 12	**31.** 14	**32.** ①
기출유형 09 ①	**33.** 5	**34.** 0	**35.** ①	**36.** 2

기출유형 01

Act ① $\lim_{x \to a}f(x)$는 $x \to a$일 때 $f(x)$가 한없이 가까워지는 값을 뜻한다.

$f(x)=x^2+1$이라 하면 x의 값이 5에 한없이 가까워질 때, $f(x)$의 값은 $f(5)$에 한없이 가까워진다.

$$\therefore \lim_{x \to 5}(x^2+1)=5^2+1=26 \qquad \text{답 26}$$

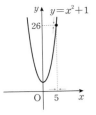

01 **Act ①** $\lim_{x \to a}f(x)$는 $x \to a$일 때 $f(x)$가 한없이 가까워지는 값을 뜻한다.

$f(x)=3x-1$이라 하면 x의 값이 5에 한없이 가까워질 때, $f(x)$의 값은 $f(5)$에 한없이 가까워진다.

$$\therefore \lim_{x \to 5}(3x-1)=3\times 5-1=14$$
답 14

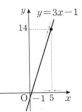

02 **Act ①** $\lim_{x \to a}f(x)$는 $x \to a$일 때 $f(x)$가 한없이 가까워지는 값을 뜻한다.

$f(x)=\dfrac{x^2+7}{x-1}$이라 하면 x의 값이 2에 한없이 가까워질 때, $f(x)$의 값은 $f(2)$에 한없이 가까워진다.

$$\therefore \lim_{x \to 2}\dfrac{x^2+7}{x-1}=\dfrac{2^2+7}{2-1}=11$$
답 11

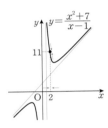

03 **Act ①** $\lim_{x \to a}f(x)$는 $x \to a$일 때 $f(x)$가 한없이 가까워지는 값을 뜻한다.

$f(x)=\dfrac{x^3}{x-2}$이라 하면 x의 값이 3에 한없이 가까워질 때, $f(x)$의 값은 $f(3)$에 한없이 가까워진다.

$$\therefore \lim_{x \to 3}\dfrac{x^3}{x-2}=\dfrac{3^3}{3-2}=27 \qquad \text{답 27}$$

04 **Act ①** $\lim_{x \to a}f(x)$는 $x \to a$일 때 $f(x)$가 한없이 가까워지는 값을 뜻한다.

$\lim_{x \to 1}\dfrac{x+1}{x^2+ax+1}=\dfrac{1+1}{1^2+a+1}=\dfrac{2}{a+2}=\dfrac{1}{9}$이므로
$a+2=18$
$$\therefore a=16 \qquad \text{답 16}$$

기출유형 02

Act ① $x \to a-$는 x의 값이 a보다 작으면서 a에 한없이 가까워짐을 나타내고, $x \to a+$는 x의 값이 a보다 크면서 a에 한없이 가까워지는 것을 뜻한다.

$x \to -1-$일 때 $f(x) \to 2$이고 $x \to 1+$일 때 $f(x) \to 1$이므로
$$\lim_{x \to -1-}f(x)-\lim_{x \to 1+}f(x)=2-1=1 \qquad \text{답 ④}$$

05 **Act①** $x \longrightarrow a-$는 x의 값이 a보다 작으면서 a에 한없이 가까워짐을 나타내고, $x \longrightarrow a+$는 x의 값이 a보다 크면서 a에 한없이 가까워지는 것을 뜻한다.

$x \longrightarrow 0-$일 때 $f(x) \longrightarrow 0$이고 $x \longrightarrow 1+$일 때 $f(x) \longrightarrow 3$이므로

$$\lim_{x \to 0-} f(x) + \lim_{x \to 1+} f(x) = 0 + 3 = 3$$ 답 ③

06 **Act①** $x \longrightarrow a-$는 x의 값이 a보다 작으면서 a에 한없이 가까워짐을 나타내고, $x \longrightarrow a+$는 x의 값이 a보다 크면서 a에 한없이 가까워지는 것을 뜻한다.

$x \longrightarrow 0-$일 때 $f(x) \longrightarrow 0$이고 $x \longrightarrow 1+$일 때 $f(x) \longrightarrow -3$이므로

$$\lim_{x \to 0-} f(x) + \lim_{x \to 1+} f(x) = 0 + (-3) = -3$$ 답 ③

07 **Act①** $x \longrightarrow a-$는 x의 값이 a보다 작으면서 a에 한없이 가까워짐을 나타내고, $x \longrightarrow a+$는 x의 값이 a보다 크면서 a에 한없이 가까워지는 것을 뜻한다.

$x \longrightarrow -1-$일 때 $f(x) \longrightarrow 1$이고 $x \longrightarrow 0+$일 때 $f(x) \longrightarrow 1$이므로

$$\lim_{x \to -1-} f(x) + \lim_{x \to 0+} f(x) = 1 + 1 = 2$$ 답 ②

08 **Act①** $x \longrightarrow a$는 x의 값이 a와 다른 값을 가지면서 a에 한없이 가까워짐을 나타내고, $x \longrightarrow a+$는 x의 값이 a보다 크면서 a에 한없이 가까워지는 것을 뜻한다.

$x \longrightarrow 0$일 때 $f(x) \longrightarrow 0$이고 $x \longrightarrow 1+$일 때 $f(x) \longrightarrow 2$이므로

$$\lim_{x \to 0} f(x) + \lim_{x \to 1+} f(x) = 0 + 2 = 2$$ 답 ④

기출유형 03

Act① $(x+1)f(x) = g(x)$로 놓으면 $\lim\limits_{x \to 1} g(x) = 1$이므로

$\lim\limits_{x \to 1} f(x) = \lim\limits_{x \to 1} \dfrac{g(x)}{x+1}$임을 이용한다.

$\lim\limits_{x \to 1} (x+1)f(x) = 1$에서

$(x+1)f(x) = g(x)$로 놓으면 $\lim\limits_{x \to 1} g(x) = 1$

따라서 $x \neq -1$일 때, $f(x) = \dfrac{g(x)}{x+1}$이므로

$$\lim_{x \to 1} (2x^2+1)f(x) = \lim_{x \to 1} \left\{ (2x^2+1) \times \frac{g(x)}{x+1} \right\}$$
$$= \lim_{x \to 1} (2x^2+1) \times \lim_{x \to 1} \frac{g(x)}{x+1}$$
$$= 3 \times \frac{1}{2} = \frac{3}{2}$$

$\therefore 20a = 20 \times \dfrac{3}{2} = 30$ 답 30

09 **Act①** $f(x)$, $g(x)$가 모두 수렴하므로 함수의 극한에 대한 성질을 이용한다.

$$\lim_{x \to 1} \{2f(x) - 4g(x)\} = 2\lim_{x \to 1} f(x) - 4\lim_{x \to 1} g(x)$$
$$= 2 \times 4 - 4 \times 2 = 0$$ 답 ①

10 **Act①** 주어진 함수의 극한값을 이용할 수 있도록 $\dfrac{f(x)-f(2)}{x-2}$를 변형한다.

$$\lim_{x \to 2} \frac{f(x)-f(2)}{x-2} = \lim_{x \to 2} \left\{ \frac{f(x)-f(2)}{x^2-4} \times (x+2) \right\}$$
$$= \lim_{x \to 2} \frac{f(x)-f(2)}{x^2-4} \times \lim_{x \to 2} (x+2)$$
$$= 3 \times 4 = 12$$ 답 ②

11 **Act①** 주어진 함수의 극한값을 이용할 수 있도록 $\dfrac{f(x)}{x}$의 x 대신 $x-2$를 대입한 후 변형한다.

$$\lim_{x \to 0} \frac{f(x)}{x} = \lim_{x-2 \to 0} \frac{f(x-2)}{x-2}$$
$$= \lim_{x \to 2} \frac{f(x-2)}{x-2}$$
$$= \lim_{x \to 2} \left\{ \frac{f(x-2)}{x(x-2)} \times x \right\}$$
$$= \lim_{x \to 2} \frac{f(x-2)}{x^2-2x} \times \lim_{x \to 2} x$$
$$= 4 \times 2 = 8$$ 답 ④

12 **Act①** 주어진 함수의 극한값을 이용할 수 있도록 $\dfrac{f(x)}{x}$의 x 대신 $x+2$를 대입한 후 변형한다.

$$\lim_{x \to 0} \frac{f(x)}{x} = \lim_{x+2 \to 0} \frac{f(x+2)}{x+2}$$
$$= \lim_{x \to -2} \frac{f(x+2)}{x+2}$$
$$= \lim_{x \to -2} \left\{ \frac{f(x+2)}{(x+2)(x-1)} \times (x-1) \right\}$$
$$= \lim_{x \to -2} \frac{f(x+2)}{x^2+x-2} \times \lim_{x \to -2} (x-1)$$
$$= (-1) \times (-2-1) = 3$$ 답 ②

기출유형 04

Act① 분모, 분자가 모두 다항식인 $\dfrac{0}{0}$ 꼴의 극한은 분모, 분자를 각각 인수분해하여 공통인수로 약분한다.

$$\lim_{x \to 2} \frac{x(x-2)}{(x+1)(x-2)} = \lim_{x \to 2} \frac{x}{x+1} = \frac{2}{2+1} = \frac{2}{3}$$ 답 ④

13 **Act①** 분모, 분자가 모두 다항식인 $\dfrac{0}{0}$ 꼴의 극한은 분모, 분자를 각각 인수분해하여 공통인수로 약분한다.

$$\lim_{x \to 1} \frac{(x-1)(x+3)}{x-1} = \lim_{x \to 1} (x+3) = 1 + 3 = 4$$ 답 ④

14 **Act①** 분모, 분자가 모두 다항식인 $\dfrac{0}{0}$ 꼴의 극한은 분모, 분자

를 각각 인수분해하여 공통인수로 약분한다.

$$\lim_{x \to 4} \frac{x^2+2x-24}{x-4} = \lim_{x \to 4} \frac{(x-4)(x+6)}{x-4}$$
$$= \lim_{x \to 4} (x+6)$$
$$= 10 \qquad \text{답 } 10$$

15 **Act①** 분모 또는 분자에 무리식이 있는 $\frac{0}{0}$ 꼴의 극한은 근호가 있는 쪽을 유리화한 다음 공통인수로 약분한다.

$$\lim_{x \to 2} \frac{3x-6}{\sqrt{x+2}-2} = \lim_{x \to 2} \frac{(3x-6)(\sqrt{x+2}+2)}{(\sqrt{x+2}-2)(\sqrt{x+2}+2)}$$
$$= \lim_{x \to 2} \frac{3(x-2)(\sqrt{x+2}+2)}{x-2}$$
$$= \lim_{x \to 2} 3(\sqrt{x+2}+2)$$
$$= 3(\sqrt{2+2}+2)$$
$$= 12 \qquad \text{답 ⑤}$$

16 **Act①** 분모 또는 분자에 무리식이 있는 $\frac{0}{0}$ 꼴의 극한은 근호가 있는 쪽을 유리화한 다음 공통인수로 약분한다.

$$\lim_{x \to 2} \frac{x^2+x-6}{\sqrt{x+2}-2} = \lim_{x \to 2} \frac{(x^2+x-6)(\sqrt{x+2}+2)}{(\sqrt{x+2}-2)(\sqrt{x+2}+2)}$$
$$= \lim_{x \to 2} \frac{(x-2)(x+3)(\sqrt{x+2}+2)}{x-2}$$
$$= \lim_{x \to 2} (x+3)(\sqrt{x+2}+2)$$
$$= (2+3)(\sqrt{2+2}+2)$$
$$= 20 \qquad \text{답 } 20$$

기출유형 05

Act① $\frac{\infty}{\infty}$ 꼴의 극한은 분모의 최고차항으로 분모, 분자를 나눈다.

분모의 최고차항인 x^2으로 분모, 분자를 각각 나누면

$$\lim_{x \to \infty} \frac{3x^2-2x+1}{x^2+5} = \lim_{x \to \infty} \frac{3-\dfrac{2}{x}+\dfrac{1}{x^2}}{1+\dfrac{5}{x^2}}$$
$$= \frac{3-0+0}{1+0} = 3 \qquad \text{답 } 3$$

17 **Act①** $\frac{\infty}{\infty}$ 꼴의 극한은 분모의 최고차항으로 분모, 분자를 나눈다.

분모의 최고차항인 x^2으로 분모, 분자를 각각 나누면

$$\lim_{x \to \infty} \frac{(2x+1)(4x-1)}{x^2-x+6} = \lim_{x \to \infty} \frac{\left(2+\dfrac{1}{x}\right)\left(4-\dfrac{1}{x}\right)}{1-\dfrac{1}{x}+\dfrac{6}{x^2}}$$
$$= \frac{(2+0)(4-0)}{1-0+0} = 8 \qquad \text{답 } 8$$

18 **Act①** $\frac{\infty}{\infty}$ 꼴의 극한은 분모의 최고차항으로 분모, 분자를 나눈다.

$$\lim_{x \to \infty} \frac{6x^2-\sqrt{4x^4+1}}{(2x-1)^2} = \lim_{x \to \infty} \frac{6x^2-\sqrt{4x^4+1}}{4x^2-4x+1}$$
$$= \lim_{x \to \infty} \frac{6-\sqrt{4+\dfrac{1}{x^4}}}{4-\dfrac{4}{x}+\dfrac{1}{x^2}}$$
$$= \frac{6-\sqrt{4+0}}{4-0+0} = 1 \qquad \text{답 ③}$$

19 **Act①** 분모 $t=-x$로 놓고 $\frac{\infty}{\infty}$ 꼴의 극한을 구한다.

$t=-x$로 놓으면 $x \to -\infty$일 때 $t \to \infty$이므로

$$\lim_{x \to -\infty} \frac{x+1}{\sqrt{x^2+x}-x} = \lim_{t \to \infty} \frac{-t+1}{\sqrt{t^2-t}+t}$$
$$= \lim_{t \to \infty} \frac{-1+\dfrac{1}{t}}{\sqrt{1-\dfrac{1}{t}}+1}$$
$$= -\frac{1}{2} \qquad \text{답 ②}$$

20 **Act①** $\lim\limits_{x \to \infty} \dfrac{f(x)}{x} = c$ (c는 상수)로 놓고 $\frac{\infty}{\infty}$ 꼴의 극한을 구한다.

함수 $f(x)$에 대하여 $\lim\limits_{x \to \infty} \dfrac{f(x)}{x}$의 값이 존재하므로

$$\lim_{x \to \infty} \frac{f(x)}{x} = c \ (c\text{는 상수})$$로 놓자.

분모의 최고차항인 x^2으로 분모, 분자를 각각 나누면

$$\lim_{x \to \infty} \frac{5x^2+4f(x)}{x^2+f(x)} = \lim_{x \to \infty} \frac{5+\dfrac{4}{x}\times\dfrac{f(x)}{x}}{1+\dfrac{1}{x}\times\dfrac{f(x)}{x}}$$
$$= \frac{5+0\times c}{1+0\times c} = 5 \qquad \text{답 ⑤}$$

기출유형 06

Act① 분모를 1로 보고 분자를 유리화하여 $\frac{\infty}{\infty}$ 꼴로 변형한다.

$$\lim_{x \to \infty} (\sqrt{4x^2-3x}-2x)$$
$$= \lim_{x \to \infty} \frac{(\sqrt{4x^2-3x}-2x)(\sqrt{4x^2-3x}+2x)}{\sqrt{4x^2-3x}+2x}$$
$$= \lim_{x \to \infty} \frac{-3x}{\sqrt{4x^2-3x}+2x}$$
$$= \lim_{x \to \infty} \frac{-3}{\sqrt{4-\dfrac{3}{x}}+2}$$
$$= \frac{-3}{2+2} = -\frac{3}{4} \qquad \text{답 ③}$$

21 **Act①** 분모를 1로 보고 분자를 유리화하여 $\frac{\infty}{\infty}$ 꼴로 변형한다.

$$\lim_{x \to \infty} (\sqrt{x^2+3x-1}-\sqrt{x^2-x+1})$$
$$= \lim_{x \to \infty} \frac{(\sqrt{x^2+3x-1}-\sqrt{x^2-x+1})(\sqrt{x^2+3x-1}+\sqrt{x^2-x+1})}{\sqrt{x^2+3x-1}+\sqrt{x^2-x+1}}$$
$$= \lim_{x \to \infty} \frac{4x-2}{\sqrt{x^2+3x-1}+\sqrt{x^2-x+1}}$$

$$= \lim_{x \to \infty} \frac{4 - \dfrac{2}{x}}{\sqrt{1 + \dfrac{3}{x} - \dfrac{1}{x^2}} + \sqrt{1 - \dfrac{1}{x} + \dfrac{1}{x^2}}}$$

$$= 2 \qquad\qquad\qquad\qquad\qquad\qquad\qquad \text{답 ④}$$

22 **Act①** 분모를 1로 보고 분자를 유리화하여 $\dfrac{\infty}{\infty}$ 꼴로 변형한다.

$$\lim_{x \to \infty} (\sqrt{x^2 + 2x} - \sqrt{x^2 - 2x})$$
$$= \lim_{x \to \infty} \frac{(\sqrt{x^2 + 2x} - \sqrt{x^2 - 2x})(\sqrt{x^2 + 2x} + \sqrt{x^2 - 2x})}{\sqrt{x^2 + 2x} + \sqrt{x^2 - 2x}}$$
$$= \lim_{x \to \infty} \frac{4x}{\sqrt{x^2 + 2x} + \sqrt{x^2 - 2x}}$$
$$= \lim_{x \to \infty} \frac{4}{\sqrt{1 + \dfrac{2}{x}} + \sqrt{1 - \dfrac{2}{x}}} = 2 \qquad\qquad \text{답 2}$$

23 **Act①** 주어진 식을 통분하여 $\dfrac{0}{0}$ 꼴로 변형한다.

$$\lim_{x \to 0} x\left(\frac{1}{2x - 1} + \frac{1}{x}\right) = \lim_{x \to 0} \frac{x(x + 2x - 1)}{(2x - 1)x}$$
$$= \lim_{x \to 0} \frac{3x - 1}{2x - 1} = 1 \qquad\qquad \text{답 ③}$$

24 **Act①** 무리식을 유리화하여 $\dfrac{\infty}{\infty}$ 꼴로 변형한다.

$$\lim_{x \to \infty} x(\sqrt{x^2 + 1} - \sqrt{x^2 - 1}) = \lim_{x \to \infty} \frac{x(x^2 + 1 - x^2 + 1)}{\sqrt{x^2 + 1} + \sqrt{x^2 - 1}}$$
$$= \lim_{x \to \infty} \frac{2x}{\sqrt{x^2 + 1} + \sqrt{x^2 - 1}}$$
$$= \lim_{x \to \infty} \frac{2}{\sqrt{1 + \dfrac{1}{x^2}} + \sqrt{1 - \dfrac{1}{x^2}}}$$
$$= \frac{2}{1 + 1} = 1 \qquad\qquad \text{답 ④}$$

기출유형 07

Act① $x \to 1$일 때 (분모)$\to 0$이고 극한값이 존재하므로 (분자)$\to 0$이어야 한다.

$$\lim_{x \to 1} (4x - a) = 0$$
$$4 - a = 0 \quad \therefore a = 4$$
$$\lim_{x \to 1} \frac{4x - 4}{x - 1} = \lim_{x \to 1} \frac{4(x - 1)}{x - 1} = 4$$
따라서 $b = 4$이므로 $a + b = 8$ \qquad\qquad 답 ①

25 **Act①** $x \to 2$일 때 (분모)$\to 0$이고 극한값이 존재하므로 (분자)$\to 0$이어야 함을 이용한다.

$$\lim_{x \to 2} (x^2 - x - a) = 0$$
$$4 - 2 - a = 0 \quad \therefore a = 2$$
$$\lim_{x \to 2} \frac{x^2 - x - 2}{x - 2} = \lim_{x \to 2} \frac{(x - 2)(x + 1)}{x - 2} = \lim_{x \to 2} (x + 1) = 3$$
따라서 $b = 3$이므로 $a + b = 5$ \qquad\qquad 답 ①

26 **Act①** $x \to 1$일 때 (분모)$\to 0$이고 극한값이 존재하므로 (분자)$\to 0$이어야 함을 이용한다.

$$\lim_{x \to 1} (\sqrt{x + a} - 2) = 0$$
$$\sqrt{1 + a} - 2 = 0, \ 1 + a = 4 \quad \therefore a = 3$$
$$\lim_{x \to 1} \frac{\sqrt{x + 3} - 2}{x - 1} = \lim_{x \to 1} \frac{(\sqrt{x + 3} - 2)(\sqrt{x + 3} + 2)}{(x - 1)(\sqrt{x + 3} + 2)}$$
$$= \lim_{x \to 1} \frac{x - 1}{(x - 1)(\sqrt{x + 3} + 2)}$$
$$= \lim_{x \to 1} \frac{1}{\sqrt{x + 3} + 2} = \frac{1}{4}$$
따라서 $b = \dfrac{1}{4}$이므로 $a + 4b = 3 + 4 \times \dfrac{1}{4} = 4$ \qquad 답 ②

27 **Act①** $x \to 9$일 때 (분모)$\to 0$이고 극한값이 존재하므로 (분자)$\to 0$이어야 함을 이용한다.

$$\lim_{x \to 9} (x - a) = 0$$
$$9 - a = 0 \quad \therefore a = 9$$
$$\lim_{x \to 9} \frac{x - 9}{\sqrt{x} - 3} = \lim_{x \to 9} \frac{(x - 9)(\sqrt{x} + 3)}{(\sqrt{x} - 3)(\sqrt{x} + 3)}$$
$$= \lim_{x \to 9} \frac{(x - 9)(\sqrt{x} + 3)}{x - 9}$$
$$= \lim_{x \to 9} (\sqrt{x} + 3) = 6$$
따라서 $b = 6$이므로 $a + b = 15$ \qquad\qquad 답 15

28 **Act①** $x \to -2$일 때 (분자)$\to 0$이고 0이 아닌 극한값이 존재하므로 (분모)$\to 0$이어야 함을 이용한다.

$$\lim_{x \to -2} (\sqrt{x + a} - b) = 0 \quad \therefore b = \sqrt{a - 2}$$
$$\lim_{x \to -2} \frac{x + 2}{\sqrt{x + a} - \sqrt{a - 2}}$$
$$= \lim_{x \to -2} \frac{(x + 2)(\sqrt{x + a} + \sqrt{a - 2})}{(\sqrt{x + a} - \sqrt{a - 2})(\sqrt{x + a} + \sqrt{a - 2})}$$
$$= \lim_{x \to -2} \frac{(x + 2)(\sqrt{x + a} + \sqrt{a - 2})}{x + 2}$$
$$= \lim_{x \to -2} (\sqrt{x + a} + \sqrt{a - 2}) = 2\sqrt{a - 2} = 6$$
$$\therefore a = 11$$
따라서 $b = \sqrt{11 - 2} = 3$이므로 $a + b = 14$ \qquad 답 14

기출유형 08

Act① $f(x)$는 (가)에서 최고차항의 계수가 4인 이차함수이고 (나)에서 $\lim_{x \to 1} f(x) = 0$이므로 $(x - 1)$을 인수로 갖는다.

조건 (가)에서 $f(x)$는 $2x^2 - x + 5$와 차수가 같고 최고차항의 계수의 비가 2이므로 이차항의 계수는 4이다.

조건 (나)에서 $x \to 1$일 때 (분모)$\to 0$이고 극한값이 존재하므로 $\lim_{x \to 1} f(x) = 0$이어야 한다. 즉 $f(x)$는 $(x - 1)$을 인수로 갖는다.

따라서 $f(x) = 4(x - 1)(x - a)$ (a는 상수)라 하면

$$\lim_{x\to 1}\frac{f(x)}{x^2+2x-3}=\lim_{x\to 1}\frac{4(x-1)(x-a)}{(x+3)(x-1)}$$
$$=\lim_{x\to 1}\frac{4(x-a)}{x+3}$$
$$=1-a=1$$
$$\therefore a=0$$
따라서 $f(x)=4x(x-1)$이므로 $f(2)=8$ 답 8

29 Act❶ $f(x)$는 (가)에서 최고차항의 계수가 2인 이차함수이고 (나)에서 $\lim_{x\to 0}f(x)=0$이므로 x를 인수로 갖는다.

조건 (가)에서 $f(x)$는 x^2과 차수가 같고 최고차항의 계수의 비가 2이므로 이차항의 계수는 2이다.

조건 (나)에서 $x\to 0$일 때 (분모)$\to 0$이고 극한값이 존재하므로 $\lim_{x\to 0}f(x)=0$이어야 한다. 즉 $f(x)$는 x를 인수로 갖는다.

따라서 $f(x)=2x(x-a)$ (a는 상수)라 하면
$$\lim_{x\to 0}\frac{f(x)}{x}=\lim_{x\to 0}\frac{2x(x-a)}{x}$$
$$=\lim_{x\to 0}\{2(x-a)\}$$
$$=-2a=3$$
$$\therefore a=-\frac{3}{2}$$
따라서 $f(x)=2x\left(x+\frac{3}{2}\right)=2x^2+3x$이므로
$f(2)=8+6=14$ 답 ②

30 Act❶ $f(x)$는 (가)에서 최고차항의 계수가 $\frac{1}{2}$인 이차함수이고 (나)에서 $\lim_{x\to 1}f(x)=0$이므로 $(x-1)$을 인수로 갖는다.

조건 (가)에서 $f(x)$는 x^2+2x+3과 차수가 같고 최고차항의 계수의 비가 $\frac{1}{2}$이므로 이차항의 계수는 $\frac{1}{2}$이다.

조건 (나)에서 $x\to 1$일 때 (분모)$\to 0$이고 극한값이 존재하므로 $\lim_{x\to 1}f(x)=0$이어야 한다. 즉 $f(x)$는 $(x-1)$을 인수로 갖는다.

따라서 $f(x)=\frac{1}{2}(x-1)(x-a)$ (a는 상수)라 하면
$$\lim_{x\to 1}\frac{f(x)}{x-1}=\lim_{x\to 1}\frac{\frac{1}{2}(x-1)(x-a)}{x-1}$$
$$=\lim_{x\to 1}\left\{\frac{1}{2}(x-a)\right\}$$
$$=\frac{1}{2}(1-a)=1$$
$$\therefore a=-1$$
따라서 $f(x)=\frac{1}{2}(x-1)(x+1)$이므로
$f(5)=\frac{1}{2}\times 4\times 6=12$ 답 12

31 Act❶ $f(x)$는 (가), (나)에서 일차함수 또는 이차함수이고

$(x-1)$을 인수로 갖는다.

$f(x)$는 (가), (나)에서 일차함수 또는 이차함수이고 $x-1$을 인수로 가지므로
$f(x)=(ax+b)(x-1)$ (a, b는 상수)라 하면
(나)에서
$$\lim_{x\to 1}\frac{f(x)}{x-1}=\lim_{x\to 1}\frac{(ax+b)(x-1)}{x-1}$$
$$=\lim_{x\to 1}(ax+b)$$
$$=a+b=1 \qquad \cdots\cdots ㉠$$
(다)에서 $f(2)=4$이므로 $2a+b=4$ $\cdots\cdots ㉡$
㉠, ㉡에서 $a=3$, $b=-2$
따라서 $f(x)=(3x-2)(x-1)$이므로
$f(3)=7\times 2=14$ 답 14

32 Act❶ 이차함수 $f(x)$는 직선 $x=4$에 대하여 대칭이고 $(x-2)$를 인수로 갖는다.

이차함수 $y=f(x)$의 그래프는 $f(4+x)=f(4-x)$에서 직선 $x=4$에 대칭이므로
$f(x)=a(x-4)^2+b$ ($a\ne 0$)라 하자.
또, $x\to 2$일 때 (분모)$\to 0$이고 극한값이 존재하므로
$\lim_{x\to 2}f(x)=0$이어야 한다.
즉 $\lim_{x\to 2}f(x)=4a+b=0$ $\therefore b=-4a$
$$\lim_{x\to 2}\frac{f(x)}{x-2}=\lim_{x\to 2}\frac{a(x-4)^2-4a}{x-2}$$
$$=\lim_{x\to 2}\frac{a(x-2)(x-6)}{x-2}$$
$$=\lim_{x\to 2}\{a(x-6)\}$$
$$=-4a=1$$
$$\therefore a=-\frac{1}{4},\ b=1$$
따라서 $f(x)=-\frac{1}{4}(x-4)^2+1$이므로 $f(0)=-3$ 답 ①

Act❶ $f(x)\le h(x)\le g(x)$에서 $\lim_{x\to a}f(x)=\lim_{x\to a}g(x)=\alpha$이면 $\lim_{x\to a}h(x)=\alpha$임을 이용한다.

$$\lim_{x\to\infty}\frac{x^2+5x}{3x^2+2}=\frac{1}{3},\ \lim_{x\to\infty}\frac{x^2+4x+3}{3x^2+1}=\frac{1}{3}$$
이므로 함수의 극한의 대소 관계에 의하여
$$\lim_{x\to\infty}f(x)=\frac{1}{3}$$ 답 ①

33 Act❶ $f(x)\le h(x)\le g(x)$에서 $\lim_{x\to a}f(x)=\lim_{x\to a}g(x)=\alpha$이면 $\lim_{x\to a}h(x)=\alpha$임을 이용한다.

$$\lim_{x\to 2}(4x-3)=5,\ \lim_{x\to 2}(x^2+1)=5$$

이므로 함수의 극한의 대소 관계에 의하여

$$\lim_{x \to 2} f(x) = 5$$

답 5

34 <kbd>Act①</kbd> $f(x) \le h(x) \le g(x)$에서 $\lim_{x \to a} f(x) = \lim_{x \to a} g(x) = \alpha$이면 $\lim_{x \to a} h(x) = \alpha$임을 이용한다.

$$\lim_{x \to -1} (-x^2+1) = 0, \quad \lim_{x \to -1} (x^2+4x+3) = 0$$

이므로 함수의 극한의 대소 관계에 의하여

$$\lim_{x \to -1} f(x) = 0$$

답 0

35 <kbd>Act①</kbd> 주어진 부등식의 각 변을 $x-1$로 나눈 다음 함수의 극한의 대소 관계를 이용한다.

$x > 1$에서 $x-1 \ne 0$이므로 $\dfrac{x^2-1}{3x+4} < f(x) < \dfrac{x^2+x-2}{3x+2}$의 각 변을 $x-1$로 나누면

$$\frac{x^2-1}{(x-1)(3x+4)} < \frac{f(x)}{x-1} < \frac{x^2+x-2}{(x-1)(3x+2)}$$

이때 $x^2-1 = (x+1)(x-1)$, $x^2+x-2 = (x-1)(x+2)$이므로

$$\lim_{x \to \infty} \frac{(x+1)(x-1)}{(x-1)(3x+4)} = \lim_{x \to \infty} \frac{x+1}{3x+4} = \frac{1}{3},$$

$$\lim_{x \to \infty} \frac{(x-1)(x+2)}{(x-1)(3x+2)} = \lim_{x \to \infty} \frac{x+2}{3x+2} = \frac{1}{3}$$

따라서 함수의 극한의 대소 관계에 의하여

$$\lim_{x \to \infty} \frac{f(x)}{x-1} = \frac{1}{3}$$

답 ①

36 <kbd>Act①</kbd> 주어진 부등식의 각 변을 $2x^3$으로 나눈 다음 함수의 극한의 대소 관계를 이용한다.

$x \ne 0$이므로 $4ax^3+x^2+2 < 2x^3 f(x) < 4ax^3+x^2+3$의 각 변을 $2x^3$으로 나누면

$$\frac{4ax^3+x^2+2}{2x^3} < f(x) < \frac{4ax^3+x^2+3}{2x^3}$$

$$\lim_{x \to \infty} \frac{4ax^3+x^2+2}{2x^3} = 2a, \quad \lim_{x \to \infty} \frac{4ax^3+x^2+3}{2x^3} = 2a$$

이므로 함수의 극한의 대소 관계에 의하여

$$\lim_{x \to \infty} f(x) = 2a = 4$$

$$\therefore a = 2$$

답 2

VIT Very Important Test pp. 17~19

01. ②	02. ①	03. ③	04. ③	05. ①
06. ①	07. ②	08. ④	09. ②	10. ②
11. ④	12. ②	13. ⑤	14. ⑤	15. ③
16. ①	17. ①	18. ①		

01

$$\lim_{x \to 0-} f(x) + \lim_{x \to -1+} f(x)$$
$$= (-1) + 0 = -1$$

답 ②

02

$$\lim_{x \to -1+} f(x) + f(0) - \lim_{x \to 1-} \{f(x)\}^2$$
$$= 0 + 2 - 2^2 = -2$$

답 ①

03

$x \to 2-$이면 $x-2 < 0$이므로

$$\lim_{x \to 2-} f(x) = \lim_{x \to 2-} \frac{x^2-4x+(x-2)}{x^2-4x-(x-2)}$$
$$= \lim_{x \to 2-} \frac{x^2-3x-2}{x^2-5x+2} = \frac{4-6-2}{4-10+2} = 1$$

$x \to 2+$이면 $x-2 > 0$이므로

$$\lim_{x \to 2+} f(x) = \lim_{x \to 2+} \frac{x^2-4x-(x-2)}{x^2-4x+(x-2)}$$
$$= \lim_{x \to 2+} \frac{x^2-5x+2}{x^2-3x-2} = \frac{4-10+2}{4-6-2} = 1$$

$$\therefore \lim_{x \to 2-} f(x) + \lim_{x \to 2+} f(x) = 1+1 = 2$$

답 ③

04

$$\lim_{x \to \infty} \frac{3x^2+2x-1}{(x-3)(2x+3)} = \lim_{x \to \infty} \frac{3x^2+2x-1}{2x^2-3x-9}$$
$$= \lim_{x \to \infty} \frac{3 + \dfrac{2}{x} - \dfrac{1}{x^2}}{2 - \dfrac{3}{x} - \dfrac{9}{x^2}} = \frac{3}{2}$$

답 ③

05

$$\lim_{x \to -1} \frac{x^3-4x^2+x+6}{x^2+3x+2}$$
$$= \lim_{x \to -1} \frac{(x+1)(x-3)(x-2)}{(x+1)(x+2)}$$
$$= \lim_{x \to -1} \frac{(x-3)(x-2)}{x+2} = 12$$

답 ①

06

$$\lim_{x \to 0} \frac{\sqrt{x+9}-3}{x} = \lim_{x \to 0} \frac{(x+9)-9}{x(\sqrt{x+9}+3)}$$
$$= \lim_{x \to 0} \frac{1}{\sqrt{x+9}+3} = \frac{1}{\sqrt{9}+3} = \frac{1}{6}$$

답 ①

07

$$\lim_{x \to 0} \frac{\sqrt{1+x}-1}{x} = \lim_{x \to 0} \frac{(1+x)-1}{x(\sqrt{1+x}+1)}$$

$$= \lim_{x \to 0} \frac{1}{\sqrt{1+x}+1} = \frac{1}{1+1} = \frac{1}{2}$$

답 ②

08

$$\lim_{x \to \infty} (\sqrt{x^2+3x-4}-x)$$

$$= \lim_{x \to \infty} \frac{(x^2+3x-4)-x^2}{\sqrt{x^2+3x-4}+x}$$

$$= \lim_{x \to \infty} \frac{3x-4}{\sqrt{x^2+3x-4}+x}$$

$$= \lim_{x \to \infty} \frac{3-\dfrac{4}{x}}{\sqrt{1+\dfrac{3}{x}-\dfrac{4}{x^2}}+1} = \frac{3}{1+1} = \frac{3}{2}$$

답 ④

09

$$\lim_{x \to 0} \frac{1}{x}\left(\frac{2}{\sqrt{x+1}}-2\right) = \lim_{x \to 0} \frac{2}{x}\left(\frac{1}{\sqrt{x+1}}-1\right)$$

$$= \lim_{x \to 0} \left\{\frac{2}{x} \times \frac{1-\sqrt{x+1}}{\sqrt{x+1}}\right\}$$

$$= \lim_{x \to 0} \left\{\frac{2}{x} \times \frac{(1-\sqrt{x+1})(1+\sqrt{x+1})}{\sqrt{x+1}(1+\sqrt{x+1})}\right\}$$

$$= \lim_{x \to 0} \left\{\frac{2}{x} \times \frac{1-(x+1)}{\sqrt{x+1}(1+\sqrt{x+1})}\right\}$$

$$= \lim_{x \to 0} \left\{\frac{-2}{\sqrt{x+1}(1+\sqrt{x+1})}\right\}$$

$$= -\frac{2}{2} = -1$$

답 ②

10

$\displaystyle \lim_{x \to 2} \frac{\sqrt{x+a}-b}{x-2} = \frac{1}{4}$에서 $x \to 2$일 때, (분모)$\to 0$이고 극한값이

존재하므로 $x \to 2$일 때, (분자)$\to 0$이어야 한다. 즉

$\displaystyle \lim_{x \to 2} (\sqrt{x+a}-b) = \sqrt{2+a}-b = 0$에서 $b = \sqrt{2+a}$

$$\lim_{x \to 2} \frac{\sqrt{x+a}-\sqrt{2+a}}{x-2}$$

$$= \lim_{x \to 2} \frac{(x+a)-(2+a)}{(x-2)(\sqrt{x+a}+\sqrt{2+a})}$$

$$= \lim_{x \to 2} \frac{1}{\sqrt{x+a}+\sqrt{2+a}}$$

$$= \frac{1}{2\sqrt{2+a}} = \frac{1}{4}$$

$2\sqrt{2+a} = 4$에서 $2+a = 4$, $a = 2$

$b = \sqrt{2+a} = \sqrt{2+2} = 2$

$\therefore a+b = 4$

답 ②

11

$\displaystyle \lim_{x \to -2} \frac{x^2+ax+b}{x+2} = 5$에서 $x \to -2$일 때, (분모)$\to 0$이고 극한

값이 존재하므로 $x \to -2$일 때, (분자)$\to 0$이어야 한다. 즉

$\displaystyle \lim_{x \to -2} (x^2+ax+b) = 4-2a+b = 0$에서 $b = 2a-4$

$$\lim_{x \to -2} \frac{x^2+ax+b}{x+2}$$

$$= \lim_{x \to -2} \frac{x^2+ax+2a-4}{x+2}$$

$$= \lim_{x \to -2} \frac{(x+2)(x+a-2)}{x+2}$$

$$= \lim_{x \to -2} (x+a-2) = a-4 = 5$$

$a-4 = 5$에서

$a = 9$, $b = 2 \times 9 - 4 = 14$

$\therefore a+b = 23$

답 ④

12

$$\lim_{x \to \infty} (x-\sqrt{x^2+ax})$$

$$= \lim_{x \to \infty} \frac{x^2-(x^2+ax)}{x+\sqrt{x^2+ax}}$$

$$= \lim_{x \to \infty} \frac{-ax}{x+\sqrt{x^2+ax}}$$

$$= \lim_{x \to \infty} \frac{-a}{1+\sqrt{1+\dfrac{a}{x}}} = -\frac{a}{2} = -5$$

$\therefore a = 10$

답 ②

13

$x-3 = t$로 놓으면 $x \to 3$일 때, $t \to 0$이므로

$$\lim_{x \to 3} \frac{f(x-3)}{x^2-9} = \lim_{x \to 3} \frac{f(x-3)}{(x-3)(x+3)}$$

$$= \lim_{t \to 0} \frac{f(t)}{t(t+6)}$$

$$= \lim_{t \to 0} \left\{\frac{f(t)}{t} \times \frac{1}{t+6}\right\}$$

$$= \lim_{t \to 0} \frac{f(t)}{t} \times \lim_{t \to 0} \frac{1}{t+6} = 1 \times \frac{1}{6} = \frac{1}{6}$$

답 ⑤

14

$$\lim_{x \to 0} \frac{6x+2f(x)}{4x-f(x)} = \lim_{x \to 0} \frac{6+2 \times \dfrac{f(x)}{x}}{4-\dfrac{f(x)}{x}}$$

$$= \frac{6+2 \times 3}{4-3} = 12$$

답 ⑤

15

$f(x)$는 다항함수이고

$$\lim_{x \to \infty} \frac{f(x)-x^4}{x^2} = 3$이므로$$

$f(x) = x^4+3x^2+ax+b$ (a, b는 상수)로 놓으면

$$\lim_{x \to 0} \frac{f(x)}{x} = \lim_{x \to 0} \frac{x^4+3x^2+ax+b}{x}$$

$$= \lim_{x \to 0} \left(x^3+3x+a+\frac{b}{x}\right)$$

이때 $b \neq 0$이면 수렴하지 않으므로 $b = 0$이어야 한다. 즉

$$\lim_{x \to 0} \frac{f(x)}{x} = \lim_{x \to 0}(x^3 + 3x + a) = a = -1$$

따라서 $f(x) = x^4 + 3x^2 - x$이므로

$$f(1) = 1^4 + 3 \times 1^2 - 1 = 3 \qquad \text{답 ③}$$

16

$\lim\limits_{x \to \infty} \dfrac{f(x)}{x^2 - x} = 1$에서 $f(x)$는 최고차항의 계수가 1인 이차식이므

로 $f(x) = x^2 + ax + b$라 하자.

$\lim\limits_{x \to 2} \dfrac{f(x)}{x - 2} = 3$에서 $x \to 2$일 때, (분모)$\to 0$이므로 (분자)$\to 0$이다.

$$\lim_{x \to 2} f(x) = 4 + 2a + b = 0$$

$$\therefore b = -2a - 4$$

$$\lim_{x \to 2} \frac{x^2 + ax - 2a - 4}{x - 2} = \lim_{x \to 2} \frac{(x-2)(x+2+a)}{x-2}$$
$$= 4 + a = 3$$

$$\therefore a = -1, \ b = -2$$

따라서 $f(x) = x^2 - x - 2$이므로

$$f(1) = -2 \qquad \text{답 ①}$$

17

$(x-5)^2 \le f(x) \le (x-3)^2$

$$\frac{x^2 - 10x + 25}{2x^2 - x + 3} \le \frac{f(x)}{2x^2 - x + 3} \le \frac{x^2 - 6x + 9}{2x^2 - x + 3}$$

$$\lim_{x \to \infty} \frac{x^2 - 10x + 25}{2x^2 - x + 3} = \lim_{x \to \infty} \frac{x^2 - 6x + 9}{2x^2 - x + 3}$$
$$= \frac{1}{2}$$

이므로 함수의 극한의 대소 관계에 의하여

$$\lim_{x \to \infty} \frac{f(x)}{2x^2 - x + 3} = \frac{1}{2} \qquad \text{답 ①}$$

18

$x > 0$이므로

$$\frac{x}{2x^2 + x + 2} < f(x) < \frac{x}{2x^2 + x + 1}$$에서

$$\frac{x^2}{2x^2 + x + 2} < xf(x) < \frac{x^2}{2x^2 + x + 1}$$

$\lim\limits_{x \to \infty} \dfrac{x^2}{2x^2 + x + 2} = \dfrac{1}{2}$, $\lim\limits_{x \to \infty} \dfrac{x^2}{2x^2 + x + 1} = \dfrac{1}{2}$이므로

함수의 극한의 대소 관계에 의하여

$$\lim_{x \to \infty} xf(x) = \frac{1}{2} \qquad \text{답 ①}$$

02 함수의 연속

01 $\lim\limits_{x \to 2-} f(x) = 12$, $\lim\limits_{x \to 2+} f(x) = 4 + 2a - 4 = 2a$, $f(2) = 2a$

이므로 $12 = 2a$ $\therefore a = 6$ 답 6

02 함수 $f(x) = \dfrac{x+1}{x-1}$은 유리함수이므로 $x - 1 \ne 0$, 즉 $x \ne 1$인 모든 실수 x에서 연속이다. 따라서 연속인 구간은 $(-\infty, 1)$, $(1, \infty)$로 $(0, 2)$는 연속인 구간이 아니다.   답 ④

03 ㄱ, ㄴ. $\lim\limits_{x \to -1} f(x) \ne f(-1)$, $\lim\limits_{x \to 0-} f(x) \ne \lim\limits_{x \to 0+} f(x)$,

$\quad\quad \lim\limits_{x \to 1-} f(x) \ne \lim\limits_{x \to 1+} f(x)$

이므로 불연속인 점은 $x = -1$, $x = 0$, $x = 1$일 때의 3개이고, 극한값이 존재하지 않는 점은 $x = 0$, $x = 1$일 때의 2개이다.

ㄷ. 함수 $f(x)$는 닫힌구간 $[-2, 2]$에서 $x = -1$, $x = 2$일 때 최댓값 3을 갖지만 최솟값은 갖지 않는다.

따라서 옳은 것은 ㄱ뿐이다.   답 ①

04 ㄱ. $f(x) = x^3 + x - 1$이라 하면 $f(0) = -1 < 0$, $f(1) = 1 > 0$이므로 방정식 $x^3 + x - 1 = 0$은 열린구간 $(0, 1)$에서 적어도 하나의 실근을 갖는다.

ㄴ. $f(x) = x^3 - 5x + 2$라 하면 $f(0) = 2 > 0$,

$\quad f(1) = -2 < 0$이므로 방정식 $x^3 - 5x + 2 = 0$은 열린구간 $(0, 1)$에서 적어도 하나의 실근을 갖는다.

ㄷ. $f(x) = x^3 - 3x^2 + 1$이라 하면 $f(0) = 1 > 0$,

$\quad f(1) = -1 < 0$이므로 방정식 $x^3 - 3x^2 + 1 = 0$은 열린구간 $(0, 1)$에서 적어도 하나의 실근을 갖는다.

따라서 열린구간 $(0, 1)$에서 적어도 하나의 실근을 갖는 것은 ㄱ, ㄴ, ㄷ이다.   답 ⑤

기출유형 01

Act① 함수 $f(x)$가 $x = 0$에서 연속이려면

$\quad \lim\limits_{x \to 0-} f(x) = \lim\limits_{x \to 0+} f(x) = f(0)$이어야 함을 이용한다.

$\quad$ ㄱ. $f(-3) = \dfrac{9}{-6-3} = -1$ (거짓)

ㄴ. $x>0$일 때, $f(x)=\dfrac{x^2}{2x-x}=x$ (참)

ㄷ. $\displaystyle\lim_{x\to0-}f(x)=\lim_{x\to0-}\dfrac{x^2}{2x-|x|}$

$\qquad\qquad = \displaystyle\lim_{x\to0-}\dfrac{x^2}{2x-(-x)}$

$\qquad\qquad = \displaystyle\lim_{x\to0-}\dfrac{x}{3}=0$

$\displaystyle\lim_{x\to0+}f(x)=\lim_{x\to0+}\dfrac{x^2}{2x-|x|}$

$\qquad\qquad = \displaystyle\lim_{x\to0+}\dfrac{x^2}{2x-x}$

$\qquad\qquad = \displaystyle\lim_{x\to0+}x=0$

$\therefore \displaystyle\lim_{x\to0}f(x)=0$

이때 $f(0)=a$에서 $a=0$이면 함수 $f(x)$는 $x=0$에서 연속이 된다. (참)

따라서 옳은 것은 ㄴ, ㄷ이다.　　　　　　　답 ⑤

01 Act① 함수 $f(x)g(x)$가 $x=1$에서 연속이려면

$\displaystyle\lim_{x\to1-}f(x)g(x)=\lim_{x\to1+}f(x)g(x)=f(1)g(1)$이어야 함을 이용한다.

ㄱ. $\displaystyle\lim_{x\to1-}f(x)g(x)=\lim_{x\to1-}\left(\dfrac{1}{x}-1\right)\times(x-1)^2=0$

$\displaystyle\lim_{x\to1+}f(x)g(x)=\lim_{x\to1+}\left(\dfrac{1}{x-1}-1\right)\times(x-1)^2$

$\qquad\qquad = \displaystyle\lim_{x\to1+}(-x+2)(x-1)=0$

$f(1)g(1)=0\times0=0$

$\therefore \displaystyle\lim_{x\to1}f(x)g(x)=f(1)g(1)$

따라서 $f(x)g(x)$는 $x=1$에서 연속이다.

ㄴ. $\displaystyle\lim_{x\to1+}f(x)g(x)=\lim_{x\to1+}\left(\dfrac{1}{x-1}-1\right)\times\{(x-1)^3+1\}$

$\qquad\qquad = \infty$

즉 $x=1$에서 우극한이 존재하지 않는다.

따라서 $f(x)g(x)$는 $x=1$에서 불연속이다.

ㄷ. $\displaystyle\lim_{x\to1-}f(x)g(x)=\lim_{x\to1-}\left(\dfrac{1}{x}-1\right)\times(x^2+1)=0$

$\displaystyle\lim_{x\to1+}f(x)g(x)=\lim_{x\to1+}\left(\dfrac{1}{x-1}-1\right)\times(x-1)^3$

$\qquad\qquad = \displaystyle\lim_{x\to1+}(-x+2)(x-1)^2=0$

$f(1)g(1)=0\times2=0$

$\therefore \displaystyle\lim_{x\to1}f(x)g(x)=f(1)g(1)$

따라서 $f(x)g(x)$는 $x=1$에서 연속이다.

따라서 $y=f(x)g(x)$가 $x=1$에서 연속이 되도록 하는 함수 $g(x)$는 ㄱ, ㄷ이다.　　　　　　답 ③

02 Act① 함수 $(g\circ f)(x)$가 $x=0$에서 연속이려면

$\displaystyle\lim_{x\to0-}(g\circ f)(x)=\lim_{x\to0+}(g\circ f)(x)=(g\circ f)(0)$이어야 함을 이용한다.

ㄱ. $\displaystyle\lim_{x\to0-}(g\circ f)(x)=g(-1)=1$

$\displaystyle\lim_{x\to0+}(g\circ f)(x)=g(1)=1$

$(g\circ f)(0)=g(f(0))=g(1)=1$

$\therefore \displaystyle\lim_{x\to0}(g\circ f)(x)=(g\circ f)(0)$

따라서 $(g\circ f)(x)$는 $x=0$에서 연속이다. (참)

ㄴ. [반례] 문제의 [보기] ㄱ에서 $(g\circ f)(x)$는 $x=0$에서 연속이지만 $f(x)$는 $x=0$에서 연속이 아니다. (거짓)

ㄷ. [반례] $f(x)=\begin{cases}\dfrac{1}{x} & (x\ne0)\\ 0 & (x=0)\end{cases}$이라 하면

$\displaystyle\lim_{x\to0}(f\circ f)(x)=\lim_{x\to0}x=0$, $(f\circ f)(0)=0$이므로

$(f\circ f)(x)$는 $x=0$에서 연속이지만

$f(x)$는 $x=0$에서 연속이 아니다. (거짓)

따라서 옳은 것은 ㄱ뿐이다.　　　　　　　답 ①

기출유형 02

Act① $x=-1$에서 좌극한, 우극한, 함숫값을 비교하여 [보기]의 참, 거짓을 판단한다.

각각의 그래프에 대해 함수 $y=f(x-1)f(x+1)$의 $x=-1$에서의 극한값과 함숫값을 구해 보면 다음과 같다.

ㄱ. $\displaystyle\lim_{x\to-1-}f(x-1)f(x+1)=1\times1=1$,

$\displaystyle\lim_{x\to-1+}f(x-1)f(x+1)=1\times(-1)=-1$

$\therefore \displaystyle\lim_{x\to-1-}f(x-1)f(x+1)\ne\lim_{x\to-1+}f(x-1)f(x+1)$

즉 $\displaystyle\lim_{x\to-1}f(x-1)f(x+1)$의 값이 존재하지 않으므로 함수 $y=f(x-1)f(x+1)$은 $x=-1$에서 불연속이다.

ㄴ. $\displaystyle\lim_{x\to-1-}f(x-1)f(x+1)=0\times1=0$,

$\displaystyle\lim_{x\to-1+}f(x-1)f(x+1)=0\times1=0$

$\therefore \displaystyle\lim_{x\to-1}f(x-1)f(x+1)=0$

이때 $f(-2)f(0)=0\times(-1)=0$이므로

$\displaystyle\lim_{x\to-1}f(x-1)f(x+1)=f(-2)f(0)$

즉 함수 $y=f(x-1)f(x+1)$은 $x=-1$에서 연속이다.

ㄷ. 주어진 함수는 $x=-2$와 $x=0$에서 모두 연속이므로, 함수 $y=f(x-1)f(x+1)$은 $x=-1$에서 연속이다.

답 ④

03 Act① 좌극한, 우극한, 함숫값을 비교하여 [보기]의 참, 거짓을 판단한다.

ㄱ. $\displaystyle\lim_{x\to0+}f(x)=1$ (참)

ㄴ. $\displaystyle\lim_{x\to2-}f(x)=1\ne-1$ (거짓)

ㄷ. $\lim\limits_{x \to 2-} |f(x)| = |1| = 1$, $\lim\limits_{x \to 2+} |f(x)| = |-1| = 1$

$\therefore \lim\limits_{x \to 2} |f(x)| = 1$

이때 $|f(2)| = |-1| = 1$이므로 $\lim\limits_{x \to 2} |f(x)| = |f(2)|$

즉 함수 $|f(x)|$는 $x=2$에서 연속이다. (참)　　답 ③

04 **Act①** 좌극한, 우극한, 함숫값을 비교하여 [보기]의 참, 거짓을 판단한다.

ㄱ. $\lim\limits_{x \to 1-} f(x) = 1$, $\lim\limits_{x \to 1} g(x) = 2$이므로

$\lim\limits_{x \to 1} f(x)g(x) = 2$ (참)

ㄴ. $\lim\limits_{x \to 3-} f(x)g(x) = 3$, $\lim\limits_{x \to 3+} f(x)g(x) = 3$

$\therefore \lim\limits_{x \to 3} f(x)g(x) = 3$

이때 $f(3)g(3) = 1 \times 2 = 2$이므로

$\lim\limits_{x \to 3} f(x)g(x) \neq f(3)g(3)$

즉 함수 $f(x)g(x)$는 $x=3$에서 불연속이다. (거짓)

ㄷ. $\lim\limits_{x \to 1+} f(x)g(x) = 4$

ㄱ에 의하여 $\lim\limits_{x \to 1-} f(x)g(x) = 2$

$\therefore \lim\limits_{x \to 1-} f(x)g(x) \neq \lim\limits_{x \to 1+} f(x)g(x)$

즉 함수 $f(x)g(x)$는 $x=1$에서 극한값이 존재하지 않으므로 불연속이다.

ㄴ에 의해 $x=3$에서도 불연속이므로 함수 $f(x)g(x)$는 $x=1$, $x=3$에서 불연속이다. (거짓)　　답 ①

기출유형 03

Act① 함수 $f(x)$가 모든 실수 x에서 연속이면 $x=1$에서도 연속이어야 함을 이용한다.

함수 $f(x)$는 $x=1$에서 연속이어야 하므로

$\lim\limits_{x \to 1-} f(x) = f(1)$

$\lim\limits_{x \to 1-} (2x+10) = 1+a$

$12 = 1+a$ $\therefore a = 11$　　답 11

05 **Act①** 함수 $f(x)$가 모든 실수 x에서 연속이면 $x=1$에서도 연속이어야 함을 이용한다.

함수 $f(x)$는 $x=1$에서 연속이어야 하므로

$\lim\limits_{x \to 1-} f(x) = f(1)$

$\lim\limits_{x \to 1-} (4x^2 - a) = 1+a$

$4 - a = 1 + a$ $\therefore a = \dfrac{3}{2}$　　답 ①

06 **Act①** 함수 $f(x)$가 모든 실수 x에서 연속이면 $x=2$에서도 연속

이어야 함을 이용한다.

함수 $f(x)$는 $x=2$에서 연속이어야 하므로

$\lim\limits_{x \to 2+} f(x) = f(2)$

$\lim\limits_{x \to 2+} (x^2 + 4x + 6) = 2+k$

$18 = 2+k$ $\therefore k = 16$　　답 16

07 **Act①** 함수 $f(x)$가 모든 실수 x에서 연속이면 $x=3$에서도 연속이어야 함을 이용한다.

함수 $f(x)$는 $x=3$에서 연속이어야 하므로

$\lim\limits_{x \to 3} f(x) = f(3) = a$

$\lim\limits_{x \to 3} \dfrac{x^2 - 2x - 3}{x-3} = \lim\limits_{x \to 3} \dfrac{(x-3)(x+1)}{x-3}$

$\qquad\qquad\qquad = \lim\limits_{x \to 3} (x+1) = 4$

$\therefore a = 4$　　답 ④

08 **Act①** 함수 $f(x)$가 모든 실수 x에서 연속이면 $x=3$에서도 연속이어야 함을 이용한다.

함수 $f(x)$는 $x=3$에서 연속이어야 하므로

$\lim\limits_{x \to 3} f(x) = f(3) = a$

$\lim\limits_{x \to 3} \dfrac{(3x+2)(x-3)}{x-3} = \lim\limits_{x \to 3} (3x+2) = 11$

$\therefore a = 11$　　답 11

기출유형 04

Act① $f(x)$가 연속함수이므로 $\lim\limits_{x \to 2} f(x) = f(2)$임을 이용한다.

함수 $f(x)$가 연속함수이므로 $\lim\limits_{x \to 2} f(x) = f(2)$

$\lim\limits_{x \to 2} \dfrac{(x^4 - 4)f(x)}{x-2} = \lim\limits_{x \to 2} \dfrac{(x-2)(x+2)f(x)}{x-2}$

$\qquad\qquad\qquad = \lim\limits_{x \to 2} (x+2)f(x)$

$\qquad\qquad\qquad = \lim\limits_{x \to 2} (x+2) \times \lim\limits_{x \to 2} f(x)$

$\qquad\qquad\qquad = 4f(2) = 12$

$\therefore f(2) = 3$　　답 ③

09 **Act①** $f(x)$가 연속함수이므로 $\lim\limits_{x \to 1} f(x) = f(1)$임을 이용한다.

함수 $f(x)$가 연속함수이므로 $\lim\limits_{x \to 1} f(x) = f(1)$이다.

$\lim\limits_{x \to 1} \dfrac{x^2 + 2x + a}{x-1} = f(1)$

이때 $x \to 1$일 때 (분모)$\to 0$이고 극한값을 가지므로

$\lim\limits_{x \to 1} (x^2 + 2x + a) = 0$

$3 + a = 0$ $\therefore a = -3$

$f(1) = \lim\limits_{x \to 1} \dfrac{x^2 + 2x - 3}{x-1} = \lim\limits_{x \to 1} \dfrac{(x+3)(x-1)}{x-1}$

$$=\lim_{x\to 1}(x+3)=4$$ 답 4

10 **Act①** 함수 $\dfrac{g(x)}{f(x)}$ 가 실수 전체의 집합에서 연속이면

$\lim\limits_{x\to 2}\dfrac{g(x)}{f(x)}=\dfrac{g(2)}{f(2)}$ 이어야 함을 이용한다.

$x<2$일 때, $f(x)=x^2-4x+6=(x-2)^2+2>0$

$x\geq 2$일 때, $f(x)=1>0$

이므로 함수 $f(x)$는 실수 전체의 집합에서 $f(x)>0$이다.

그런데, $f(x)$는 $x=2$에서만 연속이 아니므로

함수 $\dfrac{g(x)}{f(x)}$ 가 실수 전체의 집합에서 연속이기 위해서는

$x=2$에서 연속이면 된다.

즉 $\lim\limits_{x\to 2}\dfrac{g(x)}{f(x)}=\dfrac{g(2)}{f(2)}$ 이어야 한다.

$\lim\limits_{x\to 2-}\dfrac{g(x)}{f(x)}=\lim\limits_{x\to 2-}\dfrac{ax+1}{x^2-4x+6}=\dfrac{2a+1}{2}$

$\lim\limits_{x\to 2+}\dfrac{g(x)}{f(x)}=\lim\limits_{x\to 2+}\dfrac{ax+1}{1}=2a+1$

이고 $\dfrac{g(2)}{f(2)}=2a+1$이므로

$\dfrac{2a+1}{2}=2a+1$

$2a+1=4a+2,\ 2a=-1$

$\therefore a=-\dfrac{1}{2}$ 답 ④

11 **Act①** 연속함수의 성질을 이용하여 [보기]의 참, 거짓을 판단한다.

ㄱ. $\lim\limits_{x\to 1+}f(x)=\lim\limits_{x\to 1+}(-x+2)=1$ (참)

ㄴ. $a=0$이면 $\lim\limits_{x\to 1-}f(x)=\lim\limits_{x\to 1-}a=\lim\limits_{x\to 1-}0=0$

이고

ㄱ에서 $\lim\limits_{x\to 1+}f(x)=1$이므로

$\lim\limits_{x\to 1+}f(x)\neq\lim\limits_{x\to 1-}f(x)$

즉 $\lim\limits_{x\to 1}f(x)$의 극한값이 존재하지 않으므로 함수 $f(x)$

는 $x=1$에서 불연속이다. (거짓)

ㄷ. $g(x)=(x-1)f(x)$라 하면

$\lim\limits_{x\to 1+}g(x)=\lim\limits_{x\to 1+}(x-1)f(x)$

$=\lim\limits_{x\to 1+}(x-1)(-x+2)=0$

$\lim\limits_{x\to 1-}g(x)=\lim\limits_{x\to 1-}(x-1)f(x)$

$=\lim\limits_{x\to 1-}a(x-1)=0$

$\therefore \lim\limits_{x\to 1}g(x)=0$

이때 $g(1)=(1-1)f(x)=0$이므로

$\lim\limits_{x\to 1}g(x)=g(1)$

즉 함수 $y=(x-1)f(x)$는 $x=1$에서 연속이다.

한편, $x>1$, $x\leq 1$에서 함수 $f(x)$는 다항함수이므로 연

속함수의 성질에 의해 함수 $y=(x-1)f(x)$는 실수 전체의 집합에서 연속이다. (참)

따라서 옳은 것은 ㄱ, ㄷ이다. 답 ③

기출유형 05

Act① 닫힌구간에서 연속인 함수는 최대·최소 정리에 의하여 그 구간에서 최댓값과 최솟값을 모두 갖는다.

ㄱ. $f(x)=2(x-1)^2-1$은 실수 전체에서 연속이므로 닫힌 구간 $[-1,\ 1]$에서 연속이다. 즉 이 구간에서 반드시 최댓값과 최솟값을 갖는다.

ㄴ. $g(x)=1$은 닫힌구간 $[-1,\ 1]$에서 연속이므로 최대·최소 정리에 의하여 이 구간에서 반드시 최댓값과 최솟값을 갖는다.

ㄷ. $h(x)=\dfrac{1}{x}$은 $x\neq 0$인 모든 실수 x에 대하여 연속이다.

그러나 그림과 같이

$\lim\limits_{x\to 0-}h(x)=-\infty$,

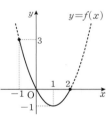

$\lim\limits_{x\to 0+}h(x)=\infty$이므로 닫힌구간 $[-1,\ 1]$에서 최댓값과 최솟값을 갖지 않는다.

따라서 닫힌구간 $[-1,\ 1]$에서 최댓값과 최솟값을 모두 갖는 함수는 ㄱ, ㄴ이다. 답 ③

12 **Act①** 함수 $f(x)$의 그래프를 그린 후 주어진 구간에서 최댓값과 최솟값을 구한다.

함수 $f(x)=x^2-2x$는 닫힌구간 $[-1,\ 2]$에서 연속이고 그래프는 그림과 같다.

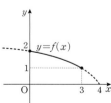

따라서 함수 $f(x)$는 $x=1$에서 최솟값 $m=-1$, $x=-1$에서 최댓값 $M=3$을 갖는다.

$\therefore M-m=3-(-1)=4$ 답 4

13 **Act①** 함수 $f(x)$의 그래프를 그린 후 주어진 구간에서 최댓값과 최솟값을 구한다.

함수 $f(x)=\sqrt{4-x}$는 닫힌구간 $[0,\ 3]$에서 연속이고 그래프는 그림과 같다.

따라서 함수 $f(x)$는 $x=0$에서 최댓값 2, $x=3$에서 최솟값 1을 갖는다.

$\therefore M+m=2+1=3$ 답 3

14 **Act①** 함수 $f(x)$의 그래프를 그린 후 주어진 구간에서 최댓값과 최솟값을 구한다.

함수 $f(x)=\dfrac{3x+1}{x-2}$은 닫힌구간 $[3,\ 5]$에서 연속이고 그래프는 그림과 같다.

따라서 함수 $f(x)$는 $x=3$에서 최댓값 10, $x=5$에서 최솟값 $\frac{16}{3}$을 갖는다.

$\therefore M+m=10+\frac{16}{3}=\frac{46}{3}$ 답 ②

15 **Act①** 함수 $f(x)$는 닫힌구간 $[-2, 0]$에서 $\sqrt{x+3}-2\neq0$이고 연속이므로 최대·최소 정리에 의하여 이 구간에서 최댓값과 최솟값을 모두 갖는다.

$f(x)=\dfrac{x-1}{\sqrt{x+3}-2}$

$=\dfrac{(x-1)(\sqrt{x+3}+2)}{(\sqrt{x+3}-2)(\sqrt{x+3}+2)}$

$=\sqrt{x+3}+2$

따라서 함수 $f(x)$는 $x=0$에서 최댓값 $f(0)=2+\sqrt{3}$, $x=-2$에서 최솟값 $f(-2)=3$을 갖는다.

$\therefore M+m=(2+\sqrt{3})+3=5+\sqrt{3}$ 답 ⑤

기출유형 06

Act① 연속함수 $g(x)=f(x)-x-1$에 대하여 $g(a)g(b)<0$이면 방정식 $g(x)=0$은 열린구간 (a, b)에서 적어도 하나의 실근을 갖는다.

$g(x)=f(x)-x-1$이라 하면 $g(x)$는 연속함수이고

$g(-3)>0$, $g(-2)>0$, $g(-1)>0$,

$g(0)<0$, $g(1)<0$, $g(2)>0$

이때 $g(-1)g(0)<0$, $g(1)g(2)<0$이므로 사잇값의 정리에 의하여 방정식 $g(x)=0$, 즉 $f(x)=x+1$은 열린구간 $(-1, 0)$, $(1, 2)$에서 각각 적어도 하나의 실근을 갖는다.

따라서 방정식 $f(x)=x+1$은 열린구간 $(-3, 2)$에서 적어도 2개의 실근을 갖는다.   답 ②

16 **Act①** 연속함수 $f(x)$에 대하여 $f(a)f(b)<0$이면 방정식 $f(x)=0$은 열린구간 (a, b)에서 적어도 하나의 실근을 갖는다.

$f(x)$는 연속함수이고

$f(-2)>0$, $f(0)<0$, $f(1)>0$, $f(4)<0$

이때 $f(-2)f(0)<0$, $f(0)f(1)<0$, $f(1)f(4)<0$이므로 사잇값의 정리에 의하여 방정식 $f(x)=0$은 열린구간 $(-2, 0)$, $(0, 1)$, $(1, 4)$에서 각각 적어도 하나의 실근을 갖는다.

따라서 방정식 $f(x)=0$은 열린구간 $(-2, 4)$에서 적어도 3개의 실근을 갖는다.   답 3

17 **Act①** 연속함수 $h(x)=f(x)-g(x)$에 대하여 $h(a)h(b)<0$이면 방정식 $h(x)=0$은 열린구간 (a, b)에서 적어도 하나의 실근을 갖는다.

$h(x)=f(x)-g(x)$라 하면 $h(x)$는 연속함수이고

$h(x)=2x^2+k-3$

이때 사잇값의 정리에 의하여 방정식 $h(x)=0$이 열린구간 $(1, 2)$에서 적어도 하나의 실근을 가지려면 $h(1)h(2)<0$이어야 하므로

$(k-1)(k+5)<0$ $\therefore -5<k<1$

따라서 구하는 정수 k는 -4, -3, -2, -1, 0의 5개이다.   답 5

18 **Act①** 연속함수 $g(x)=f(x)-2$에 대하여 방정식 $g(x)=0$이 $(0, 1)$에서 실근을 가지려면 $g(0)g(1)<0$이어야 한다.

$g(x)=f(x)-2$라 하면 함수 $g(x)$는 연속함수이고

$g(0)=f(0)-2=a-2$,

$g(1)=f(1)-2=a+4$

이때 방정식 $g(x)=0$이 열린구간 $(0, 1)$에서 적어도 하나의 실근을 가지려면 $g(0)g(1)<0$이어야 하므로

$(a-2)(a+4)<0$ $\therefore -4<a<2$

따라서 구하는 정수 a는 -3, -2, -1, 0, 1의 5개이다.   답 ③

19 **Act①** 연속함수 $g(x)=f(x)-2x-1$에 대하여 $g(a)g(b)<0$이면 방정식 $g(x)=0$은 열린구간 (a, b)에서 적어도 하나의 실근을 갖는다.

$g(x)=f(x)-2x-1$이라 하면 $g(x)$는 연속함수이고

$g(-2)=1>0$, $g(-1)=2>0$,

$g(0)=-1<0$, $g(1)=1>0$

이때 $g(-1)g(0)<0$, $g(0)g(1)<0$이므로 사잇값의 정리에 의하여 방정식 $g(x)=0$은 열린구간 $(-1, 0)$, $(0, 1)$에서 각각 적어도 하나의 실근을 갖는다.

따라서 함수 $y=f(x)$의 그래프와 직선 $y=2x+1$은 적어도 2개의 교점을 가지므로 교점의 개수의 최솟값은 2이다. 답 2

VIT Very Important Test   pp. 28~29

01. ①	**02.** ②	**03.** ④	**04.** ④	**05.** ④
06. ④	**07.** ①	**08.** ②	**09.** ③	**10.** ②
11. 2				

01

ㄱ. $\lim\limits_{x\to1-}f(x)=\lim\limits_{x\to1+}f(x)=2$ (참)

ㄴ. $\lim\limits_{x\to1}f(x)=2$이고, $f(1)=1$이므로 $\lim\limits_{x\to1}f(x)\neq f(1)$

따라서 함수 $f(x)$는 $x=1$에서 불연속이다. (거짓)

ㄷ. $g(x)=(x-1)f(x)$로 놓으면

$\lim\limits_{x\to1}g(x)=\lim\limits_{x\to1}(x-1)f(x)$

$=0\times2=0$

이때 $g(1)=(1-1)f(1)=0\times1=0$이므로 $\lim\limits_{x\to1}g(x)=g(1)$

따라서 함수 $g(x)=(x-1)f(x)$는 $x=1$에서 연속이다. (거짓)

그러므로 옳은 것은 ㄱ뿐이다.   답 ①

02

ㄱ. $\lim_{x \to 2} f(x) = \lim_{x \to 2} \dfrac{x^2-4}{x-2}$

$\qquad = \lim_{x \to 2} \dfrac{(x-2)(x+2)}{x-2}$

$\qquad = \lim_{x \to 2}(x+2) = 2+2 = 4$

그런데 $f(2) = 3$이므로 $\lim_{x \to 2} f(x) \neq f(2)$

함수 $f(x)$는 $x=2$에서 불연속이다.

ㄴ. $\lim_{x \to 0+} g(x) = \lim_{x \to 0+} \dfrac{x}{|x|} = \lim_{x \to 0+} \dfrac{x}{x} = 1$,

$\quad \lim_{x \to 0-} g(x) = \lim_{x \to 0-} \dfrac{x}{|x|} = \lim_{x \to 0-} \dfrac{x}{-x} = -1$

$\quad \therefore \lim_{x \to 0+} g(x) \neq \lim_{x \to 0-} g(x)$

$\lim_{x \to 0} g(x)$의 값이 존재하지 않으므로 함수 $g(x)$는 $x=0$에서 불연속이다.

ㄷ. $h(x) = \dfrac{x^2-x-2}{x^2+1}$에서 모든 실수 x에 대하여 $x^2+1 \neq 0$이므로 함수 $h(x) = \dfrac{x^2-x-2}{x^2+1}$는 실수 전체의 집합에서 연속이다.

그러므로 실수 전체의 집합에서 연속인 함수는 ㄷ이다. **답 ②**

03

함수 $f(x)$가 $x=3$에서 연속이려면

$f(3) = \lim_{x \to 3} f(x)$이어야 하므로

$f(3) = \lim_{x \to 3} \dfrac{x^2-9}{x-3} = \lim_{x \to 3}(x+3) = 6$ **답 ④**

04

함수 $f(x)$가 모든 실수에서 연속이므로

$\lim_{x \to -1} \dfrac{x^2+ax+2}{x+1} = f(-1)$

이때 $x \to -1$일 때, (분모)$\to 0$이고

극한값이 존재하므로 $x \to -1$일 때, (분자)$\to 0$이어야 한다.

즉 $\lim_{x \to -1}(x^2+ax+2) = 1-a+2 = 0$에서 $a=3$

$\lim_{x \to -1} \dfrac{x^2+3x+2}{x+1} = \lim_{x \to -1} \dfrac{(x+2)(x+1)}{x+1}$

$\qquad = \lim_{x \to -1}(x+2) = 1 = b$

$\therefore a+b = 3+1 = 4$ **답 ④**

05

$f(x)$가 모든 실수 x에서 연속이므로 $x=1$과 $x=-1$에서도 연속이다.

$\lim_{x \to 1+} f(x) = \lim_{x \to 1-} f(x)$이므로

$0 = -1+a+b$ $\qquad \cdots\cdots \bigcirc$

또, $\lim_{x \to -1+} f(x) = \lim_{x \to -1-} f(x)$이므로

$-1-a+b = 2$ $\qquad \cdots\cdots \bigcirc$

$\bigcirc$, $\bigcirc$에서 $a=-1$, $b=2$이므로

$a+b = (-1)+2 = 1$ **답 ④**

06

ㄹ. [반례] $f(x) = x$, $g(x) = x-a$이면 두 함수 $f(x)$, $g(x)$는 모두 $x=a$에서 연속이지만

함수 $\dfrac{f(x)}{\{g(x)\}^2} = \dfrac{x}{(x-a)^2}$는 $x=a$일 때 함숫값이 정의되지 않으므로 $x=a$에서 불연속이다.

따라서 연속인 함수는 ㄱ, ㄴ, ㄷ이다. **답 ④**

07

$x \neq 3$일 때,

$(\sqrt{x-2}-1)f(x) = x^2-9$에서

$f(x) = \dfrac{x^2-9}{\sqrt{x-2}-1}$이므로

$\lim_{x \to 3} \dfrac{x^2-9}{\sqrt{x-2}-1} = \lim_{x \to 3} \dfrac{(x-3)(x+3)(\sqrt{x-2}+1)}{(x-2)-1}$

$\qquad = \lim_{x \to 3}(x+3)(\sqrt{x-2}+1)$

$\qquad = 6 \times 2 = 12$

$f(x)$는 $x \geq 2$인 모든 실수 x에 대하여 연속이므로

$f(3) = \lim_{x \to 3} f(x) = 12$ **답 ①**

08

함수 $f(x)$가 모든 실수에서 연속이므로 $x=0$에서도 연속이다.

$\lim_{x \to 0} \dfrac{\sqrt{x^2+4}+k}{x^2}$의 극한값이 존재하고 $x \to 0$일 때, (분모)$\to 0$이므로 (분자)$\to 0$이다.

즉 $\lim_{x \to 0}(\sqrt{x^2+4}+k) = 0$에서

$\sqrt{4}+k = 0$ $\quad \therefore k = -2$

$f(0) = \lim_{x \to 0} \dfrac{\sqrt{x^2+4}-2}{x^2}$

$\qquad = \lim_{x \to 0} \dfrac{x^2}{x^2(\sqrt{x^2+4}+2)}$

$\qquad = \lim_{x \to 0} \dfrac{1}{\sqrt{x^2+4}+2} = \dfrac{1}{4}$

$\therefore k+4f(0) = -2+4 \times \dfrac{1}{4} = -1$ **답 ②**

09

함수 $f(x) = \dfrac{x+1}{x-1}$의 정의역은 $x \neq 1$인 모든 실수이고 닫힌구간 $[2, 5]$에서 연속이다.

따라서 함수 $f(x)$는 최댓값과 최솟값을 갖고 $f(2) = 3$, $f(5) = \dfrac{3}{2}$이므로

$m = 3$, $n = \dfrac{3}{2}$

$\therefore mn = \dfrac{9}{2}$ **답 ③**

10

ㄱ. [반례] $a=0$, $b=1$이라 하고 $f(x)=x-1$이라 하면
$f(0)f(1)=(-1)\times 0\leq 0$이지만 방정식 $x-1=0$은 열린구간
$(0,\ 1)$에서 실근이 존재하지 않는다. (거짓)

ㄴ. 사잇값의 정리에 의하여 $f(a)f(b)<0$이면 열린구간 $(a,\ b)$
에서 적어도 하나의 실근을 갖는다. (참)

ㄷ. [반례] $a=-2$, $b=2$라 하고 $f(x)=x^2-1$이라 하면
$f(-2)f(2)=3\times 3>0$이지만 방정식 $x^2-1=0$의 실근은
$x=\pm 1$이므로 열린구간 $(-2,\ 2)$에서 실근을 갖는다.

(거짓)

따라서 참인 것은 ㄴ뿐이다.   답 ②

11

$g(x)=xf(x)+x^2-1$이라 하면 함수 $f(x)$가 연속함수이므로
$g(x)$도 연속함수이다.

이때

$g(-1)=(-1)\times f(-1)+(-1)^2-1=-1<0$

$g(0)=0\times f(0)+0-1=-1<0$

$g(1)=1\times f(1)+1^2-1=1>0$

$g(2)=2\times f(2)+2^2-1=-1<0$

이므로 사잇값의 정리에 의하여 방정식 $g(x)=0$은 열린구간
$(0,\ 1)$과 $(1,\ 2)$에서 각각 적어도 한 개의 실근을 갖는다.

따라서 방정식 $g(x)=0$은 열린구간 $(-1,\ 2)$에서 적어도 2개의
실근을 가지므로 자연수 n의 최솟값은 2이다.

답 2

Ⅱ 미분

03 미분계수

pp. 30~31

01. ④	**02.** 4	**03.** 4	**04.** ②

01 (평균변화율)$=\dfrac{\Delta y}{\Delta x}=\dfrac{f(3)-f(1)}{3-1}=\dfrac{3-(-1)}{2}=2$ 답 ④

02 $f'(2)=\lim\limits_{h\to 0}\dfrac{f(2+h)-f(2)}{h}$

$=\lim\limits_{h\to 0}\dfrac{\{(2+h)^2-1\}-(2^2-1)}{h}$

$=\lim\limits_{h\to 0}\dfrac{4h+h^2}{h}=\lim\limits_{h\to 0}(4+h)=4$ 답 4

03 $f(x)=2x^2$이라 하면 구하는 접선의 기울기는 $f'(1)$이므로

$f'(1)=\lim\limits_{h\to 0}\dfrac{f(1+h)-f(1)}{h}=\lim\limits_{h\to 0}\dfrac{2(1+h)^2-2\times 1^2}{h}$

$=\lim\limits_{h\to 0}\dfrac{4h+2h^2}{h}=\lim\limits_{h\to 0}(4+2h)=4$ 답 4

04 ㄱ. 주어진 그래프는 $x=a$에서 불연속이므로 이 점에서 함수 $f(x)$는 미분가능하지 않다.

ㄴ. 주어진 그래프는 $x=a$에서 연속이지만 뾰족하게 꺾인 점이므로 미분계수가 존재하지 않는다. 따라서 $x=a$에서 미분가능하지 않다.

ㄷ. 주어진 그래프는 $x=0$에서 뾰족하게 꺾였지만 $x=a$에서 뾰족하게 꺾이지 않았으므로 $x=a$에서 함수 $f(x)$는 미분가능하다. 답 ②

유형따라잡기

pp. 32~35

기출유형 **01** 2	**01.** ①	**02.** 14	**03.** 4	**04.** 32
기출유형 **02** ②	**05.** ③	**06.** 5	**07.** 21	**08.** 28
기출유형 **03** ④	**09.** 1	**10.** ②	**11.** ⑤	
기출유형 **04** ④	**12.** ④	**13.** ⑤		

기출유형 01

Act ① 함수 $f(x)$에서 x의 값이 a에서 b까지 변할 때의 평균변화율은 $\dfrac{\Delta y}{\Delta x}=\dfrac{f(b)-f(a)}{b-a}$임을 이용한다.

함수 $f(x)=ax^2-x+5$에서 x의 값이 0에서 3까지 변할 때의 평균변화율은

$\dfrac{\Delta y}{\Delta x}=\dfrac{f(3)-f(0)}{3-0}=\dfrac{(9a+2)-5}{3}=\dfrac{9a-3}{3}=3a-1$

이때 $3a-1=5$에서 $3a=6$ ∴ $a=2$ 답 2

01 **Act ①** 함수 $f(x)$의 $x=a$에서의 미분계수는

$f'(a)=\lim\limits_{h\to 0}\dfrac{f(a+h)-f(a)}{h}$임을 이용한다.

$f'(1)=\lim\limits_{h\to 0}\dfrac{f(1+h)-f(1)}{h}$

$=\lim\limits_{h\to 0}\dfrac{h^3+8h^2+5h}{h}$

$=\lim\limits_{h\to 0}(h^2+8h+5)=5$ 답 ①

02 **Act ①** 함수 $f(x)$의 $x=a$에서의 미분계수는

$f'(a)=\lim\limits_{h\to 0}\dfrac{f(a+h)-f(a)}{h}$임을 이용한다.

$f'(2)=\lim\limits_{h\to 0}\dfrac{f(2+h)-f(2)}{h}$

$=\lim\limits_{h\to 0}\dfrac{h^3+6h^2+14h}{h}$

$=\lim\limits_{h\to 0}(h^2+6h+14)=14$ 답 14

03 **Act ①** 함수 $f(x)$에서 x의 값이 a에서 b까지 변할 때의 평균변화율은 $\dfrac{\Delta y}{\Delta x}=\dfrac{f(b)-f(a)}{b-a}$이고 $x=a$에서의 미분계수는

$f'(a)=\lim\limits_{h\to 0}\dfrac{f(a+h)-f(a)}{h}$임을 이용한다.

$\dfrac{\Delta y}{\Delta x}=\dfrac{f(k)-f(0)}{k-0}=\dfrac{k^2-k}{k}=k-1$

$f'(2)=\lim\limits_{h\to 0}\dfrac{f(2+h)-f(2)}{h}$

$=\lim\limits_{h\to 0}\dfrac{\{(2+h)^2-(2+h)\}-(2^2-2)}{h}$

$=\lim\limits_{h\to 0}\dfrac{h^2+3h}{h}$

$=\lim\limits_{h\to 0}(h+3)$

$=3$

이때 $k-1=3$에서 $k=4$ 답 4

04 **Act ①** 평균변화율이 9임을 이용하여 미정계수 a의 값을 구한 다음 미분계수의 정의에 따라 $f'(3)$의 값을 구한다.

$\dfrac{f(2)-f(0)}{2-0}=\dfrac{(8+2a)-0}{2-0}=4+a=9$ ∴ $a=5$

$f'(3)=\lim\limits_{h\to 0}\dfrac{f(3+h)-f(3)}{h}$

$=\lim\limits_{h\to 0}\dfrac{\{(3+h)^3+5(3+h)\}-(3^3+5\times 3)}{h}$

$=\lim\limits_{h\to 0}\dfrac{\{(27+27h+9h^2+h^3)+(15+5h)\}-(27+15)}{h}$

$=\lim\limits_{h\to 0}(h^2+9h+32)$

$=32$ 답 32

Act① $\lim\limits_{\star \to 0}\dfrac{f(a+\star)-f(a)}{\star}$ 와 같이 ★이 모두 같아지도록 변형하면 그 값은 $f'(a)$임을 이용한다.

$$\lim_{h \to 0}\frac{f(3+2h)-f(3)}{h}=\lim_{h \to 0}\left\{\frac{f(3+2h)-f(3)}{2h}\times 2\right\}$$
$$=\lim_{h \to 0}\frac{f(3+2h)-f(3)}{2h}\times\lim_{h \to 0}2$$
$$=f'(3)\times 2=2 \qquad\qquad 답 ②$$

05 **Act①** $\lim\limits_{\star \to 0}\dfrac{f(a+\star)-f(a)}{\star}$ 와 같이 ★이 모두 같아지도록 변형하면 그 값은 $f'(a)$임을 이용한다.

$$\lim_{h \to 0}\frac{f(2+h)-f(2)}{3h}=\frac{1}{3}\times\lim_{h \to 0}\frac{f(2+h)-f(2)}{h}$$
$$=\frac{1}{3}\times f'(2)=5$$
$$\therefore f'(2)=15 \qquad\qquad 답 ③$$

06 **Act①** $\lim\limits_{\star \to 0}\dfrac{f(a+\star)-f(a)}{\star}$ 와 같이 ★이 모두 같아지도록 변형하면 그 값은 $f'(a)$임을 이용한다.

$$\lim_{h \to 0}\frac{f(3+3h)-f(3-h)}{4h}$$
$$=\lim_{h \to 0}\frac{\{f(3+3h)-f(3)\}-\{f(3-h)-f(3)\}}{4h}$$
$$=\lim_{h \to 0}\frac{f(3+3h)-f(3)}{3h}\times\frac{3}{4}+\lim_{h \to 0}\frac{f(3-h)-f(3)}{-h}\times\frac{1}{4}$$
$$=f'(3)\times\frac{3}{4}+f'(3)\times\frac{1}{4}=f'(3)=5 \qquad 답 5$$

07 **Act①** $\lim\limits_{\blacktriangle \to \star}\dfrac{f(\blacktriangle)-f(\star)}{\blacktriangle-\star}$ 와 같이 ▲는 ▲끼리, ★은 ★끼리 각각 같아지도록 변형하면 그 값은 $f'(\star)$임을 이용한다.

$$\lim_{x \to 1}\frac{(x^2+2)f(x)}{x-1}=\lim_{x \to 1}\frac{(x^2+2)\{f(x)-f(1)\}}{x-1}$$
$$=3\times f'(1)=21 \qquad\qquad 답 21$$

08 **Act①** $\lim\limits_{\blacktriangle \to \star}\dfrac{f(\blacktriangle)-f(\star)}{\blacktriangle-\star}$ 와 같이 ▲는 ▲끼리, ★은 ★끼리 각각 같아지도록 변형하면 그 값은 $f'(\star)$임을 이용한다.

$$\lim_{x \to 2}\frac{f(x+1)-8}{x^2-4}=5에서$$

$x \to 2$일 때 (분모)$\to 0$이므로 (분자)$\to 0$이어야 한다.

즉 $\lim\limits_{x \to 2}\{f(x+1)-8\}=0$이어야 하므로 $f(3)=8$

$x+1=t$로 놓으면

$$\lim_{t \to 3}\frac{f(t)-f(3)}{t^2-2t-3}=\lim_{t \to 3}\frac{f(t)-f(3)}{t-3}\times\lim_{t \to 3}\frac{1}{t+1}$$
$$=\frac{1}{4}f'(3)=5$$

$\therefore f'(3)=20$

$\therefore f(3)+f'(3)=28 \qquad\qquad 답 28$

Act① 점 $(3, 0)$에서의 접선의 기울기가 $f'(3)=4$임을 이용한다.

곡선 $y=f(x)$ 위의 점 $(3, 0)$에서의 접선의 기울기가 4이므로 $f'(3)=4$

$$\lim_{h \to 0}\frac{f(3+2h)}{h}=\lim_{h \to 0}\frac{f(3+2h)-f(3)}{2h}\times 2$$
$$=f'(3)\times 2$$
$$=4\times 2=8 \qquad\qquad 답 ④$$

09 **Act①** 점 $(3, f(3))$에서의 접선의 기울기가 $f'(3)=1$임을 이용한다.

곡선 $y=f(x)$ 위의 점 $(3, f(3))$에서의 접선의 기울기가 1이므로 $f'(3)=1$

$$\lim_{h \to 0}\frac{f(3+2h)-f(3+h)}{h}$$
$$=\lim_{h \to 0}\frac{\{f(3+2h)-f(3)\}-\{f(3+h)-f(3)\}}{h}$$
$$=\lim_{h \to 0}\frac{f(3+2h)-f(3)}{2h}\times 2-\lim_{h \to 0}\frac{f(3+h)-f(3)}{h}$$
$$=f'(3)\times 2-f'(3)=f'(3)=1 \qquad\qquad 답 2$$

10 **Act①** 점 $(1, f(1))$에서의 접선의 기울기가 $f'(1)=a$임을 이용한다.

곡선 $y=f(x)$ 위의 점 $(1, f(1))$에서의 접선의 기울기가 a이므로 $f'(1)=a$

$$\lim_{x \to 1}\frac{f(x^3)-f(1)}{x-1}=\lim_{x \to 1}\left\{\frac{f(x^3)-f(1)}{x^3-1}\times(x^2+x+1)\right\}$$
$$=\lim_{x \to 1}\frac{f(x^3)-f(1)}{x^3-1}\times\lim_{x \to 1}(x^2+x+1)$$
$$=f'(1)\times 3=6$$

따라서 $f'(1)=2$이므로 $a=2 \qquad\qquad 답 ②$

11 **Act①** $f'(m)$은 곡선 $y=f(x)$ 위의 점 $(m, f(m))$에서의 접선의 기울기임을 이용한다.

ㄱ. 점 $(a, f(a))$에서의 접선의 기울기가 점 $(b, f(b))$에서의 접선의 기울기보다 작으므로
$$f'(a)<f'(b) (참)$$

ㄴ. 두 점 $(a, f(a))$, $(b, f(b))$를 지나는 직선의 기울기가 $x=a$에서의 접선의 기울기보다 크므로
$$\frac{f(b)-f(a)}{b-a}>f'(a) (참)$$

ㄷ. $0<a<b$일 때 산술평균과 기하평균의 관계에서
$$\frac{a+b}{2}>\sqrt{ab}이고 열린구간 (a, b)에서 접선의 기울기$$
는 점점 증가하므로
$$f'\left(\frac{a+b}{2}\right)>f'(\sqrt{ab}) (참) \qquad\qquad 답 ⑤$$

Act① $x=a$에서 함수 $f(x)$의 미분가능성을 따질 때는 $x=a$에서 연속인지, 미분계수가 존재하는지를 확인한다.

ㄱ. $\lim_{x\to 0}f(x)=f(0)=0$이므로 함수 $f(x)$는 $x=0$에서 연속이다.

$\lim_{h\to 0}\dfrac{f(0+h)-f(0)}{h}=\lim_{h\to 0}\dfrac{h|h|}{h}=\lim_{h\to 0}|h|=0$이므로 미분계수 $f'(0)$이 존재한다. 따라서 $f(x)$는 $x=0$에서 미분가능하다.

ㄴ. $x=0$에서 불연속이므로 $f(x)$는 $x=0$에서 미분가능하지 않다.

ㄷ. $\lim_{x\to 0}f(x)=f(0)=0$이므로 함수 $f(x)$는 $x=0$에서 연속이다.

$\lim_{h\to 0}\dfrac{f(0+h)-f(0)}{h}=\lim_{h\to 0}\dfrac{h^2|h|}{h}=\lim_{h\to 0}h|h|=0$이므로 미분계수 $f'(0)$이 존재한다. 따라서 $f(x)$는 $x=0$에서 미분가능하다.

따라서 옳은 것은 ㄱ, ㄷ이다. 답 ④

12 [Act❶] 그래프가 끊겨진 점에서 불연속이고, 불연속인 점과 뾰족한 점에서 미분가능하지 않음을 생각한다.

ㄱ. 함수 $f(x)$는 $x=-1$, $x=1$에서 불연속이다. (참)

ㄴ. 불연속인 점과 뾰족한 점에서는 미분가능하지 않으므로 함수 $f(x)$는 $x=-1$, $x=0$, $x=1$에서 미분가능하지 않다. 즉 미분가능하지 않은 점은 3개이다. (거짓)

ㄷ. $f'(x)=0$인 점은 주어진 그래프에서 접선의 기울기 $f'(x)$의 부호가 바뀌는 미분가능한 점이므로 구간 $(-2,3)$에서 1개 존재한다. (참)

따라서 옳은 것은 ㄱ, ㄷ이다. 답 ④

13 [Act❶] 그래프가 끊겨진 점에서 불연속이고, 불연속인 점과 뾰족한 점에서 미분가능하지 않음을 생각한다.

그래프가 끊겨진 곳에서 불연속이므로 $x=0$, $x=2$, $x=3$에서 불연속이다. 즉 불연속인 점은 3개이므로 $a=3$

불연속인 점과 뾰족한 점에서는 미분가능하지 않으므로 $x=0$, $x=1$, $x=2$, $x=3$에서 미분가능하지 않다. 즉 미분가능하지 않은 점은 4개이므로 $b=4$

$\therefore a+b=7$ 답 ⑤

VIT **V**ery **I**mportant **T**est pp. 36~37

01. ④	02. ①	03. ③	04. ②	05. ②
06. ④	07. ⑤	08. ⑤	09. ④	10. ②
11. ③	12. ③			

01

$\dfrac{\Delta y}{\Delta x}=\dfrac{f(a)-f(1)}{a-1}=\dfrac{(a^2+2a-1)-2}{a-1}$

$=\dfrac{(a+3)(a-1)}{a-1}=a+3$

즉 $a+3=10$이므로 $a=7$ 답 ④

02

$\dfrac{\Delta y}{\Delta x}=\dfrac{f(2)-f(0)}{2-0}=\dfrac{(2a+9)-1}{2}=a+4$

즉 $a+4=3$이므로 $a=-1$ 답 ①

03

함수 $f(x)=x^3-1$에서 x의 값이 1부터 4까지 변할 때의 평균변화율은

$\dfrac{f(4)-f(1)}{4-1}=\dfrac{63}{3}=21$

또 $x=a$에서의 미분계수는

$f'(a)=\lim_{x\to a}\dfrac{f(x)-f(a)}{x-a}=\lim_{x\to a}\dfrac{x^3-a^3}{x-a}$

$=\lim_{x\to a}(x^2+ax+a^2)=3a^2$

따라서 $3a^2=21$이므로 $a=\sqrt{7}$ ($\because 1<a<4$) 답 ③

04

함수 $f(x)=x^3+x^2$에서 x의 값이 a부터 1까지 변할 때의 평균변화율은

$\dfrac{f(1)-f(a)}{1-a}=\dfrac{2-a^3-a^2}{1-a}$

또 $x=1$에서의 미분계수는

$f'(1)=\lim_{x\to 1}\dfrac{f(x)-f(1)}{x-1}=\lim_{x\to 1}\dfrac{x^3+x^2-2}{x-1}$

$=\lim_{x\to 1}(x^2+2x+2)=5$

따라서 $\dfrac{2-a^3-a^2}{1-a}=5$이므로

$a^3+a^2-5a+3=0$, $(a-1)^2(a+3)=0$

$\therefore a=-3$ ($\because a\neq 1$) 답 ②

05

$\lim_{h\to 0}\dfrac{f(3+2h)-f(3)}{h}$

$=\lim_{h\to 0}\left\{\dfrac{f(3+2h)-f(3)}{2h}\times 2\right\}$

$=\lim_{h\to 0}\dfrac{f(3+2h)-f(3)}{2h}\times\lim_{h\to 0}2$

$=f'(3)\times 2=2$ 답 ②

06

$\lim_{h\to 0}\dfrac{f(2h)-f(0)}{3h}$

$=\lim_{h\to 0}\dfrac{f(2h)-f(0)}{2h}\times\dfrac{2}{3}$

$=\dfrac{2}{3}f'(0)=\dfrac{2}{3}\times 6=4$ 답 ④

07

$\lim_{x\to 1}\dfrac{f(x)-2}{x^3-1}=3$에서 $x\to 1$일 때

(분모) $\to 0$이므로 $x\to 1$일 때 (분자) $\to 0$이다.

$$\therefore \lim_{x \to 1} f(x) = 2$$

$f(x)$가 $x=1$에서 연속이므로

$$f(1) = \lim_{x \to 1} f(x) = 2$$

$$\lim_{x \to 1} \frac{f(x)-2}{x^3-1}$$

$$= \lim_{x \to 1} \left\{ \frac{f(x)-f(1)}{x-1} \times \frac{1}{x^2+x+1} \right\}$$

$$= f'(1) \times \frac{1}{3} = 3$$

이므로 $f'(1) = 9$

$$\therefore f(1)+f'(1) = 2+9 = 11 \qquad \text{답 ⑤}$$

08

점 $(1, -2)$가 곡선 $y=x^3+ax^2-4$ 위의 점이므로

$1+a-4=-2$ $\therefore a=1$

$y=x^3+x^2-4$에서 $y'=3x^2+2x$이므로 $x=1$에서의 미분계수는 5이다.

점 $(1, -2)$에서의 접선의 기울기는 $x=1$에서의 미분계수와 같으므로 5이다. 답 ⑤

09

점 $(1, 3)$이 곡선 $y=f(x)$ 위의 점이므로 $f(1)=3$

점 $(1, 3)$에서의 접선의 기울기가 -2이므로

$$f'(1) = -2$$

$$\lim_{x \to 1} \frac{x^2 f(1) - f(x)}{x-1}$$

$$= \lim_{x \to 1} \frac{x^2 f(1) - f(1) + f(1) - f(x)}{x-1}$$

$$= \lim_{x \to 1} \frac{x^2 f(1) - f(1)}{x-1} - \lim_{x \to 1} \frac{f(x)-f(1)}{x-1}$$

$$= \lim_{x \to 1} \frac{(x-1)(x+1)f(1)}{x-1} - f'(1)$$

$$= 2f(1) - f'(1) = 2 \times 3 - (-2) = 8 \qquad \text{답 ④}$$

10

함수 $f(x)$가 $x=1$에서 미분가능하면 $x=1$에서 연속이므로

$$\lim_{x \to 1-} f(x) = \lim_{x \to 1+} f(x) = f(1)$$

$a+1=1+b$, $a=b$

또한, 미분계수 $f'(1)$이 존재하므로

$$\lim_{x \to 1-} \frac{f(x)-f(1)}{x-1} = \lim_{x \to 1-} \frac{ax^2+1-(a+1)}{x-1}$$

$$= \lim_{x \to 1-} a(x+1) = 2a$$

$$\lim_{x \to 1+} \frac{f(x)-f(1)}{x-1} = \lim_{x \to 1+} \frac{x^4+b-(1+b)}{x-1}$$

$$= \lim_{x \to 1+} \{(x^2+1)(x+1)\} = 4$$

$2a=4$이므로 $a=2$

$$\therefore a+b=2+2=4 \qquad \text{답 ②}$$

11

ㄱ. 함수 $y=\dfrac{1}{x}$은 $x=0$에서 불연속이므로 $x=0$에서 미분가능하지 않다.

ㄴ. $f(x)=|x|$라 하면

  (i) $\lim_{x \to 0} f(x) = f(0) = 0$이므로 $x=0$에서 연속이다.

  (ii) $\lim_{x \to 0+} \dfrac{f(x)-f(0)}{x-0} = \lim_{x \to 0+} \dfrac{x}{x} = 1$

    $\lim_{x \to 0-} \dfrac{f(x)-f(0)}{x-0} = \lim_{x \to 0-} \dfrac{-x}{x}$

        $= -1$

  이므로 $x=0$에서 미분가능하지 않다.

ㄷ. $f(x)=x|x|$라 하면

  (i) $\lim_{x \to 0} f(x) = \lim_{x \to 0} x|x| = f(0) = 0$이므로 $x=0$에서 연속이다.

  (ii) $\lim_{x \to 0+} \dfrac{f(x)-f(0)}{x-0} = \lim_{x \to 0+} \dfrac{x^2}{x} = \lim_{x \to 0+} x = 0$

    $\lim_{x \to 0-} \dfrac{f(x)-f(0)}{x-0} = \lim_{x \to 0-} \dfrac{-x^2}{x} = \lim_{x \to 0-} (-x) = 0$

  따라서 $\lim_{x \to 0} \dfrac{f(x)-f(0)}{x-0} = 0$이므로 $x=0$에서 미분가능하다.

따라서 $x=0$에서 미분가능한 함수는 ㄷ이다. 답 ③

12

주어진 식에 $x=0$, $y=0$을 대입하면

$f(0)=f(0)+f(0)$에서 $f(0)=0$이므로

$$f'(x) = \lim_{h \to 0} \frac{f(x+h)-f(x)}{h}$$

$$= \lim_{h \to 0} \frac{f(x)+f(h)-f(x)}{h}$$

$$= \lim_{h \to 0} \frac{f(h)}{h}$$

$$= \lim_{h \to 0} \frac{f(h)-f(0)}{h}$$

$$= f'(0) = -3$$

따라서 모든 실수 x에 대하여

$f'(x) = -3$이므로 $f'(10) = -3$이다. 답 ③

04 도함수

p. 38

01. ②   **02.** ④   **03.** 12

01 $f'(x) = \lim_{h \to 0} \dfrac{f(x+h)-f(x)}{h}$

$$= \lim_{h \to 0} \frac{(x+h)^2 - x^2}{h}$$

$$= \lim_{h \to 0} \frac{2xh + h^2}{h}$$

$$\qquad =\lim_{h\to 0}(2x+h)$$
$$\qquad =2x$$
$$\therefore f'(3)=2\times 3=6 \qquad\qquad\qquad\text{답 ②}$$

02 $f(x)=x^4$에서 $f'(x)=4x^3$이므로 $f'(1)=4$ 답 ④

03 $f(x)=(x^3+5)(x^2-1)$에서
$$f'(x)=(x^3+5)'(x^2-1)+(x^3+5)(x^2-1)'$$
$$\qquad =3x^2(x^2-1)+(x^3+5)2x$$
$$\therefore f'(1)=12 \qquad\qquad\qquad\qquad\text{답 12}$$

유형따라잡기			pp. 39~43
기출유형 01 ④	**01.** 20	**02.** 24	**03.** 24	**04.** 19
기출유형 02 ③	**05.** 67	**06.** 41	**07.** 28	**08.** ①
기출유형 03 ③	**09.** ⑤	**10.** ①	**11.** ④	**12.** ①
기출유형 04 ③	**13.** 36	**14.** ③	**15.** 20	**16.** ⑤
기출유형 05 ③	**17.** 5	**18.** 3	**19.** ⑤	

기출유형 01

Act① $f'(a)$의 값을 구할 때는 도함수 $f'(x)$를 구한 다음 $x=a$ 를 대입한다.
$f(x)=x^3+7x+3$에서 $f'(x)=3x^2+7$이므로
$f'(1)=3\times 1^2+7=10$ 답 ④

01 **Act①** $f'(a)$의 값을 구할 때는 도함수 $f'(x)$를 구한 다음 $x=a$ 를 대입한다.
$f(x)=x^4-3x^2+8$에서 $f'(x)=4x^3-6x$이므로
$f'(2)=32-12=20$ 답 20

02 **Act①** $f'(a)$의 값을 구할 때는 도함수 $f'(x)$를 구한 다음 $x=a$ 를 대입한다.
$f(x)=x^3+3x^2+3$에서 $f'(x)=3x^2+6x$이므로
$f'(2)=12+12=24$ 답 24

03 **Act①** 도함수 $f'(x)$를 구한 다음 $f'(1)=30$에서 a의 값을 구한다.
$f(x)=2x^3+ax$에서 $f'(x)=6x^2+a$이므로
$f'(1)=6+a=30$ $\therefore a=24$ 답 24

04 **Act①** 도함수 $f'(x)$를 구한 다음 $f'(1)=2$에서 a의 값을 구한다.
$f(x)=7x^3-ax+3$에서 $f'(x)=21x^2-a$이므로
$f'(1)=21-a=2$ $\therefore a=19$ 답 19

기출유형 02

Act① 미분가능한 두 함수 $f(x)$, $g(x)$의 곱의 미분은 $\{f(x)g(x)\}'=f'(x)g(x)+f(x)g'(x)$임을 이용한다.

$f(x)=(2x+5)(x^2-4x)$에서
$$f'(x)=(2x+5)'(x^2-4x)+(2x+5)(x^2-4x)'$$
$$\qquad =2(x^2-4x)+(2x+5)(2x-4)$$
$$\qquad =(2x^2-8x)+(4x^2+2x-20)$$
$$\qquad =6x^2-6x-20$$
$$\therefore f'(3)=54-18-20=16 \qquad\qquad\text{답 ③}$$

05 **Act①** 미분가능한 두 함수 $f(x)$, $g(x)$의 곱의 미분은 $\{f(x)g(x)\}'=f'(x)g(x)+f(x)g'(x)$임을 이용한다.
$f(x)=(2x^2-1)(x^2+x-2)$에서
$$f'(x)=(2x^2-1)'(x^2+x-2)+(2x^2-1)(x^2+x-2)'$$
$$\qquad =4x(x^2+x-2)+(2x^2-1)(2x+1)$$
$$\therefore f'(2)=8\times 4+7\times 5=32+35=67 \qquad\text{답 67}$$

06 **Act①** 미분가능한 두 함수 $f(x)$, $g(x)$의 곱의 미분은 $\{f(x)g(x)\}'=f'(x)g(x)+f(x)g'(x)$임을 이용한다.
$f(x)=(x^2+1)(x^2+x-2)$에서
$$f'(x)=(x^2+1)'(x^2+x-2)+(x^2+1)(x^2+x-2)'$$
$$\qquad =2x(x^2+x-2)+(x^2+1)(2x+1)$$
$$\therefore f'(2)=4\times 4+5\times 5=41 \qquad\qquad\text{답 41}$$

07 **Act①** 미분가능한 함수 $f(x)$의 거듭제곱의 미분은 $[\{f(x)\}^n]'=n\{f(x)\}^{n-1}f'(x)$임을 이용한다.
$f(x)=(2x^3+1)(x-1)^2$에서
$$f'(x)=(2x^3+1)'(x-1)^2+(2x^3+1)\{(x-1)^2\}'$$
$$\qquad =6x^2(x-1)^2+(2x^3+1)\times 2(x-1)$$
$$\therefore f'(-1)=6\times 4+(-1)\times(-4)=28 \qquad\text{답 28}$$

08 **Act①** 미분가능한 두 함수 $f(x)$, $g(x)$의 곱의 미분은 $\{f(x)g(x)\}'=f'(x)g(x)+f(x)g'(x)$임을 이용한다.
$f(x)=(ax^3+1)(ax+1)$에서
$$f'(x)=(ax^3+1)'(ax+1)+(ax^3+1)(ax+1)'$$
$$\qquad =3ax^2(ax+1)+(ax^3+1)a$$
$$f'(1)=3a(a+1)+(a+1)a=4a^2+4a$$
이때 $4a^2+4a=24$이므로
$a^2+a-6=0$, $(a+3)(a-2)=0$
$\therefore a=-3$ 또는 $a=2$
$a>0$이므로 $a=2$ 답 ①

기출유형 03

Act① 미분계수의 정의를 이용할 수 있도록 식을 변형한다.
$$\lim_{h\to 0}\frac{f(1+h)-f(1)}{2h}=\lim_{h\to 0}\frac{f(1+h)-f(1)}{h}\times\frac{1}{2}$$
$$\qquad\qquad\qquad\qquad =\frac{1}{2}f'(1)$$
이때 $f(x)=x^2+4x$에서
$f'(x)=2x+4$이므로 $f'(1)=6$
$$\therefore \frac{1}{2}f'(1)=\frac{1}{2}\times 6=3 \qquad\qquad\text{답 ③}$$

09 Act① 미분계수의 정의를 이용할 수 있도록 식을 변형한다.

$$\lim_{h \to 0} \frac{f(1+2h)-f(1)}{h} = \lim_{h \to 0} \frac{f(1+2h)-f(1)}{2h} \times 2 = 2f'(1)$$

이때 $f(x)=x^2+8x$에서

$f'(x)=2x+8$이므로 $f'(1)=10$

$\therefore 2f'(1)=2 \times 10=20$ 답 ⑤

10 Act① 미분계수의 정의를 이용할 수 있도록 식을 변형한다.

$f(x)=x^2+4x-2$에서 $f(1)=3$이므로

$$\lim_{h \to 0} \frac{f(1+2h)-3}{h} = \lim_{h \to 0} \frac{f(1+2h)-f(1)}{2h} \times 2$$
$$= 2f'(1)$$

이때 $f(x)=x^2+4x-2$에서

$f'(x)=2x+4$이므로 $f'(1)=6$

$\therefore 2f'(1)=2 \times 6=12$ 답 ①

11 Act① $\lim_{h \to 0} \dfrac{f(1+h)-f(1)}{h}=f'(1)$이므로 도함수 $f'(x)$를 구해 $x=1$을 대입한다.

$$\lim_{h \to 0} \frac{f(1+h)-f(1)}{h} = f'(1)=6$$

이때 $f(x)=2x^2+ax$에서

$f'(x)=4x+a$이므로 $f'(1)=4+a=6$

$\therefore a=2$ 답 ④

12 Act① $\lim_{h \to 0} \dfrac{f(1+h)-f(1)}{2h}=\dfrac{1}{2}f'(1)$이므로 도함수 $f'(x)$를 구해 $x=1$을 대입한다.

$$\lim_{h \to 0} \frac{f(1+h)-f(1)}{2h} = \lim_{h \to 0} \frac{f(1+h)-f(1)}{h} \times \frac{1}{2}$$
$$= \frac{1}{2}f'(1)=6$$

이때 $f(x)=x^2+ax$에서

$f'(x)=2x+a$이므로 $f'(1)=2+a$

$\dfrac{1}{2}(2+a)=6$ $\therefore a=10$ 답 ①

기출유형 04

Act① $x=a$에서 함수 $f(x)$의 미분가능성을 따질 때는 $x=a$에서 연속인지, 미분계수가 존재하는지를 확인한다.

함수 $f(x)$가 $x=1$에서 연속이므로

$1+a=b+1+1$ …… ㉠

$f'(x)=\begin{cases} 3x^2+a & (x<1) \\ 2bx+1 & (x>1) \end{cases}$ 이고

$x=1$에서 미분계수가 존재하므로

$3+a=2b+1$ …… ㉡

㉠, ㉡을 연립하여 풀면 $a=4, b=3$

$\therefore a+b=7$ 답 ③

13 Act① $x=a$에서 함수 $f(x)$의 미분가능성을 따질 때는 $x=a$에서 연속인지, 미분계수가 존재하는지를 확인한다.

함수 $f(x)$가 $x=2$에서 연속이므로

$-4+2a+2=4+b$ …… ㉠

$f'(x)=\begin{cases} -2x+a & (x>2) \\ 2 & (x<2) \end{cases}$ 이고

$x=2$에서 미분계수가 존재하므로

$-4+a=2$ …… ㉡

㉠, ㉡을 연립하여 풀면 $a=6, b=6$

$\therefore ab=36$ 답 36

14 Act① $x=a$에서 함수 $f(x)$의 미분가능성을 따질 때는 $x=a$에서 연속인지, 미분계수가 존재하는지를 확인한다.

함수 $f(x)$가 $x=1$에서 연속이므로

$-1+a=2+b+4$ …… ㉠

$f'(x)=\begin{cases} -2x & (x<1) \\ 4x+b & (x>1) \end{cases}$ 이고

미분계수 $f'(1)$이 존재하므로

$-2=4+b$ …… ㉡

㉠, ㉡을 연립하여 풀면 $a=1, b=-6$

$\therefore a^2+b^2=37$ 답 ③

15 Act① $x=a$에서 함수 $f(x)$의 미분가능성을 따질 때는 $x=a$에서 연속인지, 미분계수가 존재하는지를 확인한다.

함수 $f(x)$가 $x=2$에서 연속이므로

$8+2a+b=10a-12$ …… ㉠

$f'(x)=\begin{cases} 4x+a & (x<2) \\ 5a & (x>2) \end{cases}$ 이고

미분계수 $f'(2)$가 존재하므로

$8+a=5a$ …… ㉡

㉠, ㉡을 연립하여 풀면 $a=2, b=-4$

$\therefore a^2+b^2=20$ 답 20

16 Act① $x=a$에서 함수 $f(x)$의 미분가능성을 따질 때는 $x=a$에서 연속인지, 미분계수가 존재하는지를 확인한다.

$f(x)$가 실수 전체의 집합에서 미분가능하므로 $x=-2$에서도 미분가능하다.

함수 $f(x)$가 $x=-2$에서 연속이므로

$4-2a+b=-4$ …… ㉠

$f'(x)=\begin{cases} 2x+a & (x<-2) \\ 2 & (x>-2) \end{cases}$ 이고

미분계수 $f'(-2)$가 존재하므로

$-4+a=2$ …… ㉡

㉠, ㉡을 연립하여 풀면 $a=6, b=4$

$\therefore a+b=10$ 답 ⑤

기출유형 05

Act① 먼저 주어진 식의 양변에 $x=0$, $y=0$을 대입하여 $f(0)$의 값을 구한 후 도함수의 정의를 이용하여 $f'(x)$를 구한다.

$f(0)=f(0)+f(0)$ $\therefore f(0)=0$

$$f'(x)=\lim_{h \to 0} \frac{f(x+h)-f(x)}{h}$$

$$= \lim_{h \to 0} \frac{\{f(x)+f(h)-2xh\}-f(x)}{h}$$

$$= \lim_{h \to 0} \frac{f(h)-2xh}{h}$$

$$= \lim_{h \to 0} \frac{f(h)}{h}-2x$$

$$= \lim_{h \to 0} \frac{f(h)-f(0)}{h}-2x$$

$$=f'(0)-2x$$

$$=-2x+5$$

$$\therefore f'(1)=(-2)\times1+5=3 \qquad \text{답 ③}$$

17 Act❶ 먼저 주어진 식의 양변에 $x=0$, $y=0$을 대입하여 $f(0)$의 값을 구한 후 도함수의 정의를 이용하여 $f'(x)$를 구한다.

$$f(0)=f(0)+f(0) \quad \therefore f(0)=0$$

$$f'(x)=\lim_{h \to 0} \frac{f(x+h)-f(x)}{h}$$

$$=\lim_{h \to 0} \frac{\{f(x)+f(h)+3xh\}-f(x)}{h}$$

$$=\lim_{h \to 0} \frac{f(h)+3xh}{h}$$

$$=\lim_{h \to 0} \frac{f(h)}{h}+3x$$

$$=\lim_{h \to 0} \frac{f(h)-f(0)}{h}+3x$$

$$=f'(0)+3x$$

$$=3x+2$$

$$\therefore f'(1)=3\times1+2=5 \qquad \text{답 5}$$

18 Act❶ 먼저 주어진 식의 양변에 $x=0$, $y=0$을 대입하여 $f(0)$의 값을 구한 후 도함수의 정의를 이용하여 $f'(x)$를 구한다.

$$f(0)=f(0)\times f(0) \quad \therefore f(0)=1 \ (\because f(x)>0)$$

$$f'(x)=\lim_{h \to 0} \frac{f(x+h)-f(x)}{h}$$

$$=\lim_{h \to 0} \frac{f(x)f(h)-f(x)}{h}$$

$$=\lim_{h \to 0} \frac{f(x)\{f(h)-1\}}{h}$$

$$=\lim_{h \to 0} \frac{f(x)\{f(h)-f(0)\}}{h}$$

$$=f(x)\lim_{h \to 0} \frac{f(h)-f(0)}{h}$$

$$=f(x)f'(0)$$

$$\therefore \frac{f'(x)}{f(x)}=\frac{f(x)f'(0)}{f(x)}=f'(0)=3 \qquad \text{답 3}$$

19 Act❶ 먼저 주어진 식의 양변에 $x=0$, $y=0$을 대입하여 $f(0)$의 값을 구한 후 도함수의 정의를 이용하여 $f'(x)$를 구한다.

ㄱ. $f(x+y)=f(x)+f(y)+5xy$의 양변에 $x=0$, $y=0$을 대입하면

$$f(0)=f(0)+f(0) \quad \therefore f(0)=0 \ (참)$$

ㄴ. $f'(x)=\lim_{h \to 0} \frac{f(x+h)-f(x)}{h}$

$$=\lim_{h \to 0} \frac{\{f(x)+f(h)+5xh\}-f(x)}{h}$$

$$= \lim_{h \to 0} \frac{f(h)+5xh}{h}$$

$$= \lim_{h \to 0} \frac{f(h)}{h}+5x$$

$$= \lim_{h \to 0} \frac{f(h)-f(0)}{h}+5x$$

$$=f'(0)+5x$$

$$=5x+4 \ (참)$$

ㄷ. 함수 $f(x)$가 미분가능하므로 모든 실수 a에 대하여 연속이다.

$$\therefore f(a)=\lim_{x \to a} f(x) \ (참)$$

따라서 옳은 것은 ㄱ, ㄴ, ㄷ이다. 　　　　　　답 ⑤

VIT **V**ery **I**mportant **T**est　　　pp. 44~45

01. ④	**02.** ③	**03.** ②	**04.** ③	**05.** ④
06. 7	**07.** ⑤	**08.** ②	**09.** ①	**10.** 17
11. 1	**12.** ①			

01

$f(x)=-4x^3-3x^2+6x-1$에서

$f'(x)=-12x^2-6x+6$

$f'(a)=0$에서 $-12a^2-6a+6=0$

$2a^2+a-1=0$, $(a+1)(2a-1)=0$

$$\therefore a=\frac{1}{2} \ (\because a>0) \qquad \text{답 ④}$$

02

$f(x)=1+\frac{1}{2}x^2+\frac{1}{4}x^4+\frac{1}{6}x^6+\cdots+\frac{1}{100}x^{100}$에서

$f'(x)=x+x^3+x^5+\cdots+x^{99}$

$$\therefore f'(-1)=-1-1-1-\cdots-1=-50 \qquad \text{답 ③}$$

03

$f(x)=(4x-3)(3x-2)(-2x+a)$에서

$f'(x)=4(3x-2)(-2x+a)+3(4x-3)(-2x+a)$
$\qquad\quad -2(4x-3)(3x-2)$

$f'(1)=4(-2+a)+3(-2+a)-2=-2$이므로

$$7a=14 \quad \therefore a=2 \qquad \text{답 ②}$$

04

$f'(x)=(x-2)(x-3)(x-4)\cdots(x-10)$
$\qquad\quad +(x-1)(x-3)(x-4)\cdots(x-10)$
$\qquad\quad +(x-1)(x-2)(x-4)\cdots(x-10)$
$\qquad\quad +\cdots+(x-1)(x-2)(x-3)\cdots(x-9)$

이므로

$f'(1)=-(1\times2\times3\times\cdots\times9)$

$f'(10)=9\times8\times7\times\cdots\times1$

$$\therefore f'(1)+f'(10)=0 \qquad \text{답 ③}$$

05

$g'(x)=(2x+1)f(x)+(x^2+x)f'(x)$이므로
$g'(1)=3f(1)+2f'(1)$
$\qquad =3\times 3+2\times 2=13 \qquad$ 답 ④

06

$f(2)=4+2a+b=3$에서
$2a+b=-1 \qquad \cdots\cdots\text{㉠}$
$f'(x)=2x+a$이므로 $f'(0)=2$에서
$a=2$
$a=2$를 ㉠에 대입하면
$4+b=-1 \quad \therefore b=-5$
$\therefore a-b=2-(-5)=7 \qquad$ 답 7

07

$f(x)=x^n-3x$로 놓으면 $f'(x)=nx^{n-1}-3$
$f(1)=-2$이므로
$$\lim_{x\to 1}\frac{x^n-3x+2}{x-1}=\lim_{x\to 1}\frac{f(x)-f(1)}{x-1}$$
$$=f'(1)=n-3$$
따라서 $n-3=12$이므로 $n=15 \qquad$ 답 ⑤

08

(i) 함수 $f(x)$는 $x=1$에서 연속이어야 하므로
$$\lim_{x\to 1}f(x)=f(1)$$
$$\therefore 1+b=a$$
(ii) $f(x)=\begin{cases} ax^2 & (x\le 1) \\ (x-2)^2+b & (x>1) \end{cases}$ 에서
$$f'(x)=\begin{cases} 2ax & (x<1) \\ 2(x-2) & (x>1) \end{cases}$$
$x=1$에서의 미분계수가 존재해야 하므로
$$\lim_{x\to 1-}f'(x)=\lim_{x\to 1+}f'(x)$$
즉 $2a=-2$에서 $a=-1$
(i), (ii)에서 $b=-2$
$$\therefore a+b=-1+(-2)=-3 \qquad \text{답 ②}$$

09

(i) $f(x)$는 $x=-1$에서 연속이어야 하므로
$$\lim_{x\to -1}f(x)=f(-1)$$
$$1+a=-a+b \quad \therefore 2a-b=-1$$
(ii) $f(x)=\begin{cases} x^2-ax & (x<-1) \\ ax+b & (x\ge -1) \end{cases}$ 에서
$$f'(x)=\begin{cases} 2x-a & (x<-1) \\ a & (x>-1) \end{cases}$$
$x=-1$에서 미분계수가 존재해야 하므로
$$\lim_{x\to -1-}f'(x)=\lim_{x\to -1+}f'(x)$$
$$-2-a=a \quad \therefore a=-1$$

(i), (ii)에서 $b=-1$
$$\therefore a+b=-2 \qquad \text{답 ①}$$

10

$g'(x)=(x^2+2x)'f(x)+(x^2+2x)f'(x)$
$\qquad =(2x+2)f(x)+(x^2+2x)f'(x)$
$f(1)=2,\ f'(1)=3$이므로
$g'(1)=4f(1)+3f'(1)$
$\qquad =4\times 2+3\times 3$
$\qquad =17 \qquad$ 답 17

11

$g(x)=(x^2+1)f(x) \qquad \cdots\cdots\text{㉠}$
㉠의 양변에 $x=1$을 대입하면
$g(1)=2f(1),\ 4=2f(1) \quad \therefore f(1)=2$
㉠의 양변을 x에 대하여 미분하면
$g'(x)=2xf(x)+(x^2+1)f'(x) \quad \cdots\cdots\text{㉡}$
㉡의 양변에 $x=1$을 대입하면
$g'(1)=2f(1)+2f'(1)$
$6=4+2f'(1) \quad \therefore f'(1)=1 \qquad$ 답 1

12

극한값이 존재하고 $\lim_{x\to 2}(x-2)\{f'(x)\}^2=0$이므로
$$\lim_{x\to 2}f(x)=0 \quad \therefore f(2)=0$$
$f(x)=(x-1)(x-2)(x+a)$라 하면
$f'(x)=(x-2)(x+a)+(x-1)(x+a)+(x-1)(x-2)$
이므로
$$\lim_{x\to 2}\frac{f(x)}{(x-2)\{f'(x)\}^2}$$
$$=\lim_{x\to 2}\frac{(x-1)(x+a)}{\{f'(x)\}^2}$$
$$=\frac{2+a}{(2+a)^2}=\frac{1}{2+a}=\frac{1}{4}$$
$$\therefore a=2$$
따라서 $f(x)=(x-1)(x-2)(x+2)$이므로
$f(3)=2\times 1\times 5=10 \qquad$ 답 ①

05 접선의 방정식과 평균값 정리

p. 46

01. ③　　**02. 0**　　**03. ②**

01 $f(x)=-x^2+x$라 하면 $f'(x)=-2x+1$
$\qquad \therefore f'(2)=-2\times 2+1=-3 \qquad$ 답 ③

02 $f(x)=-x^2+1$이라 하면 $f'(x)=-2x$이므로

$f'(1)=-2$

따라서 곡선 $y=f(x)$ 위의 점 $(1,0)$에서의 접선의 방정식은

$y-0=-2(x-1)$ ∴ $y=-2x+2$

따라서 $m=-2$, $n=2$이므로

$m+n=0$　　　　　　　　　　　　　　　　답 0

03 함수 $f(x)$는 닫힌구간 $[0,3]$에서 연속이고 열린구간 $(0,3)$에서 미분가능하고 $f(0)=f(3)$이므로 롤의 정리에 의하여 $f'(c)=0$인 c가 열린구간 $(0,3)$에 적어도 하나 존재한다.

$f(x)=x^2-3x$에서 $f'(x)=2x-3$이므로

$f'(c)=2c-3=0$ ∴ $c=\dfrac{3}{2}$　　　　　　　답 ②

유형따라잡기　　　　　　　　　　　　　pp. 47~52

기출유형 01	50	**01.** ⑤	**02.** ①	**03.** 8	**04.** ①
기출유형 02	①	**05.** 12	**06.** 12	**07.** 13	**08.** ⑤
기출유형 03	⑤	**09.** ①	**10.** 15	**11.** ①	**12.** ②
기출유형 04	⑤	**13.** 2	**14.** ②	**15.** ④	**16.** 48
기출유형 05	②	**17.** 1	**18.** ③	**19.** ②	**20.** ④
기출유형 06	⑤	**21.** ③	**22.** ③	**23.** 1	**24.** 2

기출유형 01

Act① $f'(a)=4$, $f(a)=b$임을 이용하여 a, b의 값을 구한다.

$f'(x)=4x^3-12x^2+12x$이므로

$f'(a)=4a^3-12a^2+12a=4$

$a^3-3a^2+3a-1=0$, $(a-1)^3=0$

∴ $a=1$

점 (a,b)는 곡선 $y=f(x)$ 위의 점이므로

$b=f(a)=1-4+6+4=7$

∴ $a^2+b^2=1+49=50$　　　　　　　　　답 50

01 **Act①** $f'(1)=2$, $f(1)=0$임을 이용하여 a, b의 값을 구한다.

$f(x)=2x^2+ax+b$라 하면 $f'(x)=4x+a$이므로

$f'(1)=4+a=2$ ∴ $a=2$

점 $(1,0)$은 곡선 $y=f(x)$ 위의 점이므로

$0=f(1)=4+b$ ∴ $b=-4$

∴ $a-b=2-(-4)=6$　　　　　　　　　답 ⑤

02 **Act①** $f'(1)=2$에서 a의 값을 구하고 점 $(1,f(1))$이 곡선과 직선 위에 있음을 이용하여 b의 값을 구한다.

$f(x)=x^3+ax^2+9x+3$에서 $f'(x)=3x^2+2ax+9$이므로

$f'(1)=3+2a+9=2$

$2a=-10$ ∴ $a=-5$

점 $(1,f(1))$은 곡선 $y=f(x)$와 직선 $y=2x+b$ 위의 점이므로

$f(1)=2+b$에서 $1-5+9+3=2+b$ ∴ $b=6$

∴ $a+b=(-5)+6=1$　　　　　　　　　답 ①

03 **Act①** $f'(-1)=6$, $f(-1)=2$임을 이용하여 a, b의 값을 구한다.

$f(x)=2x^3+ax^2+bx+2$라 하면 $f'(x)=6x^2+2ax+b$이므로

$f'(-1)=6-2a+b=6$

∴ $2a-b=0$ ……㉠

점 $(-1,2)$는 곡선 $y=f(x)$ 위의 점이므로

$f(-1)=-2+a-b+2=2$

∴ $a-b=2$ ……㉡

㉠, ㉡을 연립하여 풀면 $a=-2$, $b=-4$

∴ $ab=(-2)\times(-4)=8$　　　　　　　답 8

04 **Act①** 기울기가 $-\dfrac{1}{2}$인 직선에 수직인 직선의 기울기는 2이므로 $f'(1)=2$임을 이용한다.

$f(x)=2x^3+ax+b$라 하면 $f'(x)=6x^2+a$

기울기가 $-\dfrac{1}{2}$인 직선에 수직인 직선의 기울기는 2이므로

$f'(1)=6+a=2$ ∴ $a=-4$

점 $(1,1)$은 곡선 $y=f(x)$ 위의 점이므로

$1=f(1)=-2+b$ ∴ $b=3$

∴ $a^2+b^2=16+9=25$　　　　　　　　답 ①

기출유형 02

Act① $y=f(x)$ 위의 점 (a,b)에서의 접선의 방정식은 $y-b=f'(a)(x-a)$임을 이용한다.

$f(x)=x^3+6x^2-11x+7$이라 하면

$f'(x)=3x^2+12x-11$이므로 $f'(1)=4$

따라서 점 $(1,3)$에서의 접선의 방정식은

$y-3=4(x-1)$, $y=4x-1$

따라서 $m=4$, $n=-1$이므로

$m-n=5$　　　　　　　　　　　　　　답 ①

05 **Act①** $y=f(x)$ 위의 점 (a,b)에서의 접선의 방정식은 $y-b=f'(a)(x-a)$임을 이용한다.

$f(x)=-x^3+4x$라 하면 $f'(x)=-3x^2+4$이므로

$f'(1)=1$

따라서 곡선 $y=f(x)$ 위의 점 $(1,3)$에서의 접선의 방정식은

$y-3=1\times(x-1)$, $y=x+2$

따라서 $a=1$, $b=2$이므로

$10a+b=12$　　　　　　　　　　　　답 12

06 **Act①** $y=f(x)$ 위의 점 (a,b)에서의 접선의 방정식은 $y-b=f'(a)(x-a)$임을 이용한다.

$f(x)=-x^3+2x$라 하면

$f'(x)=-3x^2+2$이므로 $f'(1)=-1$

따라서 점 $(1,1)$에서의 접선의 방정식은

$y-1=(-1)\times(x-1)$, $y=-x+2$

점 $(-10,a)$는 $y=-x+2$ 위의 점이므로

$a=-(-10)+2=12$ 답 12

07 **Act❶** $y=f(x)$ 위의 점 (a, b)에서의 접선의 방정식은
$y-b=f'(a)(x-a)$임을 이용한다.
$f(x)=x^3-x^2+a$라 하면 $f'(x)=3x^2-2x$이므로
$f'(1)=1$
따라서 곡선 위의 점 $(1, a)$에서의 접선의 방정식은
$y-a=1\times(x-1)$, $y=x-1+a$
점 $(0, 12)$는 직선 $y=x-1+a$ 위의 점이므로
$12=0-1+a$ $\therefore a=13$ 답 13

08 **Act❶** $y=g(x)$ 위의 점 $(2, g(2))$에서의 접선의 기울기는
$f(2)$임을 이용한다.
$y=g(x)$ 위의 점 $(2, g(2))$에서의 접선의 방정식은
$y-g(2)=g'(2)(x-2)$
$g'(x)=f(x)$이므로
$y=f(2)(x-2)+g(2)=x-2+g(2)$
이때 접선의 y절편이 -5이므로
$y=x-5$
따라서 접선의 x절편은 5이다.   답 ⑤

[다른 풀이]
접선의 기울기가 $g'(2)=f(2)=1$이므로
y절편이 -5일 때, x절편은 5이다.

기출유형 03

Act❶ 접선의 기울기를 이용하여 접점의 좌표를 구한 후 접선의
방정식을 구한다.
$f(x)=x^3-3x^2+1$이라 하면 $f'(x)=3x^2-6x$
접점의 좌표를 $(a, f(a))$라 하면
접선의 기울기는 -3이므로 $f'(a)=-3$에서
$3a^2-6a=-3$, $(a-1)^2=0$ $\therefore a=1$
이때 접점의 좌표는 $(1, -1)$이므로 접선의 방정식은
$y-(-1)=-3(x-1)$ $\therefore y=-3x+2$
따라서 구하는 y절편은 2이다.   답 ⑤

09 **Act❶** 접선의 기울기를 이용하여 접점의 좌표를 구한 후 접선의
방정식을 구한다.
$f(x)=x^2-4x+3$이라 하면 $f'(x)=2x-4$
접점의 좌표를 $(a, f(a))$라 하면
접선의 기울기는 2이므로 $f'(a)=2$에서
$2a-4=2$ $\therefore a=3$
이때 접점의 좌표는 $(3, 0)$이므로 접선의 방정식은
$y-0=2(x-3)$ $\therefore y=2x-6$
따라서 구하는 y절편은 -6이다.   답 ①

10 **Act❶** 접선의 기울기와 직선 $y=\frac{1}{2}x+3$의 기울기의 곱은 -1
이고 접점의 좌표를 구한 후 접선의 방정식을 구한다.

$f(x)=-x^2+4x+6$이라 하면 $f'(x)=-2x+4$
접점의 좌표를 $(a, f(a))$라 하면
$y=\frac{1}{2}x+3$에 수직인 접선의 기울기는 -2이므로
$f'(a)=-2$에서
$-2a+4=-2$ $\therefore a=3$
이때 접점의 좌표는 $(3, 9)$이므로 접선의 방정식은
$y-9=-2(x-3)$ $\therefore y=-2x+15$
따라서 구하는 y절편은 15이다.   답 15

11 **Act❶** 두 점 A, B에서의 접선의 기울기가 같음을 이용하여 점
B의 좌표를 구한다.
$f(x)=x^3-3x^2+11$이라 하면 $f'(x)=3x^2-6x$
이때 점 A의 x좌표가 -1이므로 점 B의 x좌표를 $b(b\neq-1)$
라 하면 두 점 A, B에서의 접선이 서로 평행하므로
$f'(-1)=f'(b)$에서
$3-(-6)=3b^2-6b$
$b^2-2b-3=0$, $(b+1)(b-3)=0$ $\therefore b=3$ $(\because b\neq-1)$
이때 접점 B의 좌표는 $(3, 11)$이고 $f'(3)=9$이므로 이 곡
선 위의 점 B에서의 접선의 방정식은
$y-11=9(x-3)$ $\therefore y=9x-16$
따라서 구하는 y절편은 -16이다.   답 ①

12 **Act❶** 두 점 A, B에서의 접선의 기울기가 같음을 이용하여 점
B의 좌표를 구한다.
$f(x)=x^3-3x^2+x+1$이라 하면 $f'(x)=3x^2-6x+1$
이때 점 A의 x좌표가 3이므로 점 B의 x좌표를 $b(b\neq3)$라
하면 두 점 A, B에서의 접선이 서로 평행하므로
$f'(3)=f'(b)$에서
$10=3b^2-6b+1$
$b^2-2b-3=0$, $(b+1)(b-3)=0$
$\therefore b=-1$ $(\because b\neq3)$
이때 접점 B의 좌표는 $(-1, -4)$이고 $f'(-1)=10$이므로
이 곡선 위의 점 B에서의 접선의 방정식은
$y+4=10(x+1)$ $\therefore y=10x+6$
따라서 구하는 y절편은 6이다.   답 ②

기출유형 04

Act❶ 접점의 좌표를 (t, t^3+2)라 하면 기울기는 $3t^2$이고 접선
이 점 $(0, 0)$을 지남을 이용하여 t의 값을 구한다.
$f(x)=x^3+2$라 하면 $f'(x)=3x^2$
접점의 좌표를 $(t, f(t))$라 하면 이 점에서의 접선의 기울기
는 $f'(t)=3t^2$이므로
접선의 방정식은
$y-(t^3+2)=3t^2(x-t)$ ……㉠
이 접선이 점 $(0, 0)$을 지나므로
$-t^3-2=-3t^3$, $2(t^3-1)=0$, $2(t-1)(t^2+t+1)=0$
이때 $t^2+t+1>0$이므로 $t=1$
따라서 접선의 기울기는 $f'(1)=3$이다.   답 ⑤

13 **Act①** 접점의 좌표를 (t, t^2+2)라 하면 기울기는 $2t$이고 접선이 점 $(1, 2)$를 지남을 이용하여 t의 값을 구한다.

$f(x)=x^2+2$라 하면 $f'(x)=2x$
접점의 좌표를 (t, t^2+2)라 하면 이 점에서의 접선의 기울기는 $f'(t)=2t$이므로
접선의 방정식은
$y-(t^2+2)=2t(x-t)$
$\therefore y=2tx-t^2+2$ ······㉠
이 접선이 점 $(1, 2)$를 지나므로
$2=2t-t^2+2$, $t^2-2t=0$, $t(t-2)=0$
$\therefore t=0$ 또는 $t=2$
이 값을 ㉠에 대입하면 구하는 접선의 방정식은
$y=2$, $y=4x-2$
따라서 $\begin{cases} m=0 \\ n=2 \end{cases}$ 또는 $\begin{cases} m=4 \\ n=-2 \end{cases}$ 이므로
$m+n=2$ 　　　　　　　　　　　　 답 2

14 **Act①** 접점의 좌표를 (t, t^3-2)라 하면 기울기는 $3t^2$이고 접선이 점 $(0, -4)$를 지남을 이용하여 t의 값을 구한다.

$f(x)=x^3-2$라 하면 $f'(x)=3x^2$
접점의 좌표를 (t, t^3-2)라 하면 이 점에서의 접선의 기울기는 $f'(t)=3t^2$이므로
접선의 방정식은
$y-(t^3-2)=3t^2(x-t)$ ······㉠
이 접선이 점 $(0, -4)$를 지나므로
$-t^3-2=-3t^3$, $2t^3=2$ $\therefore t=1$
이 값을 ㉠에 대입하면 구하는 접선의 방정식은
$y+1=3(x-1)$ $\therefore y=3x-4$
따라서 x절편 a는 $a=\dfrac{4}{3}$이다. 　　　 답 ②

15 **Act①** 접점의 좌표를 (t, t^3)이라 하면 기울기는 $3t^2$이고 접선이 점 $(0, 2)$를 지남을 이용하여 t의 값을 구한다.

$f(x)=x^3$이라 하면 $f'(x)=3x^2$
접점의 좌표를 (t, t^3)이라 하면 이 점에서의 접선의 기울기는 $f'(t)=3t^2$이므로
접선의 방정식은
$y-t^3=3t^2(x-t)$ ······㉠
이 접선이 점 $(0, 2)$를 지나므로
$2-t^3=-3t^3$, $2t^3=-2$ $\therefore t=-1$
이 값을 ㉠에 대입하면 구하는 접선의 방정식은
$y+1=3(x+1)$ $\therefore y=3x+2$
이 직선이 점 $(2, k)$를 지나므로 $k=8$ 　 답 ④

16 **Act①** 접점의 좌표를 (t, t^3-at)라 하면 기울기는 $3t^2-a$이고 접선이 점 $(0, 16)$을 지남을 이용하여 t의 값을 구한다.

접점의 좌표를 (t, t^3-at)라 하면 이 점에서의 접선의 기울기는 $f'(t)=3t^2-a$이므로
접선의 방정식은
$y-(t^3-at)=(3t^2-a)(x-t)$
이 접선이 점 $(0, 16)$을 지나므로

$16-t^3+at=-3t^3+at$
$2t^3=-16$, $t^3=-8$
$\therefore t=-2$
접선의 기울기는 8이므로
$f'(-2)=3\times(-2)^2-a=12-a=8$
$\therefore a=4$
따라서 $f(x)=x^3-4x$이므로
$f(a)=f(4)=4^3-4\times4=48$ 　　　　 답 48

기출유형 05

Act① 두 곡선 $y=f(x)$, $y=g(x)$가 $x=t$에서 공통인 접선을 가지면 $f(t)=g(t)$, $f'(t)=g'(t)$임을 이용한다.

두 함수 $f(x)$, $g(x)$의 그래프가 점 $(1, 2)$를 지나므로
$f(1)=2$, $g(1)=2$에서
$1+a=2$, $b+c=2$ ······㉠
점 $(1, 2)$에서의 두 곡선의 접선의 기울기가 같으므로
$f'(1)=g'(1)$에서 $3+a=2b$ ······㉡
㉠, ㉡에서 $a=1$, $b=2$, $c=0$
$\therefore a+b+c=3$ 　　　　　　　　　　 답 ②

17 **Act①** 두 곡선 $y=f(x)$, $y=g(x)$가 $x=t$에서 공통인 접선을 가지면 $f(t)=g(t)$, $f'(t)=g'(t)$임을 이용한다.

두 곡선이 $x=t$인 점에서 접한다고 하면
$f(t)=g(t)$에서 $t^3-at+1=t^2$ ······㉠
$f'(t)=g'(t)$에서 $3t^2-a=2t$ ······㉡
㉡에서 $a=3t^2-2t$
㉠에 대입하면 $t^3-(3t^2-2t)t+1=t^2$
$2t^3-t^2-1=0$
$(t-1)(2t^2+t+1)=0$
$\therefore t=1$, $a=1$ 　　　　　　　　　　 답 1

18 **Act①** 두 접선의 방정식의 기울기와 y절편이 같음을 이용한다.

$f'(x)=2x+3$에서 $f'(3)=9$이므로
곡선 $y=f(x)$ 위의 점 $(3, 17)$에서의 접선의 방정식은
$y-17=9(x-3)$ $\therefore y=9x-10$ ······㉠
곡선 $y=g(x)$ 위의 접점을 (t, t^3+at+6)이라 하면
$g'(x)=3x^2+a$에서 $g'(t)=3t^2+a$이므로
곡선 $y=g(x)$ 위의 점 (t, t^3+at+6)에서의 접선의 방정식은
$y-(t^3+at+6)=(3t^2+a)(x-t)$
$\therefore y=(3t^2+a)x-2t^3+6$ ······㉡
두 직선 ㉠, ㉡은 서로 일치하므로
$3t^2+a=9$ ······㉢
$-2t^3+6=-10$ ······㉣
㉣에서 $t^3-8=0$, $(t-2)(t^2+2t+4)=0$
$t^2+2t+4=(t+1)^2+3>0$이므로 $t=2$
$t=2$를 ㉢에 대입하면 $12+a=9$ $\therefore a=-3$ 답 ③

19 **Act①** 두 접선의 방정식의 기울기와 y절편이 같음을 이용한다.

$f(x)=x^2$, $g(x)=x^3+ax-2$라 하자.

$f'(x)=2x$에서 $f'(-2)=-4$이므로

곡선 $y=f(x)$ 위의 점 $(-2, 4)$에서의 접선의 방정식은

$y-4=-4(x+2)$ $\therefore y=-4x-4$ ⋯⋯㉠

곡선 $y=g(x)$ 위의 접점을 (t, t^3+at-2)라 하면

$g'(x)=3x^2+a$에서 $g'(t)=3t^2+a$이므로

곡선 $y=g(x)$ 위의 점 (t, t^3+at-2)에서의 접선의 방정식은

$y-(t^3+at-2)=(3t^2+a)(x-t)$

$\therefore y=(3t^2+a)x-2t^3-2$ ⋯⋯㉡

두 직선 ㉠, ㉡은 서로 일치하므로

$3t^2+a=-4$ ⋯⋯㉢

$-2t^3-2=-4$ ⋯⋯㉣

㉣에서 $t^3-1=0$, $(t-1)(t^2+t+1)=0$

$t^2+t+1=\left(t+\dfrac{1}{2}\right)^2+\dfrac{3}{4}>0$이므로 $t=1$

$t=1$을 ㉢에 대입하면 $3+a=-4$ $\therefore a=-7$ 답 ②

20 Act① **두 접선의 방정식의 기울기와 y절편이 같음을 이용한다.**

$f(x)=x^2$, $g(x)=x^2+4x$라 하자.

곡선 $y=f(x)$ 위의 접점을 (a, a^2)이라 하면

$f'(x)=2x$에서 $f'(a)=2a$이므로

곡선 $y=f(x)$ 위의 점 (a, a^2)에서의 접선의 방정식은

$y-a^2=2a(x-a)$ $\therefore y=2ax-a^2$ ⋯⋯㉠

곡선 $y=g(x)$ 위의 접점을 (b, b^2+4b)라 하면

$g'(x)=2x+4$에서 $g'(b)=2b+4$이므로

곡선 $y=g(x)$ 위의 점 (b, b^2+4b)에서의 접선의 방정식은

$y-(b^2+4b)=(2b+4)(x-b)$

$\therefore y=(2b+4)x-b^2$ ⋯⋯㉡

두 직선 ㉠, ㉡은 서로 일치하므로

$2a=2b+4$ ⋯⋯㉢

$a^2=b^2$ ⋯⋯㉣

㉢, ㉣을 연립하여 풀면 $a=1$, $b=-1$

따라서 구하는 직선의 방정식은 $y=2x-1$이므로

$m+n=2+(-1)=1$ 답 ④

기출유형 06

Act① $\dfrac{f(4)-f(1)}{4-1}=f'(c)$인 $c(1<c<4)$를 찾는다.

함수 $f(x)=x^2-4x+3$은 닫힌구간 $[1, 4]$에서 연속이고 열린구간 $(1, 4)$에서 미분가능하다.

x의 값이 1에서 4까지 변할 때의 함수 $f(x)$의 평균변화율은

$\dfrac{f(4)-f(1)}{4-1}=\dfrac{3-0}{3}=1$

$f(x)=x^2-4x+3$에서 $f'(x)=2x-4$이므로 평균값 정리를 만족시키는 상수 c의 값은

$f'(c)=2c-4=1$

$\therefore c=\dfrac{5}{2}$ 답 ⑤

21 Act① $\dfrac{f(4)-f(0)}{4-0}=f'(c)$인 $c(0<c<4)$를 찾는다.

함수 $f(x)=-x^2+2x$는 닫힌구간 $[0, 4]$에서 연속이고 열린구간 $(0, 4)$에서 미분가능하다.

x의 값이 0에서 4까지 변할 때의 함수 $f(x)$의 평균변화율은

$\dfrac{f(4)-f(0)}{4-0}=\dfrac{-8-0}{4}=-2$

$f(x)=-x^2+2x$에서 $f'(x)=-2x+2$이므로 평균값 정리를 만족시키는 상수 c의 값은

$f'(c)=-2c+2=-2$

$\therefore c=2$ 답 ③

22 Act① **닫힌구간 $[-1, 2]$에서 $f'(c)=0$을 만족시키는 $c(-1<c<2)$를 찾는다.**

함수 $f(x)=(x+1)^2(x-2)$는 닫힌구간 $[-1, 2]$에서 연속이고 열린구간 $(-1, 2)$에서 미분가능하다.

또 $f(-1)=f(2)$이므로 롤의 정리에 의하여 $f'(c)=0$인 c가 열린구간 $(-1, 2)$에서 적어도 하나 존재한다.

$f(x)=(x+1)^2(x-2)$에서

$f'(x)=2(x+1)(x-2)+(x+1)^2=3(x+1)(x-1)$이므로

$f'(c)=3(c+1)(c-1)=0$

$\therefore c=1$ ($\because -1<c<2$) 답 ③

23 Act① $\dfrac{f(3k)-f(0)}{3k-0}=f'(2k)$인 양수 k를 찾는다.

함수 $f(x)=x^3-3x^2$은 닫힌구간 $[0, 3k]$에서 연속이고 열린구간 $(0, 3k)$에서 미분가능하다.

x의 값이 0에서 $3k$까지 변할 때의 함수 $f(x)$의 평균변화율은

$\dfrac{f(3k)-f(0)}{3k-0}=\dfrac{27k^3-27k^2}{3k}=9k^2-9k$

$f(x)=x^3-3x^2$에서 $f'(x)=3x^2-6x$

평균값 정리를 만족시키는 상수의 값이 $2k$이므로

$f'(2k)=12k^2-12k$

따라서 $9k^2-9k=12k^2-12k$이므로

$3k^2-3k=0$, $k(k-1)=0$

k는 양수이므로 $k=1$ 답 1

24 Act① $\dfrac{f(a)-f(-1)}{a-(-1)}=f'\left(\dfrac{1}{2}\right)$인 $a(a>-1)$를 찾는다.

함수 $f(x)=x^2-3x$는 닫힌구간 $[-1, a]$에서 연속이고 열린구간 $(-1, a)$에서 미분가능하다.

x의 값이 -1에서 a까지 변할 때의 함수 $f(x)$의 평균변화율은

$\dfrac{f(a)-f(-1)}{a-(-1)}=\dfrac{a^2-3a-4}{a+1}$

$f(x)=x^2-3x$에서 $f'(x)=2x-3$

평균값 정리를 만족시키는 상수의 값이 $\dfrac{1}{2}$이므로

$f'\left(\dfrac{1}{2}\right)=-2$

따라서 $\dfrac{a^2-3a-4}{a+1}=-2$이므로

$a^2-3a-4=-2a-2$, $(a+1)(a-2)=0$

$a>-1$이므로 $a=2$ 답 2

VIT — Very Important Test

01. ②	**02.** ②	**03.** 8	**04.** ③	**05.** ③
06. ⑤	**07.** ②	**08.** ③	**09.** ④	**10.** ②
11. ③	**12.** ③	**13.** ⑤	**14.** 2	**15.** ③
16. 4	**17.** 1	**18.** ①		

01

$f(x)=x^2-ax$라 하면 $f'(x)=2x-a$
점 P$(1,\ 1-a)$에서의 접선의 기울기가 2이므로
$f'(1)=2-a=2$ ∴ $a=0$
점 $(1,\ 1)$은 직선 $y=2x+b$ 위의 점이므로 $b=-1$
∴ $a+b=-1$ 　　　　　　　　답 ②

02

$f(x)=x^3-3x^2+x+1$이라 하면
$f'(x)=3x^2-6x+1$
점 $(3,\ 4)$에서의 접선의 기울기가 $f'(3)=27-18+1=10$이므로
접선의 방정식은 $y-4=10(x-3)$, 즉 $y=10x-26$
점 $(4,\ a)$는 접선 위의 점이므로
$a=10\times4-26=14$ 　　　　　　답 ②

03

$f(x)=x^3+3x^2+ax-1$이라 하면
$f'(x)=3x^2+6x+a$
이 곡선의 접선의 기울기는 $f'(x)$이므로
$f'(x)=3x^2+6x+a=3(x+1)^2-3+a$
즉 $x=-1$일 때, 기울기의 최솟값은 $-3+a$, 즉 5이므로
$-3+a=5$
∴ $a=8$ 　　　　　　　　　답 8

04

점 $(1,\ 1)$이 함수 $y=f(x)$의 그래프 위의 점이므로 $f(1)=1$
점 $(1,\ 1)$에서의 접선의 기울기가 2이므로 $f'(1)=2$
$g(x)=x^2f(x)$에서 $g(1)=f(1)=1$
또 $g'(x)=2xf(x)+x^2f'(x)$에서
$g'(1)=2f(1)+f'(1)=4$
따라서 함수 $g(x)=x^2f(x)$ 위의 점 $(1,\ 1)$에서의 접선의 방정식은
$y-1=4(x-1)$ ∴ $y=4x-3$
따라서 $a=4$, $b=-3$이므로
$a^2+b^2=25$ 　　　　　　　답 ③

05

$f(x)=-x^3+2x^2-x+1$이라 하면
$f'(x)=-3x^2+4x-1$
이때 $f'(-1)=-8$이므로
점 $(-1,\ 5)$에서의 접선의 방정식은
$y-5=-8(x+1)$ ∴ $y=-8x-3$

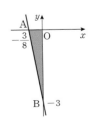

따라서 그림에서 △OAB의 넓이는 $\dfrac{1}{2}\times3\times\dfrac{3}{8}=\dfrac{9}{16}$ 　　답 ③

06

$f(x)=x^3-1$이라 하면 $f'(x)=3x^2$
이 곡선 위의 $x=-1$인 점에서의 접선의 기울기는 $f'(-1)=3$
이므로 이 접선에 수직인 직선의 기울기는 $-\dfrac{1}{3}$이다. 따라서 기
울기가 $-\dfrac{1}{3}$이고 점 $(-1,\ -2)$를 지나는 직선의 방정식은
$y+2=-\dfrac{1}{3}(x+1)$ ∴ $x+3y+7=0$
따라서 $a=3$, $b=7$이므로 $a+b=10$ 　　　　답 ⑤

07

$f(x)=x^3-6x^2+8x$라 하면
$f'(x)=3x^2-12x+8$
$f'(3)=-1$이므로 점 $(3,\ -3)$에서의 접선의 방정식은
$y+3=-(x-3)$ ∴ $y=-x$
$x^3-6x^2+8x=-x$에서
$x^3-6x^2+9x=0$
$x(x-3)^2=0$
∴ $x=0$ 또는 $x=3$
따라서 구하는 점의 좌표는 $(0,\ 0)$이므로 $a=0$, $b=0$
∴ $a+b=0$ 　　　　　　　　答 ②

08

$f(x)=x^4+3$이라 하면
$f'(x)=4x^3$
접점 P의 좌표를 $(t,\ t^4+3)$이라 하면 접선의 방정식은
$y-(t^4+3)=4t^3(x-t)$
이 접선이 원점을 지나므로
$-(t^4+3)=4t^3\times(-t)$, $t^4=1$
∴ $t=-1$ 또는 $t=1$
따라서 P$(-1,\ 4)$ 또는 P$(1,\ 4)$이므로
$\overline{OP}=\sqrt{1^2+4^2}=\sqrt{17}$ 　　　　　답 ③

09

$f(x)=x^3+ax^2+bx$에서
$f'(x)=3x^2+2ax+b$
$f(1)=2$에서 $1+a+b=2$
$f'(1)=6$에서 $3+2a+b=6$
위 두 식을 연립하여 풀면
$a=2$, $b=-1$
따라서 $f(x)=x^3+2x^2-x$이므로
$f(2)=14$ 　　　　　　　　답 ④

10

두 함수의 그래프가 점 $(1,\ 2)$를 지나므로
$f(1)=2$, $g(1)=2$
즉 $1+a+b=2$, $1+c=2$이므로
$a+b=1$, $c=1$

또 $f'(x)=2x+a$, $g'(x)=3x^2$이므로
$f'(1)=g'(1)$에서 $2+a=3$
$\therefore a=1$, $b=0$
$\therefore a^2+b^2+c^2=2$　　　　　　　　　　답 ②

11

$y'=2x$이므로 점 $(-2,\ 5)$에서의 접선의 기울기는 -4이고, 접선의 방정식은 $y-5=-4(x+2)$
즉 $y=-4x-3$　　　　……㉠
접선 $y=-4x-3$과 곡선 $y=x^3+ax-1$의 접점의 좌표를 $(t,\ t^3+at-1)$이라 하면 $y'=3x^2+a$에서 접선의 기울기는 $3t^2+a$이고, 접선의 방정식은
$y-(t^3+at-1)=(3t^2+a)(x-t)$
즉 $y=(3t^2+a)x-2t^3-1$　　　　……㉡
㉠, ㉡이 일치해야 하므로
$3t^2+a=-4$, $-2t^3-1=-3$
$-2t^3-1=-3$에서 $t^3=1$　$\therefore t=1$
$t=1$을 $3t^2+a=-4$에 대입하면
$a=-7$　　　　　　　　　　답 ③

12

$f(x)=x^2$이라 하면 $f(x)=2x$
$f'(-1)=-2$이므로 점 $A(-1,\ 1)$에서의 접선의 방정식은
$y-1=-2(x+1)$　$\therefore y=-2x-1$
곡선 $y=-x^3+ax-3$과 직선 $y=-2x-1$의 교점의 x좌표를 t라 하면
$-t^3+at-3=-2t-1$　　　　……㉠
또 $x=t$에서 곡선 $y=-x^3+ax-3$과 직선 $y=-2x-1$의 기울기가 서로 같으므로
$-3t^2+a=-2$　　　　……㉡
㉠과 ㉡을 연립하면
$-t^3+(3t^2-2)t-3=-2t-1$, $t^3=1$　$\therefore t=1$
$t=1$을 ㉡에 대입하면
$a=-2+3=1$
따라서 점 P의 좌표는 $(1,\ -3)$이므로
$\overline{AP}=\sqrt{\{1-(-1)\}^2+(-3-1)^2}=2\sqrt{5}$　　　　답 ③

13

$f(x)=2x^2-5x$라 하면
$f'(x)=4x-5$
접점을 $(t,\ 2t^2-5t)$라 하면 접선의 방정식은
$y-(2t^2-5t)=(4t-5)(x-t)$
이 접선이 점 $(-1,\ 2)$를 지나므로
$2-(2t^2-5t)=(4t-5)(-1-t)$
$\therefore 2t^2+4t-3=0$　　　　……㉠
㉠의 두 근을 t_1, t_2라 하면 이차방정식의 근과 계수의 관계에서
$t_1+t_2=-2$
이때 $m_1=4t_1-5$, $m_2=4t_2-5$라 하면
$m_1+m_2=4(t_1+t_2)-10=-18$　　　　답 ⑤

14

함수 $f(x)=x^2-2x-1$은 닫힌구간 $[0,\ 4]$에서 연속이고 열린구간 $(0,\ 4)$에서 미분가능하므로 평균값 정리에 의하여
$\dfrac{f(4)-f(0)}{4-0}=2=f'(c)$인 c가 열린구간 $(0,\ 4)$에 적어도 하나 존재한다.
이때 $f'(x)=2x-2$이므로
$f'(c)=2c-2=2$　$\therefore c=2$　　　　답 2

15

$f(x)=x^3-kx^2+2x$에서
$f'(x)=3x^2-2kx+2$이고 닫힌구간 $[0,\ 3]$에서 평균값 정리에 의하여
$\dfrac{f(3)-f(0)}{3-0}=\dfrac{27-9k+6}{3}=11-3k$
$f'(2)=14-4k$
이때 $11-3k=14-4k$이므로 $k=3$
또한 롤의 정리에 의하여
$f'(c)=3c^2-6c+2=0$
$c=\dfrac{3\pm\sqrt{9-6}}{3}=\dfrac{3\pm\sqrt{3}}{3}$
이때 $1<c<2$이므로 $c=\dfrac{3+\sqrt{3}}{3}$
$\therefore k+c=3+\dfrac{3+\sqrt{3}}{3}=4+\dfrac{\sqrt{3}}{3}$　　　　답 ③

16

함수 $f(x)=\dfrac{1}{3}x^3+x^2-3x+2$는 닫힌구간 $[-a,\ a]$에서 롤의 정리를 만족시키므로 $f(-a)=f(a)$이다. 즉
$-\dfrac{1}{3}a^3+a^2+3a+2=\dfrac{1}{3}a^3+a^2-3a+2$
$\dfrac{2}{3}a^3-6a=0$, $a(a+3)(a-3)=0$
$\therefore a=3$ ($\because a$는 자연수)
이때 롤의 정리에 의하여 $f'(c)=0$ $(-3<c<3)$이어야 하므로
$f'(x)=x^2+2x-3$에서
$f'(c)=c^2+2c-3=(c+3)(c-1)=0$
$\therefore c=1$ ($\because -3<c<3$)
$\therefore c+a=1+3=4$　　　　답 4

17

함수 $f(x)$가 닫힌구간 $[0,\ 5]$에서 연속이고 열린구간 $(0,\ 5)$에서 미분가능할 때 조건 ㈎를 만족시키면 함수 $f(x)$는 닫힌구간 $[0,\ 5]$에서 상수함수이다.
따라서 $f(1)=1$이므로
$f(4)=1$　　　　답 1

18

다항함수 $f(x)$는 실수 전체에서 미분가능하고, $x+2$도 실수 전체에서 미분가능하므로 함수 $g(x)=(x+2)f(x)$는 닫힌구간 $[-1,\ 2]$에서 연속이고, 열린구간 $(-1,\ 2)$에서 미분가능하다.
$f(-1)=2$, $f(2)=5$이고 $g(x)=(x+2)f(x)$이므로 평균값 정리

에 의하여

$$\frac{g(2)-g(-1)}{2-(-1)}=\frac{4f(2)-f(-1)}{3}$$
$$=\frac{4\times5-2}{3}=6$$

에서 $g'(a)=6$을 만족시키는 a가 열린구간 $(-1, 2)$에 적어도 하나 존재한다.
따라서 평균값 정리를 만족시키는 a에 대하여
$g'(a)=6$ 답 ①

06 함수의 증가 · 감소와 극대 · 극소

pp. 56~57

01. 1	02. 25	03. 6	04. 2	05. ④

01 $f(x)=x^3-3ax^2-24x+5$에서
$f'(x)=3x^2-6ax-24$ ······㉠
함수 $f(x)$가 감소하는 구간인 $-2<x<4$와 부등식 $f'(x)<0$의 해가 같아야 한다.
해가 $-2<x<4$인 이차부등식은
$(x+2)(x-4)<0$, $x^2-2x-8<0$,
$3x^2-6x-24<0$ ······㉡
㉠, ㉡에서 $6a=6$이므로 $a=1$ 답 1

02 $f'(x)=3x^2-18x+24=3(x-2)(x-4)=0$에서
$x=2$ 또는 $x=4$

x	$\cdots$	2	$\cdots$	4	$\cdots$
$f'(x)$	+	0	−	0	+
$f(x)$	↗	극대	↘	극소	↗

따라서 함수 $f(x)$는 $x=2$에서 극대이고 극댓값은
$f(2)=8-36+48+5=25$ 답 25

03 함수 $f(x)$는 $x=b$, $x=d$, $x=f$의 좌우에서 증가하다가 감소하므로 극대가 되고, $x=c$, $x=e$, $x=g$의 좌우에서 감소하다가 증가하므로 극소가 된다.
∴ $m+n=3+3=6$ 답 6

04 $f'(x)=3x^2-12x+9=3(x-1)(x-3)=0$에서
$x=1$ 또는 $x=3$

x	$\cdots$	1	$\cdots$	3	$\cdots$
$f'(x)$	+	0	−	0	+
$f(x)$	↗	2	↘	−2	↗

따라서 $a=1$, $b=3$, $M=2$, $m=-2$이고
y절편은 $q=f(0)=-2$이므로
$a+b+M+m+q=2$ 답 2

05 닫힌구간 $[1, 4]$에서 $f(x)$의 극값, $f(1)$, $f(4)$를 비교한다.

$f(x)=x^3-3x^2+a$에서 $f'(x)=3x^2-6x=3x(x-2)$
$f'(x)=0$에서 $x=0$ 또는 $x=2$

x	1	$\cdots$	2	$\cdots$	4
$f'(x)$		−	0	+	
$f(x)$	$-2+a$	↘	$-4+a$	↗	$16+a$

$M=f(4)=a+16$, $m=f(2)=a-4$
$M+m=2a+12=20$이므로 $a=4$ 답 ④

유형따라잡기   pp. 58~63

기출유형 01 ①	01. 12	02. ④	03. 7	04. ①
기출유형 02 ②	05. 42	06. ⑤	07. ②	08. ⑤
기출유형 03 24	09. ②	10. 22	11. ①	12. ⑤
기출유형 04 1	13. ①	14. 4	15. ②	16. ①
기출유형 05 ①	17. ④	18. ①		
기출유형 06 ③	19. 13	20. ①	21. ③	22. ①

기출유형 01

Act① 함수 $f(x)$가 실수 전체의 집합에서 증가하면 $f'(x)\geq0$임을 이용한다.
$f(x)=x^3-3ax^2+ax$에서 $f'(x)=3x^2-6ax+a$
함수 $f(x)$가 실수 전체의 집합에서 증가하려면 모든 실수 x에 대하여 $f'(x)=3x^2-6ax+a\geq0$이어야 한다.
이때 이차방정식 $3x^2-6ax+a=0$의 판별식을 D라 하면
$\dfrac{D}{4}=(-3a)^2-3a\leq0$, $9a^2-3a\leq0$, $3a(3a-1)\leq0$
∴ $0\leq a\leq\dfrac{1}{3}$
따라서 실수 a의 최댓값은 $\dfrac{1}{3}$ 답 ①

01 **Act①** 함수 $f(x)$가 실수 전체의 집합에서 감소하면 $f'(x)\leq0$임을 이용한다.
$f(x)=-x^3+6x^2-ax+3$에서 $f'(x)=-3x^2+12x-a$
함수 $f(x)$가 실수 전체의 집합에서 감소하려면 모든 실수 x에 대하여 $f'(x)=-3x^2+12x-a\leq0$이어야 한다.
이때 이차방정식 $-3x^2+12x-a=0$의 판별식을 D라 하면
$\dfrac{D}{4}=6^2-3a\leq0$, $36-3a\leq0$ ∴ $a\geq12$
따라서 실수 a의 최솟값은 12이다.   답 12

02 **Act①** 함수 $f(x)$가 실수 전체의 집합에서 증가하면 $f'(x)\geq0$임을 이용한다.
$f(x)=x^3+ax^2+2ax$에서 $f'(x)=3x^2+2ax+2a$
함수 $f(x)$가 실수 전체의 집합에서 증가하려면 모든 실수 x에 대하여 $f'(x)=3x^2+2ax+2a\geq0$이어야 한다.
이때 $3x^2+2ax+2a=0$의 판별식을 D라 하면
$\dfrac{D}{4}=a^2-6a\leq0$, $a(a-6)\leq0$ ∴ $0\leq a\leq6$
따라서 최댓값은 6, 최솟값은 0이므로

$M-m=6$ 답 ④

03 Act❶ 삼차함수 $f(x)$가 실수 전체의 집합에서 감소하면 $f'(x) \leq 0$임을 이용한다.

$f(x)=-x^3+kx^2-3x+1$에서 $f'(x)=-3x^2+2kx-3$

함수 $f(x)$가 실수 전체의 집합에서 감소하려면 모든 실수 x에 대하여 $f'(x)=-3x^2+2kx-3 \leq 0$이어야 한다.

이때 이차방정식 $-3x^2+2kx-3=0$의 판별식을 D라 하면

$\dfrac{D}{4}=k^2-9 \leq 0$, $(k+3)(k-3) \leq 0$ $\therefore -3 \leq k \leq 3$

따라서 정수 k는 -3, -2, -1, $\cdots$, 3의 7개이다.   답 7

04 Act❶ 최고차항의 계수가 양수이므로 $f(x)$는 실수 전체의 집합에서 증가해야 함을 이용한다.

최고차항의 계수가 양수인 삼차함수 $f(x)$의 역함수가 존재하려면 실수 전체의 집합에서 증가해야 하므로

$f'(x)=x^2-2ax+3a \geq 0$

이때 이차방정식 $x^2-2ax+3a=0$의 판별식을 D라 하면

$\dfrac{D}{4}=a^2-3a \leq 0$, $a(a-3) \leq 0$ $\therefore 0 \leq a \leq 3$

따라서 a의 최댓값은 3이다.   답 ①

기출유형 **02**

Act❶ $f'(x)=0$인 x의 값을 기준으로 $f'(x)$의 부호의 변화를 조사한다.

$f(x)=x^3-6x^2+9x+1$에서

$f'(x)=3x^2-12x+9=3(x-1)(x-3)$

$f'(x)=0$에서 $x=1$ 또는 $x=3$

함수 $f(x)$의 증가와 감소를 표로 나타내면 다음과 같다.

x	$\cdots$	1	$\cdots$	3	$\cdots$
$f'(x)$	+	0	−	0	+
$f(x)$	↗	극대	↘	극소	↗

따라서 $a=1$, $M=f(1)=5$이므로 $a+M=6$ 답 ②

05 Act❶ $f'(x)=0$인 x의 값을 기준으로 $f'(x)$의 부호의 변화를 조사한다.

$f(x)=2x^3-9x^2+12x+2$에서

$f'(x)=6x^2-18x+12=6(x-1)(x-2)$

$f'(x)=0$에서 $x=1$ 또는 $x=2$

함수 $f(x)$의 증가와 감소를 표로 나타내면 다음과 같다.

x	$\cdots$	1	$\cdots$	2	$\cdots$
$f'(x)$	+	0	−	0	+
$f(x)$	↗	7	↘	6	↗

따라서 $M=f(1)=7$, $m=f(2)=6$이므로

$Mm=7 \times 6=42$ 답 42

06 Act❶ $f'(x)=0$인 x의 값을 기준으로 $f'(x)$의 부호의 변화를 조사한다.

$f(x)=x^3-3x+a$에서

$f'(x)=3x^2-3=3(x-1)(x+1)$

$f'(x)=0$에서 $x=-1$ 또는 $x=1$

함수 $f(x)$의 증가와 감소를 표로 나타내면 다음과 같다.

x	$\cdots$	-1	$\cdots$	1	$\cdots$
$f'(x)$	+	0	−	0	+
$f(x)$	↗	극대	↘	극소	↗

$x=-1$에서 극대이고 $f(x)$의 극댓값이 7이므로

$f(-1)=-1+3+a=7$ $\therefore a=5$ 답 ⑤

07 Act❶ $f'(x)=0$인 x의 값을 기준으로 $f'(x)$의 부호의 변화를 조사한다.

$f(x)=x^3-9x^2+24x+a$에서

$f'(x)=3x^2-18x+24=3(x-2)(x-4)$

$f'(x)=0$에서 $x=2$ 또는 $x=4$

함수 $f(x)$의 증가와 감소를 표로 나타내면 다음과 같다.

x	$\cdots$	2	$\cdots$	4	$\cdots$
$f'(x)$	+	0	−	0	+
$f(x)$	↗	극대	↘	극소	↗

$x=2$일 때 극대이고 $f(x)$의 극댓값이 10이므로

$f(2)=8-36+48+a=10$ $\therefore a=-10$ 답 ②

08 Act❶ $f'(x)=0$인 x의 값을 기준으로 $f'(x)$의 부호의 변화를 조사한다.

$f(x)=x^3-x^2-5x+k$에서

$f'(x)=3x^2-2x-5=(x+1)(3x-5)$

$f'(x)=0$에서 $x=-1$ 또는 $x=\dfrac{5}{3}$

함수 $f(x)$의 증가와 감소를 표로 나타내면 다음과 같다.

x	$\cdots$	-1	$\cdots$	$\dfrac{5}{3}$	$\cdots$
$f'(x)$	+	0	−	0	+
$f(x)$	↗	극대	↘	극소	↗

$x=-1$일 때 극대이고 $f(x)$의 극댓값이 20이므로

$f(-1)=-1-1+5+k=20$

$\therefore k=17$ 답 ⑤

기출유형 **03**

Act❶ 함수 $f(x)$가 $x=1$에서 극댓값 0을 가지므로 $f'(1)=0$, $f(1)=0$임을 이용한다.

$f(x)=x^3+ax^2+9x+b$에서 $f'(x)=3x^2+2ax+9$

함수 $f(x)$가 $x=1$에서 극댓값 0을 가지므로

$f'(1)=0$에서 $3+2a+9=0$ $\therefore a=-6$

이때 $f(x)=x^3-6x^2+9x+b$이므로

$f(1)=0$에서 $1-6+9+b=0$ $\therefore b=-4$

$\therefore ab=(-6) \times (-4)=24$ 답 24

09 Act❶ 함수 $f(x)$가 $x=1$에서 극소이므로 $f'(1)=0$임을 이용한다.

$f(x)=x^3-ax+6$에서 $f'(x)=3x^2-a$
$f(x)$가 $x=1$에서 극소이므로 $f'(1)=0$에서
$3-a=0$ ∴ $a=3$ 답 ②

10 **Act①** 함수 $f(x)$가 $x=1$에서 극댓값 M을 가지므로
$f'(1)=0$, $f(1)=M$임을 이용한다.
$f(x)=2x^3-12x^2+ax-4$에서 $f'(x)=6x^2-24x+a$
함수 $f(x)$가 $x=1$에서 극댓값을 가지므로 $f'(1)=0$에서
$6-24+a=0$ ∴ $a=18$
이때 $f(x)=2x^3-12x^2+18x-4$이므로
$f(1)=2-12+18-4=4=M$
∴ $a+M=18+4=22$ 답 22

11 **Act①** 이차방정식 $f'(x)=0$의 두 근을 α, β라 할 때,
$f(\alpha)f(\beta)=-4$임을 이용한다.
$f(x)=x^3-3x^2+a$에서 $f'(x)=3x^2-6x=3x(x-2)$
$f'(x)=0$에서 $x=0$ 또는 $x=2$
모든 극값의 곱이 -4이므로
$f(0)f(2)=a\times(8-12+a)=-4$
$a^2-4a+4=0$, $(a-2)^2=0$
∴ $a=2$ 답 ①

12 **Act①** $f'(x)=0$의 두 근 -1, 2의 합과 곱을 이용하여 a, b의
값을 구한다.
$f(x)=x^3+2ax^2+bx+2$에서 $f'(x)=3x^2+4ax+b$
$f(x)$가 $x=-1$, $x=2$에서 극값을 가지므로
$f'(-1)=0$, $f'(2)=0$
이때 $f'(x)=0$, 즉 $3x^2+4ax+b=0$의 두 근이 -1, 2이므
로 이차방정식의 근과 계수의 관계에 의하여
$-\dfrac{4a}{3}=(-1)+2$이므로 $a=-\dfrac{3}{4}$
$\dfrac{b}{3}=(-1)\times2$이므로 $b=-6$
∴ $ab=\left(-\dfrac{3}{4}\right)\times(-6)=\dfrac{9}{2}$ 답 ⑤

기출유형 04

Act① 극댓값과 극솟값을 모두 가져야 하므로 이차방정식
$f'(x)=0$이 서로 다른 두 실근을 가져야 함을 이용한다.
$f(x)=\dfrac{1}{3}x^3+ax^2+(2a^2-a)x-1$에서
$f'(x)=x^2+2ax+(2a^2-a)$
삼차함수 $f(x)$가 극값을 가지려면 이차방정식 $f'(x)=0$이
서로 다른 두 실근을 가져야 한다.
이차방정식 $x^2+2ax+(2a^2-a)=0$의 판별식을 D라 하면
$\dfrac{D}{4}=a^2-(2a^2-a)>0$에서
$a^2-a<0$, $a(a-1)<0$ ∴ $0<a<1$
따라서 $\alpha=0$, $\beta=1$이므로 $\alpha+\beta=1$ 답 1

13 **Act①** 극댓값과 극솟값을 모두 가져야 하므로 이차방정식

$f'(x)=0$이 서로 다른 두 실근을 가져야 함을 이용한다.
$f(x)=ax^3-3x^2+ax+1$에서 $f'(x)=3ax^2-6x+a$
삼차함수 $f(x)$가 극값을 가지려면 이차방정식 $f'(x)=0$이
서로 다른 두 실근을 가져야 한다.
이차방정식 $3ax^2-6x+a=0$의 판별식을 D라 하면
$\dfrac{D}{4}=9-3a^2>0$, $a^2<3$
∴ $-\sqrt{3}<a<\sqrt{3}$
따라서 정수 a는 -1, 0, 1이다.
이때 $a=0$이면 $f(x)$는 삼차함수가 아니므로 주어진 조건을
만족시키는 정수 a는 -1, 1의 2개이다.   답 ①

14 **Act①** 극댓값과 극솟값을 모두 가져야 하므로 이차방정식
$f'(x)=0$이 서로 다른 두 실근을 가져야 함을 이용한다.
$f(x)=x^3+ax^2+3x+4$에서 $f'(x)=3x^2+2ax+3$
삼차함수 $f(x)$가 극값을 가지려면 이차방정식 $f'(x)=0$이
서로 다른 두 실근을 가져야 한다.
이차방정식 $3x^2+2ax+3=0$의 판별식을 D라 하면
$\dfrac{D}{4}=a^2-9>0$, $(a-3)(a+3)>0$ ∴ $a<-3$ 또는 $a>3$
따라서 양의 정수 a의 최솟값은 4이다.   답 4

15 **Act①** 극값을 갖지 않으려면 이차방정식 $f'(x)=0$이 중근 또는
허근을 가져야 함을 이용한다.
$f(x)=\dfrac{1}{3}x^3+ax^2+x+4$에서 $f'(x)=x^2+2ax+1$
삼차함수 $f(x)$가 극값을 갖지 않으려면 이차방정식
$f'(x)=0$이 중근 또는 허근을 가져야 한다.
이차방정식 $x^2+2ax+1=0$의 판별식을 D라 하면
$\dfrac{D}{4}=a^2-1\le0$에서 $(a+1)(a-1)\le0$ ∴ $-1\le a\le1$
따라서 $\alpha=-1$, $\beta=1$이므로 $\alpha\beta=-1$ 답 ②

16 **Act①** 극값을 갖지 않으려면 이차방정식 $f'(x)=0$이 중근 또는
허근을 가져야 함을 이용한다.
$f(x)=\dfrac{4}{3}x^3+ax^2-ax+1$에서 $f'(x)=4x^2+2ax-a$
삼차함수 $f(x)$가 극값을 갖지 않으려면 이차방정식
$f'(x)=0$이 중근 또는 허근을 가져야 한다.
이차방정식 $4x^2+2ax-a=0$의 판별식을 D라 하면
$\dfrac{D}{4}=a^2+4a\le0$, $a(a+4)\le0$ ∴ $-4\le a\le0$
따라서 정수 a의 최솟값은 -4이다.   답 ①

기출유형 05

Act① 사차항의 계수가 양수인 사차함수 $f(x)$가 극댓값을 가지
려면 삼차방정식 $f'(x)=0$은 서로 다른 세 실근을 가져야 함을
이용한다.
$f(x)=x^4+2x^3+ax^2+1$에서
$f'(x)=4x^3+6x^2+2ax=2x(2x^2+3x+a)$
사차항의 계수가 양수인 사차함수 $f(x)$가 극댓값을 가지려면
삼차방정식 $f'(x)=0$이 서로 다른 세 실근을 가져야 한다.

이때 $f'(x)=0$에서 삼차방정식 $2x(2x^2+3x+a)=0$은 $x=0$인 근을 가지므로 이차방정식 $2x^2+3x+a=0$은 $x\ne 0$인 서로 다른 두 실근을 가져야 한다.

따라서 $a\ne 0$이고 $2x^2+3x+a=0$의 판별식을 D라 하면

$D=9-8a>0$ $\therefore$ $a<0$ 또는 $0<a<\dfrac{9}{8}$ 답 ①

17 Act❶ **사차항의 계수가 음수인 사차함수 $f(x)$가 극솟값을 가지려면 삼차방정식 $f'(x)=0$은 서로 다른 세 실근을 가져야 함을 이용한다.**

$f(x)=-x^4+8x^3+2ax^2+3$에서

$f'(x)=-4x^3+24x^2+4ax=-4x(x^2-6x-a)$

사차항의 계수가 음수인 사차함수 $f(x)$가 극솟값을 가지려면 삼차방정식 $f'(x)=0$이 서로 다른 세 실근을 가져야 한다.

이때 $f'(x)=0$에서 삼차방정식 $-4x(x^2-6x-a)=0$은 $x=0$인 근을 가지므로 이차방정식 $x^2-6x-a=0$은 $x\ne 0$인 서로 다른 두 실근을 가져야 한다.

따라서 $a\ne 0$이고 $x^2-6x-a=0$의 판별식을 D라 하면

$\dfrac{D}{4}=9+a>0$ $\therefore$ $-9<a<0$ 또는 $a>0$ 답 ④

18 Act❶ **사차항의 계수가 양수인 사차함수 $f(x)$가 극댓값을 갖지 않을 조건은 삼차방정식 $f'(x)=0$이 서로 다른 세 실근을 가질 조건을 구하여 그 결과를 부정한 것과 같음을 이용한다.**

$f(x)=x^4-\dfrac{4}{3}x^3+2ax^2-4a+1$에서

$f'(x)=4x^3-4x^2+4ax=4x(x^2-x+a)$

$4x(x^2-x+a)=0$이 서로 다른 세 실근을 가지려면 이차방정식 $x^2-x+a=0$이 0이 아닌 서로 다른 두 실근을 가져야 한다.

따라서 $a\ne 0$이고 이차방정식 $x^2-x+a=0$의 판별식을 D라 하면

$D=1-4a>0$이므로 $a<0$ 또는 $0<a<\dfrac{1}{4}$

따라서 함수 $f(x)$가 극댓값을 갖지 않도록 하는 실수 a의 값의 범위는 $a=0$ 또는 $a\ge\dfrac{1}{4}$

따라서 양의 정수 a의 최솟값은 1이다. 답 ①

기출유형 06

Act❶ **닫힌구간 $[-1, 3]$에서 $f(x)$의 극값, $f(-1)$, $f(3)$을 비교한다.**

$f(x)=x^3-3x+5$에서 $f'(x)=3x^2-3=3(x+1)(x-1)$

$f'(x)=0$에서 $x=-1$ 또는 $x=1$

x	-1	$\cdots$	1	$\cdots$	3
$f'(x)$		$-$	0	$+$	
$f(x)$	7	$\searrow$	3	$\nearrow$	23

따라서 함수 $f(x)$는 $x=1$에서 최솟값 3을 갖는다. 답 ③

19 Act❶ **닫힌구간 $[-2, 0]$에서 $f(x)$의 극값, $f(-2)$, $f(0)$을 비교한다.**

$f(x)=x^3-3x^2-9x+8$에서

$f'(x)=3x^2-6x-9=3(x+1)(x-3)$

$f'(x)=0$에서 $x=-1$ 또는 $x=3$

x	-2	$\cdots$	-1	$\cdots$	0
$f'(x)$		$+$	0	$-$	
$f(x)$	6	$\nearrow$	13	$\searrow$	8

따라서 함수 $f(x)$는 $x=-1$에서 최댓값 13을 갖는다.

답 13

20 Act❶ **닫힌구간 $[1, 4]$에서 $f(x)$의 극값, $f(1)$, $f(4)$를 비교한다.**

$f(x)=x^3-3x^2+8$에서

$f'(x)=3x^2-6x=3x(x-2)$

$f'(x)=0$에서 $x=0$ 또는 $x=2$

x	1	$\cdots$	2	$\cdots$	4
$f'(x)$		$-$	0	$+$	
$f(x)$	6	$\searrow$	4	$\nearrow$	24

따라서 함수 $f(x)$는 $x=2$에서 최솟값 4, $x=4$에서 최댓값 24를 갖는다.

따라서 $M=24$, $m=4$이므로

$M+m=28$ 답 ①

21 Act❶ **닫힌구간 $[0, 5]$에서 $f(x)$의 극값, $f(0)$, $f(5)$를 비교한다.**

$f(x)=x^3-9x^2+15x+a$에서

$f'(x)=3x^2-18x+15=3(x-1)(x-5)$

$f'(x)=0$에서 $x=1$ 또는 $x=5$

x	0	$\cdots$	1	$\cdots$	5
$f'(x)$		$+$	0	$-$	
$f(x)$	a	$\nearrow$	$a+7$	$\searrow$	$a-25$

함수 $f(x)$는 $x=5$에서 최솟값 $a-25$를 가지므로

$a-25=-15$, $a=10$

따라서 $x=1$에서 최댓값 $a+7=17$을 갖는다. 답 ③

22 Act❶ **닫힌구간 $[-2, 2]$에서 $f(x)$의 극값, $f(-2)$, $f(2)$를 비교한다.**

$f(x)=-x^3+3x^2+a$에서

$f'(x)=-3x^2+6x=-3x(x-2)$

$f'(x)=0$에서 $x=0$ 또는 $x=2$

x	-2	$\cdots$	0	$\cdots$	2
$f'(x)$		$-$	0	$+$	
$f(x)$	$a+20$	$\searrow$	a	$\nearrow$	$a+4$

함수 $f(x)$는 $x=0$에서 최솟값을 가지므로 $a=-4$

따라서 $x=-2$에서 최댓값 $a+20=16$을 갖는다. 답 ①

01

함수 $f(x)=x^3+ax^2+ax+1$이 모든 실수 x에 대하여 $f'(x) \geq 0$
이어야 한다.

$f'(x)=3x^2+2ax+a$이므로 모든 실수 x에 대하여

$3x^2+2ax+a \geq 0$

이차방정식 $3x^2+2ax+a=0$의 판별식을 D라 하면

$\dfrac{D}{4}=a^2-3a \leq 0$ $\therefore 0 \leq a \leq 3$

따라서 정수 a는 0, 1, 2, 3의 4개이다. 답 ④

02

함수 $f(x)$의 역함수가 존재하려면 함수 $f(x)$가 일대일대응이어
야 한다. 이때 $f(x)$의 최고차항의 계수가 양수이므로 실수 전체
의 집합에서 함수 $f(x)$는 증가해야 한다. 따라서 모든 실수 x에
대하여 $f'(x) \geq 0$이 성립해야 한다.

$f'(x)=3x^2-2ax+a$에서 $3x^2-2ax+a \geq 0$

이차방정식 $3x^2-2ax+a=0$의 판별식을 D라 하면

$\dfrac{D}{4}=a^2-3a \leq 0$ $\therefore 0 \leq a \leq 3$

따라서 모든 정수 a의 값의 합은

$0+1+2+3=6$ 답 ③

03

$f(x)=x^3-3x^2+ax+1$에서

$f'(x)=3x^2-6x+a$

함수 $f(x)$가 열린구간 $(1, 3)$에서 감소하려면
이 구간에서 $f'(x) \leq 0$이어야 한다.

$f'(1)=a-3 \leq 0$

$\therefore a \leq 3$ ……㉠

$f'(3)=9+a \leq 0$

$\therefore a \leq -9$ ……㉡

㉠, ㉡의 공통 범위는 $a \leq -9$이다. 답 ①

04

$f'(x)=3x^2+2ax+b$이고 $f(x)$가 $x=-1$에서 극댓값을 가지므
로

$f'(-1)=3-2a+b=0$, $2a-b=3$ ……㉠

또한, 극댓값이 35이므로

$f(-1)=-1+a-b+30=35$, $a-b=6$ ……㉡

㉠, ㉡을 연립하여 풀면

$a=-3$, $b=-9$

따라서 $f(x)=x^3-3x^2-9x+30$이므로

$f'(x)=3x^2-6x-9=3(x+1)(x-3)$

$f'(x)=0$에서 $x=-1$ 또는 $x=3$

함수 $f(x)$의 증가와 감소를 표로 나타내면 다음과 같다.

x	$\cdots$	-1	$\cdots$	3	$\cdots$
$f'(x)$	$+$	0	$-$	0	$+$
$f(x)$	↗	35 (극대)	↘	3 (극소)	↗

따라서 함수 $f(x)$는 $x=3$에서 극소이고 극솟값은 $f(3)=3$ 답 ②

05

$f'(x)=4x^3+6x^2+2x$

$\qquad =2x(x+1)(2x+1)$

$f'(x)=0$에서

$x=-1$ 또는 $x=-\dfrac{1}{2}$ 또는 $x=0$

따라서 함수 $f(x)$의 증가와 감소를 표로 나타내면 다음과 같다.

x	$\cdots$	-1	$\cdots$	$-\dfrac{1}{2}$	$\cdots$	0	$\cdots$
$f'(x)$	$-$	0	$+$	0	$-$	0	$+$
$f(x)$	↘	극소	↗	극대	↘	극소	↗

위 표에서 함수 $f(x)$는 $x=-\dfrac{1}{2}$일 때

극댓값 $f\left(-\dfrac{1}{2}\right)=\dfrac{1}{16}$을 가지므로

$a+b=-\dfrac{1}{2}+\dfrac{1}{16}=-\dfrac{7}{16}$ 답 ②

06

$f(x)=x^4-4x^3+4x^2+6$에서

$f'(x)=4x^3-12x^2+8x=4x(x-1)(x-2)$

$f'(x)=0$에서

$x=0$ 또는 $x=1$ 또는 $x=2$

x	$\cdots$	0	$\cdots$	1	$\cdots$	2	$\cdots$
$f'(x)$	$-$	0	$+$	0	$-$	0	$+$
$f(x)$	↘	6	↗	7	↘	6	↗

함수 $y=f(x)$의 그래프에서 극대 또는 극소인 세 점의 좌표는
$(0, 6)$, $(1, 7)$, $(2, 6)$이므로 구하는 삼각형의 넓이는

$\dfrac{1}{2} \times 2 \times 1=1$ 답 ③

07

$f'(x)=a(x+1)(x-1)$ $(a>0)$이라 놓자.

x	$\cdots$	-1	$\cdots$	1	$\cdots$
$f'(x)$	$+$	0	$-$	0	$+$
$f(x)$	↗	극대	↘	극소	↗

따라서 $-1<x<1$에서 감소하며, $x=-1$일 때 극댓값, $x=1$일
때 극솟값을 가진다. 답 ③

08

모든 실수 x에 대하여 $f(x)=f(-x)$이므로 함수 $y=f(x)$의 그
래프는 y축에 대하여 대칭이다.

따라서 함수 $f(x)$는 $x=2$에서 극솟값 -6을 가지므로 $x=-2$에

서 극솟값 -6을 갖고, $x=0$에서 극댓값을 갖는다.

$f(x)=x^4+ax^3+bx^2+cx+d$ (a, b, c, d는 상수)라 하면 모든 실수 x에 대하여 $f(x)=f(-x)$이므로

$x^4+ax^3+bx^2+cx+d$
$=(-x)^4+a(-x)^3+b(-x)^2+c(-x)+d$

에서 $2ax^3+2cx=0$ $\therefore a=0$, $c=0$

$f(x)=x^4+bx^2+d$에서 $f'(x)=4x^3+2bx$

$x=2$에서 극솟값 -6을 가지므로

$f(2)=-6$, $f'(2)=0$

$f(2)=2^4+b\times2^2+d=-6$, $4b+d=-22$

$f'(2)=4\times2^3+2b\times2=0$, $32+4b=0$

위의 두 식을 연립하여 풀면

$b=-8$, $d=10$

따라서 함수 $f(x)=x^4-8x^2+10$이고 $x=0$에서 극댓값을 가지므로

$f(0)=10$

답 ⑤

09

$f(x)=x^3-6x^2+a$에서

$f'(x)=3x^2-12x=3x(x-4)$

$f'(x)=0$에서 $x=0$ 또는 $x=4$

x	2	$\cdots$	4	$\cdots$	5
$f'(x)$		$-$	0	$+$	
$f(x)$	$-16+a$	$\searrow$	$-32+a$	$\nearrow$	$-25+a$

따라서 함수 $f(x)$는 $x=4$일 때 최솟값이 $-32+a$, 즉 -20이므로 $-32+a=-20$ $\therefore a=12$

x	2	$\cdots$	4	$\cdots$	5
$f'(x)$		$-$	0	$+$	
$f(x)$	-4	$\searrow$	-20	$\nearrow$	-13

따라서 함수 $f(x)$의 최댓값은 -4이다.

답 ①

10

$f'(x)=3x^2-6x=3x(x-2)$

$f'(x)=0$에서 $x=0$ 또는 $x=2$

x	0	$\cdots$	2	$\cdots$	4
$f'(x)$		$-$	0	$+$	
$f(x)$	a	$\searrow$	$a-4$	$\nearrow$	$a+16$

함수 $f(x)$는 $x=2$일 때 최솟값 $a-4$를 갖고, $x=4$일 때 최댓값 $a+16$을 갖는다.

따라서 $m=a-4$, $M=a+16$이므로

$M+m=(a+16)+(a-4)=6$

$\therefore a=-3$

답 ②

11

$f(x)=ax^3-6ax^2+b$에서

$f'(x)=3ax^2-12ax=3ax(x-4)$

$f'(x)=0$에서

$x=0$ ($\because -1\le x\le2$)

x	-1	$\cdots$	0	$\cdots$	2
$f'(x)$		$+$	0	$-$	
$f(x)$	$-7a+b$	$\nearrow$	b	$\searrow$	$-16a+b$

이때 a, b가 양수이므로 $f(x)$의 최솟값은 $-16a+b$, 최댓값은 b이다.

따라서 $b=3$, $-16a+b=-29$이므로 $a=2$, $b=3$ $\therefore a+b=5$

답 ①

12

밑변의 한 변의 길이가 n일 때 정사각기둥의 부피를 $f(n)$이라 하면

$f(n)=n^2(n^2-10n+27)=n^4-10n^3+27n^2$

$f'(n)=4n^3-30n^2+54n=2n(n-3)(2n-9)$

$f'(n)=0$에서 $n=3$ 또는 $n=\dfrac{9}{2}$ ($\because n\ge3$)

n	3	$\cdots$	$\dfrac{9}{2}$	$\cdots$
$f'(n)$		$-$	0	$+$
$f(n)$		$\searrow$	극소	$\nearrow$

즉 $f(n)$은 $n=\dfrac{9}{2}$일 때 최소이다.

이때 n은 자연수이므로

$f(4)=48$, $f(5)=50$

따라서 정사각기둥의 부피는 $n=4$일 때 최소이고, 이때의 부피는 48이다.

$\therefore \alpha+\beta=4+48=52$

답 ②

07 방정식과 부등식, 속도와 가속도

pp. 66~67

> **01.** 3 　　**02.** 3 　　**03.** 2 　　**04.** 1 　　**05.** ②
> **06.** ③

01 $f(x)=x^3-3x-1$이라 하면

$f'(x)=3x^2-3=3(x+1)(x-1)$

$f'(x)=0$에서 $x=-1$ 또는 $x=1$

x	$\cdots$	-1	$\cdots$	1	$\cdots$
$f'(x)$	$+$	0	$-$	0	$+$
$f(x)$	$\nearrow$	1	$\searrow$	-3	$\nearrow$

함수 $f(x)$의 그래프는 x축과 서로 다른 세 점에서 만나므로 주어진 방정식의 서로 다른 실근의 개수는 3이다.

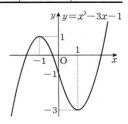

답 3

02 $f(x)=x^3-6x^2+9x-3$이라 하면

$$f'(x)=3x^2-12x+9=3(x-1)(x-3)$$
$f'(x)=0$에서 $x=1$ 또는 $x=3$
이때 두 극값의 곱은 $f(1)f(3)=1\times(-3)=-3<0$이므로
주어진 방정식은 서로 다른 세 실근을 가진다.   답 3

03 $f(x)=-2x^3-3x^2+12x-7$이라 하면
$$f'(x)=-6x^2-6x+12=-6(x+2)(x-1)$$
$f'(x)=0$에서 $x=-2$ 또는 $x=1$
이때 두 극값의 곱은 $f(-2)f(1)=(-27)\times0=0$이므로 주
어진 방정식은 한 실근과 중근을 가진다.
따라서 서로 다른 실근의 개수는 2이다.   답 2

04 $f(x)=x^3-x^2-x+k$라 하면
$$f'(x)=3x^2-2x-1=(3x+1)(x-1)$$
$f'(x)=0$에서 $x=-\dfrac{1}{3}$ 또는 $x=1$

x	0	$\cdots$	1	$\cdots$
$f'(x)$		$-$	0	$+$
$f(x)$	k	$\searrow$	$-1+k$	$\nearrow$

$x\geq0$에서 함수 $f(x)$의 최솟값은 $f(1)=-1+k$이고,
$f(x)\geq0$이려면 $f(1)\geq0$이어야 하므로
$-1+k\geq0$ $\therefore k\geq1$
따라서 실수 k의 최솟값은 1이다.   답 1

05 $v=\dfrac{dx}{dt}=3t^2-18t+27$, $a=\dfrac{dv}{dt}=6t-18$이고 점 P의 속도
가 3이 되는 순간은
$3t^2-18t+27=3$, $t^2-6t+8=0$,
$(t-2)(t-4)=0$ $\therefore t=2$ 또는 $t=4$
따라서 점 P의 속도가 처음으로 3이 되는 순간은 $t=2$일 때
이므로 이때의 가속도는
$6\times2-18=-6$ 답 ②

06 시각 t에서의 부피 V의 변화율은 $\displaystyle\lim_{\Delta t\to0}\dfrac{\Delta V}{\Delta t}=\dfrac{dV}{dt}$이므로
$V=t^3-4t+4$에서 $\dfrac{dV}{dt}=3t^2-4$
따라서 $t=4$일 때, 이 물체의 부피의 변화율은
$3\times4^2-4=44$ 답 ③

기출유형 01

Act① $f(x)=k$로 변형한 후 $y=f(x)$의 그래프와 직선 $y=k$의
교점의 개수를 이용하여 k의 값의 범위를 구한다.
$x^3-6x^2+9x=k$에서 $f(x)=x^3-6x^2+9x$라 하면
$$f'(x)=3x^2-12x+9=3(x-1)(x-3)$$
$f'(x)=0$에서 $x=1$ 또는 $x=3$

x	$\cdots$	1	$\cdots$	3	$\cdots$
$f'(x)$	$+$	0	$-$	0	$+$
$f(x)$	$\nearrow$	4	$\searrow$	0	$\nearrow$

함수 $y=f(x)$의 그래프와 직선
$y=k$가 서로 다른 세 점에서 만나
야 하므로 $0<k<4$
따라서 정수 k는 1, 2, 3의 3이다.
    답 ③

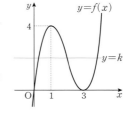

01 **Act①** $f(x)=k$로 변형한 후 $y=f(x)$의 그래프와 직선 $y=k$의
교점의 개수를 이용하여 k의 값의 범위를 구한다.
$x^3-3x^2-9x=k$에서 $f(x)=x^3-3x^2-9x$라 하면
$$f'(x)=3x^2-6x-9=3(x+1)(x-3)$$
$f'(x)=0$에서 $x=-1$ 또는 $x=3$

x	$\cdots$	-1	$\cdots$	3	$\cdots$
$f'(x)$	$+$	0	$-$	0	$+$
$f(x)$	$\nearrow$	5	$\searrow$	-27	$\nearrow$

$y=f(x)$의 그래프와 직선 $y=k$가
서로 다른 세 점에서 만나야 하므로
$-27<k<5$
따라서 정수 k의 최댓값은 4이다.
    답 ②

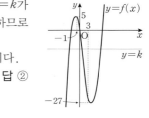

02 **Act①** $f(x)=k$로 변형한 후 $y=f(x)$의 그래프와 직선 $y=k$의
교점의 개수를 이용하여 k의 값을 구한다.
$-2x^3+3x^2+12x=k$에서 $f(x)=-2x^3+3x^2+12x$라 하면
$$f'(x)=-6x^2+6x+12=-6(x+1)(x-2)$$
$f'(x)=0$에서 $x=-1$ 또는 $x=2$

x	$\cdots$	-1	$\cdots$	2	$\cdots$
$f'(x)$	$-$	0	$+$	0	$-$
$f(x)$	$\searrow$	-7	$\nearrow$	20	$\searrow$

$y=f(x)$의 그래프와 직선 $y=k$가
서로 다른 두 점에서 만나야 하므
로
$k=-7$ 또는 $k=20$
따라서 모든 실수 k의 값의 합은
13이다.   답 13

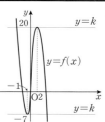

03 **Act①** $f(x)=k$로 변형한 후 $f(x)$의 그래프와 직선 $y=k$의
교점의 개수를 이용하여 k의 값을 구한다.

$x^3-3x^2=k$에서 $f(x)=x^3-3x^2$이라 하면
$f'(x)=3x^2-6x=3x(x-2)$
$f'(x)=0$에서 $x=0$ 또는 $x=2$

x	$\cdots$	0	$\cdots$	2	$\cdots$
$f'(x)$	$+$	0	$-$	0	$+$
$f(x)$	$\nearrow$	0	$\searrow$	-4	$\nearrow$

$y=f(x)$의 그래프와 직선 $y=k$가
서로 다른 두 점에서 만나야 하므
로
$k=0$ 또는 $k=-4$
따라서 모든 실수 k의 값의 합은
-4이다. 답 ②

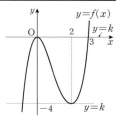

04 **Act①** $f(x)=k$로 변형한 후 $y=f(x)$의 그래프와 직선 $y=k$의
교점의 개수를 이용하여 k의 값을 구한다.
$x^4-8x^2=k$에서 $f(x)=x^4-8x^2$이라 하면
$f'(x)=4x^3-16x=4x(x+2)(x-2)$
$f'(x)=0$에서 $x=-2$ 또는 $x=0$ 또는 $x=2$

x	$\cdots$	-2	$\cdots$	0	$\cdots$	2	$\cdots$
$f'(x)$	$-$	0	$+$	0	$-$	0	$+$
$f(x)$	$\searrow$	-16	$\nearrow$	0	$\searrow$	-16	$\nearrow$

$y=f(x)$의 그래프와 직선 $y=k$가
서로 다른 세 점에서 만나야 하므
로
$k=0$ 답 0

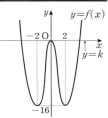

기출유형 02

Act① 삼차방정식이 서로 다른 세 실근을 가지려면
(극댓값)×(극솟값)<0이어야 함을 이용한다.
$f(x)=x^3-3x+k$라 하면
$f'(x)=3x^2-3=3(x+1)(x-1)$
$f'(x)=0$에서 $x=-1$ 또는 $x=1$
삼차방정식 $f(x)=0$이 서로 다른 세 실근을 가지려면
$f(-1)f(1)<0$이어야 하므로
$(k+2)(k-2)<0$ $\therefore$ $-2<k<2$
따라서 $a=-2$, $b=2$이므로
$b-a=4$ 답 ②

05 **Act①** 삼차방정식이 서로 다른 세 실근을 가지려면
(극댓값)×(극솟값)<0이어야 함을 이용한다.
$f(x)=2x^3+3x^2-12x+k$라 하면
$f'(x)=6x^2+6x-12=6(x+2)(x-1)$
$f'(x)=0$에서 $x=-2$ 또는 $x=1$
삼차방정식 $f(x)=0$이 서로 다른 세 실근을 가지려면
$f(-2)f(1)<0$이어야 하므로
$(k+20)(k-7)<0$ $\therefore$ $-20<k<7$
따라서 정수 k의 개수는 26개이다. 답 ④

06 **Act①** 삼차방정식이 서로 다른 두 실근을 가지려면
(극댓값)×(극솟값)=0이어야 함을 이용한다.
$f(x)=2x^3-3x^2+k$라 하면
$f'(x)=6x^2-6x=6x(x-1)$
$f'(x)=0$에서 $x=0$ 또는 $x=1$
삼차방정식 $f(x)=0$이 서로 다른 두 실근, 즉 한 실근과 중
근을 가지려면 $f(0)f(1)=0$이어야 하므로
$k(k-1)=0$ $\therefore$ $k=0$ 또는 $k=1$
따라서 모든 실수 k의 값의 합은 1이다. 답 ④

07 **Act①** 삼차방정식이 오직 한 실근을 가지려면
(극댓값)×(극솟값)>0이어야 함을 이용한다.
$f(x)=x^3-6x^2+9x-k$라 하면
$f'(x)=3x^2-12x+9=3(x-1)(x-3)$
$f'(x)=0$에서 $x=1$ 또는 $x=3$
삼차방정식 $f(x)=0$이 한 실근과 두 허근을 가지려면
$f(1)f(3)>0$이어야 하므로
$(4-k)(-k)>0$, $k(k-4)>0$ $\therefore$ $k<0$ 또는 $k>4$
따라서 자연수 k의 최솟값은 5이다. 답 ⑤

08 **Act①** 두 함수 $y=f(x)$, $y=g(x)$의 그래프의 교점의 개수는
방정식 $f(x)=g(x)$의 서로 다른 실근의 개수와 같음을 이용한
다.
$x^3+3x^2-7x-2=2x+k$에서
$f(x)=x^3+3x^2-9x-2-k$라 하면
$f'(x)=3x^2+6x-9=3(x+3)(x-1)$
$f'(x)=0$에서 $x=-3$ 또는 $x=1$
삼차방정식 $f(x)=0$이 서로 다른 세 실근을 가지려면
$f(-3)f(1)<0$이어야 하므로
$(25-k)(-7-k)<0$, $(k-25)(k+7)<0$
$\therefore$ $-7<k<25$
따라서 정수 k의 개수는 31개이다. 답 ①

기출유형 03

Act① $f(x)=k$로 변형한 후 $y=f(x)$의 그래프와 직선 $y=k$의
교점의 부호를 생각하여 k의 범위를 정한다.
$-2x^3+3x^2+12x=k$에서 $f(x)=-2x^3+3x^2+12x$라 하면
$f'(x)=-6x^2+6x+12=-6(x+1)(x-2)$
$f'(x)=0$에서 $x=-1$ 또는 $x=2$

x	$\cdots$	-1	$\cdots$	2	$\cdots$
$f'(x)$	$-$	0	$+$	0	$-$
$f(x)$	$\searrow$	-7	$\nearrow$	20	$\searrow$

$y=f(x)$의 그래프와 직선 $y=k$의
교점이 $x>0$에서 한 개, $x<0$에서
두 개가 되어야 하므로 $-7<k<0$
따라서 정수 k는 -6, -5, -4,
$\cdots$, -1의 6개이다.

답 ①

09 **Act①** $f(x)=k$로 변형한 후 $y=f(x)$의 그래프와 직선 $y=k$의 교점의 부호를 생각하여 k의 범위를 정한다.

$-x^3+3x^2+9x=k$에서 $f(x)=-x^3+3x^2+9x$라 하면
$f'(x)=-3x^2+6x+9=-3(x+1)(x-3)$
$f'(x)=0$에서 $x=-1$ 또는 $x=3$

x	$\cdots$	-1	$\cdots$	3	$\cdots$
$f'(x)$	$-$	0	$+$	0	$-$
$f(x)$	$\searrow$	-5	$\nearrow$	27	$\searrow$

$y=f(x)$의 그래프와 직선 $y=k$의
교점이 $x>0$에서 두 개, $x<0$에서
한 개가 되어야 하므로 $0<k<27$
따라서 정수 k의 최댓값은 26이다.

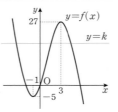

답 ⑤

10 **Act①** $f(x)=k$로 변형한 후 $y=f(x)$의 그래프와 직선 $y=k$의 교점의 부호를 생각하여 k의 범위를 정한다.

$x^3-3x+1=k$에서 $f(x)=x^3-3x+1$이라 하면
$f'(x)=3x^2-3=3(x+1)(x-1)$
$f'(x)=0$에서 $x=-1$ 또는 $x=1$

x	$\cdots$	-1	$\cdots$	1	$\cdots$
$f'(x)$	$+$	0	$-$	0	$+$
$f(x)$	$\nearrow$	3	$\searrow$	-1	$\nearrow$

$y=f(x)$의 그래프와 직선 $y=k$의
교점이 $x>0$에서 두 개, $x<0$에서
한 개가 되어야 하므로 $-1<k<1$
따라서 정수 k는 0의 1개이다.

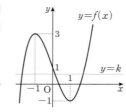

답 1

11 **Act①** 주어진 방정식을 $h(x)=a$로 변형한 후 $y=h(x)$의 그래프와 $y=a$의 교점의 부호를 생각하여 a의 범위를 정한다.

$f(x)=g(x)$에서
$3x^3-x^2-3x=x^3-4x^2+9x+a$
$2x^3+3x^2-12x=a$
$h(x)=2x^3+3x^2-12x$라 하면
$h'(x)=6x^2+6x-12=6(x+2)(x-1)$
$h'(x)=0$에서 $x=-2$ 또는 $x=1$

x	$\cdots$	-2	$\cdots$	1	$\cdots$
$h'(x)$	$+$	0	$-$	0	$+$
$h(x)$	$\nearrow$	20	$\searrow$	-7	$\nearrow$

$y=h(x)$의 그래프와 직선 $y=a$의
교점이 $x>0$에서 두 개, $x<0$에서
한 개가 되어야 하므로
$-7<a<0$
따라서 정수 a의 개수는 6개이다.

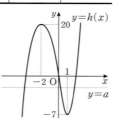

답 ①

12 **Act①** 주어진 방정식을 $h(x)=a$로 변형한 후 $y=h(x)$의 그래프와 $y=a$의 교점의 부호를 생각하여 a의 범위를 정한다.

$f(x)=g(x)$에서
$3x^4-12x^2+1=-4x^3-1+a$
$3x^4+4x^3-12x^2+2=a$
$h(x)=3x^4+4x^3-12x^2+2$라 하면
$h'(x)=12x^3+12x^2-24x=12x(x+2)(x-1)$
$h'(x)=0$에서 $x=-2$ 또는 $x=0$ 또는 $x=1$

x	$\cdots$	-2	$\cdots$	0	$\cdots$	1	$\cdots$
$h'(x)$	$-$	0	$+$	0	$-$	0	$+$
$h(x)$	$\searrow$	-30	$\nearrow$	2	$\searrow$	-3	$\nearrow$

$y=h(x)$의 그래프와 직선 $y=a$의
교점이 $x>0$에서 두 개, $x<0$에서
두 개가 되어야 하므로
$-3<a<2$
따라서 정수 a는 -2, -1, 0, 1로
4개이다.

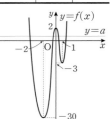

답 ①

기출유형 04

Act① 주어진 구간에서 $f(x)\geq0$이 성립하려면 그 구간에서 $(f(x)$의 최솟값$)\geq0$임을 이용한다.

$f(x)=x^3-27x+k$라 하면
$f'(x)=3x^2-27=3(x+3)(x-3)$
$f'(x)=0$에서 $x=-3$ 또는 $x=3$

x	-3	$\cdots$	3	$\cdots$
$f'(x)$		$-$	0	$+$
$f(x)$		$\searrow$	$-54+k$	$\nearrow$

$x\geq-3$에서 함수 $f(x)$의 최솟값은 $f(3)=-54+k$이고,
$f(x)\geq0$이려면 $f(3)\geq0$이어야 하므로
$-54+k\geq0$ $\therefore k\geq54$
따라서 실수 k의 최솟값은 54이다.

답 ④

13 **Act①** 주어진 구간에서 $f(x)>0$이 성립하려면 그 구간에서 $(f(x)$의 최솟값$)>0$임을 이용한다.

$f(x)=2x^3-3x^2+k$라 하면
$f'(x)=6x^2-6x=6x(x-1)$
$f'(x)=0$에서 $x=1$ $(\because x>0)$

x	0	$\cdots$	1	$\cdots$
$f'(x)$		$-$	0	$+$
$f(x)$		$\searrow$	$-1+k$	$\nearrow$

$x>0$에서 함수 $f(x)$의 최솟값은 $f(1)=-1+k$이고,
$f(x)>0$이려면 $f(1)>0$이어야 하므로
$-1+k>0$ $\therefore k>1$
따라서 정수 k의 최솟값은 2이다.

답 ④

14 **Act①** 주어진 구간에서 $f(x)>0$이 성립하려면 그 구간에서 $(f(x)$의 최솟값$)>0$임을 이용한다.

$f(x)=x^3+x^2-x+k$라 하면
$f'(x)=3x^2+2x-1=(x+1)(3x-1)$
$2<x<4$에서 $f'(x)=0$인 x의 값이 없고 $f'(x)>0$이므로
함수 $f(x)$는 이 구간에서 증가한다.
따라서 $2<x<4$에서 $f(x)>0$이려면 $f(2)\geq0$이어야 하므로
$f(2)=10+k\geq0$
$\therefore k\geq-10$
따라서 실수 k의 최솟값은 -10이다. 답 ①

15 **Act①** 주어진 구간에서 $f(x)\geq0$이 성립하려면 그 구간에서 ($f(x)$의 **최솟값**)≥0임을 이용한다.

$2x^3+6x^2\geq18x+k$에서 $2x^3+6x^2-18x-k\geq0$
$f(x)=2x^3+6x^2-18x-k$라 하면
$f'(x)=6x^2+12x-18=6(x-1)(x+3)$
$f'(x)=0$에서 $x=1$ $(\because x>0)$

x	0	$\cdots$	1	$\cdots$
$f'(x)$		$-$	0	$+$
$f(x)$		$\searrow$	$-10-k$	$\nearrow$

$x>0$에서 함수 $f(x)$의 최솟값은 $f(1)=-10-k$이고,
$f(x)\geq0$이려면 $f(1)\geq0$이어야 하므로
$-10-k\geq0$ $\therefore k\leq-10$
따라서 실수 k의 최댓값은 -10이다. 답 ①

16 **Act①** 주어진 구간에서 $f(x)<0$이 성립하려면 그 구간에서 ($f(x)$의 **최댓값**)<0임을 이용한다.

$4x^3+x^2+1<4x^2-k$에서 $4x^3-3x^2+1+k<0$
$f(x)=4x^3-3x^2+1+k$라 하면
$f'(x)=12x^2-6x=6x(2x-1)$
$f'(x)=0$에서 $x=0$ 또는 $x=\dfrac{1}{2}$

x	-1	$\cdots$	0	$\cdots$	$\dfrac{1}{2}$	$\cdots$	1
$f'(x)$		$+$	0	$-$	0	$+$	
$f(x)$	$-6+k$	$\nearrow$	$1+k$	$\searrow$	$\dfrac{3}{4}+k$	$\nearrow$	$2+k$

$-1\leq x\leq1$에서 함수 $f(x)$의 최댓값은 $f(1)=2+k$이고,
$f(x)<0$이려면 $f(1)<0$이어야 하므로
$2+k<0$ $\therefore k<-2$
따라서 정수 k의 최댓값은 -3이다. 답 ③

기출유형 05

Act① 모든 실수 x에 대하여 $f(x)>0$이 성립하려면 ($f(x)$의 **최솟값**)>0임을 이용한다.

$f(x)=x^4-4x+k$라 하면
$f'(x)=4x^3-4=4(x-1)(x^2+x+1)$
$f'(x)=0$에서 $x=1$

x	$\cdots$	1	$\cdots$
$f'(x)$	$-$	0	$+$
$f(x)$	$\searrow$	$-3+k$	$\nearrow$

함수 $f(x)$의 최솟값은 $f(1)=-3+k$이고,
모든 실수 x에 대하여 $f(x)>0$이려면 $f(1)>0$이어야 하므로
$-3+k>0$ $\therefore k>3$
따라서 정수 k의 최솟값은 4이다. 답 ④

17 **Act①** 모든 실수 x에 대하여 $f(x)\leq0$이 성립하려면 ($f(x)$의 **최댓값**)≤0임을 이용한다.

$f(x)=-x^4+2x^2+k$라 하면
$f'(x)=-4x^3+4x=-4x(x-1)(x+1)$
$f'(x)=0$에서 $x=-1$ 또는 $x=0$ 또는 $x=1$

x	$\cdots$	-1	$\cdots$	0	$\cdots$	1	$\cdots$
$f'(x)$	$+$	0	$-$	0	$+$	0	$-$
$f(x)$	$\nearrow$	$1+k$	$\searrow$	k	$\nearrow$	$1+k$	$\searrow$

함수 $f(x)$의 최댓값은 $f(-1)$또는 $f(1)$이고,
모든 실수 x에 대하여 $f(x)\leq0$이려면 $f(-1)=f(1)\leq0$이어야 하므로
$1+k\leq0$ $\therefore k\leq-1$
따라서 정수 k의 최댓값은 -1이다. 답 ⑤

18 **Act①** 모든 실수 x에 대하여 $f(x)\geq0$이 성립하려면 ($f(x)$의 **최솟값**)≥0임을 이용한다.

$f(x)=3x^4-4x^3+k$라 하면
$f'(x)=12x^3-12x^2=12x^2(x-1)$
$f'(x)=0$에서 $x=0$ 또는 $x=1$

x	$\cdots$	0	$\cdots$	1	$\cdots$
$f'(x)$	$-$	0	$-$	0	$+$
$f(x)$	$\searrow$	k	$\searrow$	$-1+k$	$\nearrow$

함수 $f(x)$의 최솟값은 $f(1)=-1+k$이고,
모든 실수 x에 대하여 $f(x)\geq0$이려면 $f(1)\geq0$이어야 하므로
$-1+k\geq0$ $\therefore k\geq1$
따라서 실수 k의 최솟값은 1이다. 답 1

19 **Act①** 모든 실수 x에 대하여 $f(x)>0$이 성립하려면 ($f(x)$의 **최솟값**)>0임을 이용한다.

$f(x)=x^4-6x^2-8x+k$라 하면
$f'(x)=4x^3-12x-8=4(x+1)^2(x-2)$
$f'(x)=0$에서 $x=-1$ 또는 $x=2$

x	$\cdots$	-1	$\cdots$	2	$\cdots$
$f'(x)$	$-$	0	$-$	0	$+$
$f(x)$	$\searrow$	$3+k$	$\searrow$	$-24+k$	$\nearrow$

함수 $f(x)$의 최솟값은 $f(2)=-24+k$이고,
모든 실수 x에 대하여 $f(x)>0$이려면 $f(2)>0$이어야 하므로
$-24+k>0$ $\therefore k>24$
따라서 정수 k의 최솟값은 25이다. 답 ③

20 **Act①** $h(x)=f(x)-g(x)>0$에서 ($h(x)$의 **최솟값**)>0임을

이용한다.

$h(x)=f(x)-g(x)$라 하면 $h(x)=x^4-4x+4a-a^2$
$h'(x)=4x^3-4=4(x-1)(x^2+x+1)$

x	$\cdots$	1	$\cdots$
$h'(x)$	$-$	0	$+$
$h(x)$	$\searrow$	$-3+4a-a^2$	$\nearrow$

모든 실수 x에 대하여 $f(x)>g(x)$, 즉 $h(x)>0$이려면
$h(1)>0$이어야 하므로
$-3+4a-a^2>0$, $(a-1)(a-3)<0$ $\therefore 1<a<3$
따라서 정수 a의 개수는 1이다. 답 1

기출유형 06

Act① 위치를 미분하면 속도, 속도를 미분하면 가속도임을 이용한다.

시각 t에서의 점 P의 속도를 v, 가속도를 a라 하면
$v=\dfrac{dx}{dt}=3t^2-12t$, $a=\dfrac{dv}{dt}=6t-12$
가속도가 0이 되는 시각은 $6t-2=0$ $\therefore t=2$
따라서 $t=2$에서의 점 P의 속도는
$v=3\times 2^2-12\times 2=-12$ 답 ①

21 **Act①** 위치를 미분하면 속도임을 이용한다.

시각 t에서의 점 P의 속도를 v라 하면
$v=\mathrm{P}'(t)=3t^2-18t+34$
$3t^2-18t+34=10$에서 $3t^2-18t+24=0$
$3(t-2)(t-4)=0$ $\therefore t=2$ 또는 $t=4$
따라서 $t=2$에서의 점 P의 위치는
$\mathrm{P}(2)=2^3-9\times 2^2+34\times 2=40$ 답 ②

22 **Act①** 위치를 미분하면 속도, 속도를 미분하면 가속도임을 이용한다.

시각 t에서의 점 P의 속도를 v, 가속도를 a라 하면
$v=\dfrac{dx}{dt}=-t^2+6t$, $a=\dfrac{dv}{dt}=-2t+6$
가속도가 0인 시각은 $-2t+6=0$에서 $t=3$이고 이때 점 P의 위치가 40이므로
$-\dfrac{1}{3}\times 3^3+3\times 3^2+k=40$, $-9+27+k=40$ $\therefore k=22$
답 22

23 **Act①** 수직선 위를 움직이는 점 P가 운동 방향을 바꾸는 순간의 속도는 0임을 이용한다.

시각 t에서 점 P의 속도를 v라 하면
$v=\dfrac{dx}{dt}=3t^2-8t-3$
운동 방향을 바꾸는 순간의 속도는 0이므로
$3t^2-8t-3=0$
$(3t+1)(t-3)=0$
$\therefore t=3$ ($\because t>0$) 답 ③

24 **Act①** 두 점 P, Q가 시각 t에서 서로 반대 방향으로 움직이면

$f'(t)g'(t)<0$임을 이용한다.

시각 t에서의 두 점 P, Q의 속도는
$f'(t)=4t-2$, $g'(t)=2t-8$
두 점 P, Q가 서로 반대 방향으로 움직이면 $f'(t)g'(t)<0$이므로
$(4t-2)(2t-8)<0$
$\therefore \dfrac{1}{2}<t<4$ 답 ①

기출유형 07

Act① 수직선 위를 움직이는 점 P의 시각 t에서의 속도 $v(t)$의 그래프가 주어질 때, 가속도는 접선의 기울기 $v'(t)$임을 이용하여 구간별로 그래프의 모양을 추론한다.

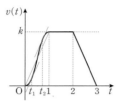

(i) $0<t<1$일 때
$y=v(t)$의 그래프가 직선 $y=kt$와 한 점에서 만나므로 기울기가 k인 접선은 2개 존재한다. 각 접점의 t좌표를 t_1, t_2라 하면
$0<t<t_1$일 때 $v'(t)<k$,
$t_1<t<t_2$일 때 $v'(t)>k$,
$t_2<t<1$일 때 $v'(t)<k$이다.
(ii) $1\le t<2$일 때
$v(t)=k$이므로 $a(t)=v'(t)=0$
(iii) $2<t<3$일 때
$v(t)=-k(t-3)$이므로 $a(t)=v'(t)=-k$
(i), (ii), (iii)에서 $y=a(t)$의 그래프의 개형으로 가장 알맞은 것은 ②이다. 답 ②

25 **Act①** 수직선 위를 움직이는 점 P의 시각 t에서의 속도 $v(t)$의 그래프가 주어질 때, 가속도는 접선의 기울기 $v'(t)$이고 속도의 부호가 반대이면 운동 방향도 반대임을 이용하여 참, 거짓을 판단한다.

① $t=g$일 때 $v'(g)>0$이므로 가속도는 양의 값이다. (참)
② $t=d$, $t=h$의 좌우에서 $v(t)$의 부호가 바뀌므로 점 P는 $0<t<i$에서 운동 방향을 2번 바꾼다. (참)
③ (a, b)에서 속도가 증가하다가 (b, f)에서 속도가 감소했다가 (f, i)에서 다시 속도가 증가한다. (참)
④ $0<t<d$에서 점 P는 한쪽 방향으로 계속 이동하였으므로 $t=d$일 때 원점으로부터 가장 멀리 떨어진다. (참)
⑤ $v(a)>0$, $v(g)<0$이므로 $t=a$일 때와 $t=g$일 때, 점 P의 운동 방향은 서로 반대이다. (거짓) 답 ⑤

26 **Act①** 수직선 위를 움직이는 점 P의 시각 t에서의 위치 $x(t)$의 그래프가 주어질 때, 속도는 접선의 기울기 $x'(t)$임을 이용하여 참, 거짓을 판단한다.

점 P의 시각 t에서의 속도를 $v(t)$라 하자.

ㄱ. $t=b$일 때 $v(b)=x'(b)<0$이므로 점 P의 속도는 음의 값이다. (거짓)

ㄴ. $t=a$일 때 $v(a)=x'(a)=0$이고, 그 좌우에서 $v(t)$의 부호가 바뀌므로 점 P는 $t=a$일 때 운동 방향을 바꾼다. (참)

ㄷ. $t=c$일 때 $v(c)=x'(c)=0$이고 $b<t<c$에서 $v(t)=x'(t)<0$이다.
따라서 $b<t<d$에서 점 P의 속도는 $t=c$일 때 최소가 아니다. (거짓)

따라서 옳은 것은 ㄴ뿐이다. **답 ②**

VIT Very Important Test
pp. 75~77

01. ③	02. ⑤	03. ①	04. ④	05. ⑤
06. ①	07. 8	08. ⑤	09. 5	10. 1
11. 49	12. ①	13. ④	14. ④	15. ②
16. 0	17. ⑤	18. ②		

01

주어진 방정식 $x^4=4x^3+8x^2+k$를 변형하면
$x^4-4x^3-8x^2=k$
$f(x)=x^4-4x^3-8x^2$이라 하면
$f'(x)=4x^3-12x^2-16x$
$\qquad=4x(x+1)(x-4)$
$f'(x)=0$에서
$x=-1$ 또는 $x=0$ 또는 $x=4$
따라서 함수 $f(x)$의 증가와 감소를 표로 나타내면 다음과 같다.

x	$\cdots$	-1	$\cdots$	0	$\cdots$	4	$\cdots$
$f'(x)$	$-$	0	$+$	0	$-$	0	$+$
$f(x)$	$\searrow$	-3	$\nearrow$	0	$\searrow$	-128	$\nearrow$

오른쪽 그림에서 방정식 $f(x)=k$가 서로 다른 네 실근을 가질 때 정수 k는 -2, -1이므로 모든 정수 k의 값의 합은 -3이다. **답 ③**

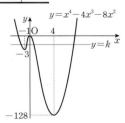

02

방정식 $x^4+4x+a=0$의 실근의 개수는 곡선 $y=x^4+4x$와 직선 $y=-a$의 교점의 개수와 같다.
$f(x)=x^4+4x$라 하면
$f'(x)=4x^3+4=4(x+1)(x^2-x+1)$
$f'(x)=0$에서 $x=-1$
함수 $f(x)$의 증가와 감소를 표로 나타내면 다음과 같다.

x	$\cdots$	-1	$\cdots$
$f'(x)$	$-$	0	$+$
$f(x)$	$\searrow$	-3	$\nearrow$

따라서 주어진 방정식이 근을 갖지 않게 하기 위한 실수 a의 값의 범위는
$-a<-3$ $\therefore a>3$ **답 ⑤**

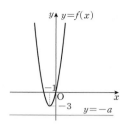

03

$x^3-7=12x+a$에서 $x^3-12x-7=a$
$f(x)=x^3-12x-7$이라 하면
$f'(x)=3x^2-12=3(x^2-4)=3(x+2)(x-2)$
$f'(x)=0$에서 $x=-2$ 또는 $x=2$
함수 $f(x)$의 증가와 감소를 표로 나타내면 다음과 같다.

x	$\cdots$	-2	$\cdots$	2	$\cdots$
$f'(x)$	$+$	0	$-$	0	$+$
$f(x)$	$\nearrow$	9	$\searrow$	-23	$\nearrow$

방정식 $f(x)=a$가 서로 다른 두 개의 음의 근과 한 개의 양의 근을 가지려면 $-7<a<9$이어야 하므로 정수 a는 -6, -5, -4, $\cdots$, 8이고 그 합은
$7+8=15$ **답 ①**

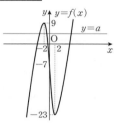

04

$y=f'(x)$의 그래프에서 함수 $f(x)$는 $x=0$에서 극대, $x=2$에서 극소이고 $f(2)=-f(0)$이므로 함수 $y=f(x)$의 그래프의 개형은 다음 그림과 같다.

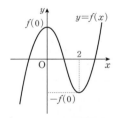

따라서 함수 $y=|f(x)|$의 그래프의 개형은 다음 그림과 같다.

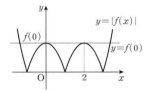

위 그림에서 함수 $y=|f(x)|$의 그래프와 직선 $y=f(0)$의 교점의 개수는 4이므로 방정식 $|f(x)|=f(0)$의 서로 다른 실근의 개수는 4이다. **답 ④**

05

$x^3-3x-a=0$에서 $x^3-3x=a$
$f(x)=x^3-3x$라 하면
$f'(x)=3x^2-3=3(x+1)(x-1)$
$f'(x)=0$에서 $x=-1$ 또는 $x=1$

x	$\cdots$	-1	$\cdots$	1	$\cdots$
$f'(x)$	$+$	0	$-$	0	$+$
$f(x)$	$\nearrow$	2	$\searrow$	-2	$\nearrow$

따라서 주어진 방정식이 하나의 양의 근과 서로 다른 두 개의 음의 근을 가지려면 두 함수 $y=f(x)$와 $y=a$의 그래프가 y축의 오른쪽에서 한 점, y축의 왼쪽에서 두 점과 만나야 한다.

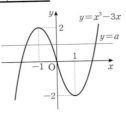

$\therefore 0<a<2$ 　　　　　　　　답 ⑤

06

$f(x)=2x^3-15x^2+24x$라 하면
$$f'(x)=6x^2-30x+24$$
$$=6(x-1)(x-4)$$
$f'(x)=0$에서 $x=1$ 또는 $x=4$

따라서 $x\geq0$에서 함수 $f(x)$의 증가와 감소를 표로 나타내면 다음과 같다.

x	0	$\cdots$	1	$\cdots$	4	$\cdots$
$f'(x)$		$+$	0	$-$	0	$+$
$f(x)$	0	$\nearrow$	11	$\searrow$	-16	$\nearrow$

위 표에서 $x\geq0$일 때 함수 $f(x)$의 최솟값이 -16이므로
$$a<-16$$
따라서 정수 a의 최댓값은 -17이다. 　　　　답 ①

07

$f(x)=x^3-2x^2-4x+a$라 하면
$$f'(x)=3x^2-4x-4=(3x+2)(x-2)$$
$f'(x)=0$에서 $x=-\dfrac{2}{3}$ 또는 $x=2$

반닫힌 구간 $[0,\infty)$에서 함수 $f(x)$의 증가와 감소를 표로 나타내면 다음과 같다.

x	0	$\cdots$	2	$\cdots$
$f'(x)$		$-$	0	$+$
$f(x)$	a	$\searrow$	$a-8$	$\nearrow$

따라서 $x\geq0$일 때, 함수 $y=f(x)$의 최솟값이 $a-8$이므로 구하는 a의 값의 범위는
$$a-8\geq0 \quad \therefore a\geq8$$
따라서 실수 a의 최솟값은 8이다. 　　　　　답 8

08

$h(x)=f(x)-g(x)$라 하면
$$h(x)=4x^3-3x^2-(6x-a)=4x^3-3x^2-6x+a$$
$$h'(x)=12x^2-6x-6=6(2x+1)(x-1)$$
$h'(x)=0$에서 $x=-\dfrac{1}{2}$ 또는 $x=1$

함수 $h(x)$의 증가와 감소를 표로 나타내면 다음과 같다.

x	-1	$\cdots$	$-\dfrac{1}{2}$	$\cdots$	1	$\cdots$	2
$h'(x)$		$+$	0	$-$	0	$+$	
$h(x)$	$a-1$	$\nearrow$	$a+\dfrac{7}{4}$	$\searrow$	$a-5$	$\nearrow$	$a+8$

닫힌구간 $[-1,2]$에서 함수 $h(x)$는 $x=1$일 때 극소이면서 최솟값을 가지므로 주어진 부등식을 만족시키려면
$$h(1)=a-5\geq0, \text{ 즉 } a\geq5$$
따라서 실수 a의 최솟값은 5이다. 　　　　　답 ⑤

09

$f(x)=x^3-3x^2+k$라 하면
$$f'(x)=3x^2-6x=3x(x-2)$$
$f'(x)=0$에서 $x=0$ 또는 $x=2$

열린구간 $(1,\infty)$에서 함수 $f(x)$의 증가와 감소를 표로 나타내면 다음과 같다.

x	(1)	$\cdots$	2	$\cdots$
$f'(x)$		$-$	0	$+$
$f(x)$	$k-2$	$\searrow$	$k-4$	$\nearrow$

따라서 $x>1$일 때 곡선 $y=x^3-3x^2+k$가 x축과 만나지 않으려면 $f(x)>0$이어야 하므로
$$k-4>0 \quad \therefore k>4$$
따라서 정수 k의 최솟값은 5이다. 　　　　　답 5

10

$f(x)=x^4-2x^2+a$라 하면
$$f'(x)=4x^3-4x=4x(x-1)(x+1)$$
$f'(x)=0$에서
$x=-1$ 또는 $x=0$ 또는 $x=1$

x	$\cdots$	-1	$\cdots$	0	$\cdots$	1	$\cdots$
$f'(x)$	$-$	0	$+$	0	$-$	0	$+$
$f(x)$	$\searrow$	극소	$\nearrow$	극대	$\searrow$	극소	$\nearrow$

$x=-1$, $x=1$일 때, 극소이며 극솟값은
$$f(-1)=f(1)=-1+a$$
이때 주어진 부등식이 성립하도록 하려면
$$-1+a\geq0 \quad \therefore a\geq1$$
따라서 실수 a의 최솟값은 1이다. 　　　　　답 1

11

$f(x)=x^4-32x+a$라 하면
$$f'(x)=4x^3-32=4(x-2)(x^2+2x+4)$$
$f'(x)=0$에서 $x=2$

함수 $f(x)$의 증가와 감소를 표로 나타내면 다음과 같다.

x	$\cdots$	2	$\cdots$
$f'(x)$	$-$	0	$+$
$f(x)$	$\searrow$	$a-48$	$\nearrow$

따라서 함수 $y=f(x)$의 최솟값이 $a-48$이므로 부등식 $x^4-32x+a>0$이 항상 성립하려면
$$a-48>0 \quad \therefore a>48$$

따라서 정수 a의 최솟값은 49이다.　　　　　　**답 49**

12

t초 후의 높이가 $h=30t-5t^2$이므로 시각 t에서의 속도 $v(t)$는

$$v(t)=\frac{dh}{dt}=30-10t$$

따라서 $t=4$에서의 속도는

$$30-10\times4=-10$$　　　　　　**답 ①**

13

점 P의 시각 t에서의 속도를 v라 하면

$$v=\frac{dx}{dt}=3t^2-12$$

운동 방향이 바뀌는 시각에서의 속도는 0이므로

$$3t^2-12=0,\ 3(t^2-4)=0$$
$$3(t+2)(t-2)=0$$
$$\therefore\ t=2\ (\because\ t>0)$$

점 P의 운동 방향이 원점에서 바뀌므로 $t=2$에서의 위치 $x=0$이다.

$$2^3-12\times2+k=0\ \ \therefore\ k=16$$　　　　**답 ④**

14

$x=t^3-9t^2+15t$에서 점 P의 속도를 v라 하면

$$v=\frac{dx}{dt}=3t^2-18t+15$$

점 P의 운동 방향이 바뀌는 순간은 속도가 0일 때이므로

$$3t^2-18t+15=0,\ 3(t-1)(t-5)=0$$
$$\therefore\ t=1\ 또는\ t=5$$

따라서 $a=1$, $b=5$이므로

$$b-a=5-1=4$$　　　　　　**답 ④**

15

점 P의 시각 t에서의 속도를 v라 하면

$$v=\frac{dx}{dt}=9-t^2$$

운동 방향이 바뀌는 순간의 속도는 0이므로 $9-t^2=0$에서 $t=\pm3$
그런데 $t>0$이므로 $t=3$

따라서 $t=3$일 때, $x=27-9=18$　　　　**답 ②**

16

점 P의 시각 t에서의 속도를 v, 가속도를 a라 하면

$$v=\frac{dx}{dt}=-t^2+6t-4=-(t-3)^2+5$$

$$a=\frac{dv}{dt}=-2t+6$$

따라서 $t=3$일 때 점 P의 속도가 최대이므로 이때의 가속도는

$$-2\times3+6=0$$　　　　　　**답 0**

17

점 P의 시각 t에서의 속도를 v, 가속도를 a라 하면

$$v=\frac{dx}{dt}=3t^2-14t+12,\ a=\frac{dv}{dt}=6t-14$$

점 P가 원점을 지날 때는 $x=0$일 때이므로 $t^3-7t^2+12t=0$에서

$$t(t^2-7t+12)=t(t-3)(t-4)=0$$
$$\therefore\ t=0\ 또는\ t=3\ 또는\ t=4$$

따라서 점 P가 출발한 후 마지막으로 원점을 통과할 때는 $t=4$
일 때이므로 구하는 가속도는

$$a=6\times4-14=10$$　　　　　　**답 ⑤**

18

시각 t에서의 두 점 P, Q의 속도를 각각
v_P, v_Q라 하면
$$v_P=2t-5,\ v_Q=4t-15$$
이때 두 점 P, Q가 서로 반대 방향으로 움직이려면 $v_P\times v_Q<0$
이어야 하므로
$$(2t-5)(4t-15)<0$$
$$\therefore\ \frac{5}{2}<t<\frac{15}{4}$$

따라서 $a=\dfrac{5}{2}$, $\beta=\dfrac{15}{4}$이므로

$$\beta-a=\frac{15}{4}-\frac{5}{2}=\frac{5}{4}$$　　　　　　**답 ②**

III 적분

08 부정적분

pp. 78~79

01. ①	**02.** ④	**03.** 7	**04.** 6	**05.** 27
06. ⑤	**07.** 7	**08.** ③	**09.** 3	

01 주어진 등식의 양변을 x에 대하여 미분하면
$$f(x)=(x^2-4x+C)'=2x-4$$
$$\therefore a+b=2+(-4)=-2 \qquad \text{답 ①}$$

02 주어진 등식의 양변을 x에 대하여 미분하면
$$xf(x)=\frac{1}{2}x^2-\frac{3}{2}x$$
$$\therefore f(x)=\frac{1}{2}x-\frac{3}{2} \qquad \text{답 ④}$$

03 $F(x)=2x^2+3x-4$라 하면
$$f(x)=F'(x)=(2x^2+3x-4)'=4x+3$$
$$\therefore f(1)=4+3=7 \qquad \text{답 7}$$

04 주어진 등식의 양변을 x에 대하여 미분하면
$$6x^2+mx+3=3nx^2-4x+3$$
위 식의 양변의 계수를 비교하면 $6=3n$, $m=-4$
따라서 $m=-4$, $n=2$이므로 $n-m=2-(-4)=6$ 답 5

05 $f(x)=\dfrac{d}{dx}\displaystyle\int \{2f(x)-x^3\}dx=2f(x)-x^3$이므로 $f(x)=x^3$
$$\therefore f(3)=3^3=27 \qquad \text{답 27}$$

06 $f(x)=\displaystyle\int 3x^2 dx=x^3+C$ (단, C는 적분상수)
이때 $f(0)=1$이므로 $C=1$
따라서 $f(x)=x^3+1$이므로 $f(3)=28$ 답 ⑤

07 $f(x)=\displaystyle\int x^3 dx=\frac{1}{4}x^4+C$
이때 $f(0)=3$이므로 $C=3$
따라서 $f(x)=\dfrac{1}{4}x^4+3$이므로
$f(2)=4+3=7$ 답 7

08 $f(x)=\displaystyle\int (1+2x+3x^2+4x^3)dx$
$$=x+x^2+x^3+x^4+C$$
이때 $f(0)=1$이므로 $C=1$

따라서 $f(x)=x+x^2+x^3+x^4+1$이므로
$f(-1)=(-1+1-1+1)+1=1$ 답 ③

09 $f(x)=\displaystyle\int (x+1)^2 dx+\int (x-1)^2 dx$
$$=\int (2x^2+2)dx$$
$$=\frac{2}{3}x^3+2x+C \text{ (단, } C\text{는 적분상수)}$$
이때 $f(0)=\dfrac{1}{3}$이므로 $C=\dfrac{1}{3}$
따라서 $f(x)=\dfrac{2}{3}x^3+2x+\dfrac{1}{3}$이므로
$$f(1)=\frac{2}{3}+2+\frac{1}{3}=3 \qquad \text{답 3}$$

유형따라잡기
pp. 80~83

기출유형 **01** ⑤	**01.** ⑤	**02.** ④	**03.** ④	**04.** 5
기출유형 **02** ②	**05.** ⑤	**06.** ④	**07.** 12	**08.** 7
기출유형 **03** ③	**09.** ②	**10.** ④	**11.** ④	**12.** ⑤
기출유형 **04** ②	**13.** ①	**14.** 22	**15.** 4	**16.** ④

기출유형 01

Act❶ 부정적분의 합, 차의 성질, $\displaystyle\int x^n dx=\dfrac{1}{n+1}x^{n+1}+C$를 이용하여 부정적분하고 $f(0)=5$에서 적분상수 C의 값을 구한다.
$$f(x)=\int (4x^3-2x^2+3x)dx+\int (2x^2-x)dx$$
$$=\int (4x^3+2x)dx$$
$$=x^4+x^2+C \text{ (단, } C\text{는 적분상수)}$$
이때 $f(0)=5$이므로 $C=5$
따라서 $f(x)=x^4+x^2+5$이므로
$f(1)=7$ 답 ⑤

01 **Act❶** 부정적분의 합, 차의 성질, $\displaystyle\int x^n dx=\dfrac{1}{n+1}x^{n+1}+C$를 이용하여 부정적분하고 $f(0)=7$에서 적분상수 C의 값을 구한다.
$$f(x)=\int (3x^2-6x)dx$$
$$=x^3-3x^2+C \text{ (단, } C\text{는 적분상수)}$$
이때 $f(0)=7$이므로 $C=7$
따라서 $f(x)=x^3-3x^2+7$이므로
$f(1)=1-3+7=5$ 답 ⑤

02 **Act❶** 부정적분의 합, 차의 성질, $\displaystyle\int x^n dx=\dfrac{1}{n+1}x^{n+1}+C$를 이용하여 부정적분하고 $f(0)=3$에서 적분상수 C의 값을 구한다.
$$f(x)=\int (6x^2-2x)dx$$
$$=2x^3-x+C \text{ (단, } C\text{는 적분상수)}$$
이때 $f(0)=3$이므로 $C=3$
따라서 $f(x)=2x^3-x+3$이므로
$f(1)=2-1+3=4$ 답 ④

03 `Act①` 부정적분의 합, 차의 성질, $\int x^n dx = \dfrac{1}{n+1}x^{n+1}+C$를 이용하여 부정적분하고 $f(0)=1$에서 적분상수 C의 값을 구한다.

$$f(x)=\int\left(\frac{1}{2}x^3+2x+1\right)dx-\int\left(\frac{1}{2}x^3+x\right)dx$$
$$=\int(x+1)dx$$
$$=\frac{1}{2}x^2+x+C \text{ (단, } C\text{는 적분상수)}$$

이때 $f(0)=1$이므로 $C=1$

따라서 $f(x)=\dfrac{1}{2}x^2+x+1$이므로

$$f(4)=\frac{1}{2}\times16+4+1=13 \hspace{2cm} \text{답 ④}$$

04 `Act①` 적분 기호 안을 간단히 한 후 $\int x^n dx = \dfrac{1}{n+1}x^{n+1}+C$를 이용하여 부정적분하고 $f(0)=\dfrac{3}{5}$에서 적분상수 C의 값을 구한다.

$$f(x)=\int(x-1)(x+1)(x^2+1)dx$$
$$=\int(x^4-1)dx$$
$$=\frac{1}{5}x^5-x+C \text{ (단, } C\text{는 적분상수)}$$

이때 $f(0)=\dfrac{3}{5}$이므로 $C=\dfrac{3}{5}$

따라서 $f(x)=\dfrac{1}{5}x^5-x+\dfrac{3}{5}$이므로

$$f(2)=\frac{32}{5}-2+\frac{3}{5}=5 \hspace{2cm} \text{답 5}$$

기출유형 02

`Act①` $f(x)=\int f'(x)dx$를 이용하여 부정적분하고 $f(0)=2$에서 적분상수 C의 값을 구한다.

$$f(x)=\int(-x+1)dx$$
$$=-\frac{1}{2}x^2+x+C \text{ (단, } C\text{는 적분상수)}$$

이때 $f(0)=2$이므로 $C=2$

따라서 $f(x)=-\dfrac{1}{2}x^2+x+2$이므로

$$f(2)=-2+2+2=2 \hspace{2cm} \text{답 ②}$$

05 `Act①` $f(x)=\int f'(x)dx$를 이용하여 부정적분하고 $f(1)=0$에서 적분상수 C의 값을 구한다.

$$f(x)=\int(3x^2-2x+7)dx$$
$$=x^3-x^2+7x+C \text{ (단, } C\text{는 적분상수)}$$

이때 $f(1)=0$이므로

$$1-1+7+C=0 \quad \therefore C=-7$$

따라서 $f(x)=x^3-x^2+7x-7$이므로

$$f(2)=8-4+14-7=11 \hspace{2cm} \text{답 ⑤}$$

06 `Act①` $f(x)=\int f'(x)dx$를 이용하여 부정적분하고 $f(0)=1$에서 적분상수 C의 값을 구한다.

$$f(x)=\int(2x+5)dx$$
$$=x^2+5x+C \text{ (단, } C\text{는 적분상수)}$$

이때 $f(0)=1$이므로 $C=1$

따라서 $f(x)=x^2+5x+1$이므로

$$f(2)=4+10+1=15 \hspace{2cm} \text{답 ④}$$

07 `Act①` $f(x)=\int f'(x)dx$를 이용하여 부정적분하고 $f(0)=6$에서 적분상수 C의 값을 구한다.

$$f(x)=\int(6x^2+4)dx=2x^3+4x+C$$

점 $(0,\ 6)$은 $y=f(x)$의 그래프 위의 점이므로

$f(0)=6$에서 $C=6$

따라서 $f(x)=2x^3+4x+6$이므로

$$f(1)=2+4+6=12 \hspace{2cm} \text{답 12}$$

08 `Act①` 접선의 기울기 $f'(x)=4x-1$을 부정적분하고 $f(0)=1$에서 적분상수 C의 값을 구한다.

$f'(x)=4x-1$이므로

$$f(x)=\int(4x-1)dx=2x^2-x+C \text{ (단, } C\text{는 적분상수)}$$

이때 $f(0)=1$이므로 $C=1$

따라서 $f(x)=2x^2-x+1$이므로

$$f(2)=8-2+1=7 \hspace{2cm} \text{답 7}$$

기출유형 03

`Act①` 주어진 식의 양변을 x에 대하여 미분하여 $f'(x)$를 구한 다음 $f'(x)$를 적분하여 $f(x)$를 구한다.

주어진 식의 양변을 x에 대하여 미분하면

$$f(x)=f(x)+xf'(x)-6x^2-4x$$
$$xf'(x)=6x^2+4x$$
$$\therefore f'(x)=6x+4$$
$$f(x)=\int(6x+4)dx=3x^2+4x+C \text{ (단, } C\text{는 적분상수)}$$

이때 $f(0)=0$이므로 $C=0$

따라서 $f(x)=3x^2+4x$이므로

$$f(1)=3+4=7 \hspace{2cm} \text{답 ③}$$

09 `Act①` 주어진 식의 양변을 x에 대하여 미분하여 $F'(x)=f(x)$, $\dfrac{d}{dx}\int xf(x)dx=xf(x)$임을 이용하여 $f(x)$를 구한다.

주어진 식의 양변을 x에 대하여 미분하면

$$f(x)+xf(x)=3x^2+2x-1$$
$$(1+x)f(x)=(3x-1)(x+1)$$

따라서 $f(x)=3x-1$이므로

$$f(1)=3-1=2 \hspace{2cm} \text{답 ②}$$

10 `Act①` 주어진 식의 양변을 x에 대하여 미분하여 $f'(x)$를 구한

다음 $f'(x)$를 적분하여 $f(x)$를 구한다.

주어진 식의 양변을 x에 대하여 미분하면

$f(x)+(x-1)f'(x)-f(x)=12x^2-12x$

$(x-1)f'(x)=12x(x-1)$

$\therefore f'(x)=12x$

$f(x)=\displaystyle\int 12xdx=6x^2+C$ (단, C는 적분상수)

이때 $f(1)=1$이므로 $C=-5$

따라서 $f(x)=6x^2-5$이므로

$f(2)=24-5=19$　　　　　　　　답 ④

11 **Act ①** 주어진 식의 양변을 x에 대하여 미분한 후 $f(x)$의 차수를 추정한다.

주어진 식의 양변을 x에 대하여 미분하면

$f'(x)+xf(x)=3x^2+2x+3$ ……㉠

이때 ㉠에서 우변은 이차함수이므로 좌변의 $xf(x)$는 이차함수이어야 한다.

즉 함수 $f(x)$는 최고차항의 계수가 3인 일차함수이므로

$f(x)=3x+a$라 하면 $f'(x)=3$

$f(x)$, $f'(x)$를 ㉠에 대입하면

$3+x(3x+a)=3x^2+2x+3$

$3x^2+ax+3=3x^2+2x+3$

따라서 $a=2$, $f(x)=3x+2$이므로

$f(2)=6+2=8$　　　　　　　　답 ④

12 **Act ①** 첫 번째 식의 양변을 x에 대하여 미분하여 두 번째 식에 대입하여 $g(x)$의 차수를 추정한다.

첫 번째 식의 양변을 x에 대하여 미분하면

$f'(x)=xg(x)$

이것을 두 번째 식 $f'(x)-g'(x)=4x^3+2x$에 대입하면

$xg(x)-g'(x)=4x^3+2x$……㉠

이때 ㉠에서 우변은 삼차함수이므로 좌변의 $xg(x)$는 삼차함수이어야 한다.

즉 함수 $g(x)$는 최고차항의 계수가 4인 이차함수이므로

$g(x)=4x^2+ax+b$라 하면 $g'(x)=8x+a$

$g(x)$, $g'(x)$를 ㉠에 대입하면

$x(4x^2+ax+b)-(8x+a)=4x^3+2x$

$4x^3+ax^2+(b-8)x-a=4x^3+2x$

따라서 $a=0$, $b=10$, $g(x)=4x^2+10$이므로

$g(1)=4+10=14$　　　　　　　　답 ⑤

기출유형 04

Act ① 극소인 점을 찾아 $f'(x)$의 부정적분에서 적분상수를 구한다.

$f'(x)=6x^2-10x+4=2(3x-2)(x-1)$이므로

$f'(x)=0$에서 $x=\dfrac{2}{3}$ 또는 $x=1$

함수 $f(x)$는 $x=1$일 때 극솟값을 가지므로 $f(1)=3$

$f(x)=\displaystyle\int(6x^2-10x+4)dx=2x^3-5x^2+4x+C$

이때 $f(1)=2-5+4+C=3$에서 $C=2$

따라서 $f(x)=2x^3-5x^2+4x+2$이므로

$f(2)=16-20+8+2=6$　　　　　　　　답 ②

13 **Act ①** 극대인 점을 찾아 $f'(x)$의 부정적분에서 적분상수를 구한다.

$f(x)$의 최고차항이 $2x^3$이므로 $f'(x)$의 최고차항은 $6x^2$이다.

이때 $f'(-1)=f'(2)=0$이므로 $f'(x)=6(x+1)(x-2)$

$f(x)$는 $x=-1$일 때 극댓값을 가지므로 $f(-1)=12$

$f(x)=\displaystyle\int 6(x+1)(x-2)dx$

$=\displaystyle\int(6x^2-6x-12)dx$

$=2x^3-3x^2-12x+C$

$f(-1)=-2-3+12+C=12$에서 $C=5$

따라서 $f(x)=2x^3-3x^2-12x+5$이므로 $f(x)$의 극솟값은

$f(2)=16-12-24+5=-15$　　　　　　답 ①

14 **Act ①** 극소인 점을 찾아 $f'(x)$의 부정적분에서 적분상수를 구한다.

$f'(x)=3(x^2-4)=3(x+2)(x-2)$이므로

$f'(x)=0$에서 $x=-2$ 또는 $x=2$

함수 $f(x)$는 $x=-2$에서 극댓값, $x=2$에서 극솟값을 갖는다.

$f(x)=\displaystyle\int(3x^2-12)dx=x^3-12x+C$

이때 $f(2)=8-24+C=-10$에서 $C=6$

따라서 $f(x)=x^3-12x+6$이므로 $f(x)$의 극댓값은

$f(-2)=-8+24+6=22$　　　　　　　　답 22

15 **Act ①** 극소인 점을 찾아 $f'(x)$의 부정적분에서 적분상수를 구한다.

$f'(x)=3x^2-6x=3x(x-2)$이므로

$f'(x)=0$에서 $x=0$ 또는 $x=2$

함수 $f(x)$는 $x=0$에서 극댓값, $x=2$에서 극솟값을 갖는다.

$f(x)=\displaystyle\int(3x^2-6x)dx=x^3-3x^2+C$

이때 $f(2)=8-12+C=0$에서 $C=4$

따라서 $f(x)=x^3-3x^2+4$이므로 $f(x)$의 극댓값은

$f(0)=4$　　　　　　　　답 4

16 **Act ①** $f'(x)=(x-\alpha)(x-\beta)=0$에서 극댓값과 극솟값의 차는 $|f(\alpha)-f(\beta)|$임을 이용한다.

$f'(x)=x^2+2x=x(x+2)$

$f'(x)=0$에서 $x=-2$ 또는 $x=0$

함수 $f(x)$는 $x=-2$에서 극댓값, $x=0$에서 극솟값을 갖는다.

$f(x)=\displaystyle\int(x^2+2x)dx=\dfrac{1}{3}x^3+x^2+C$

이때 극댓값은 $f(-2)=-\dfrac{8}{3}+4+C=\dfrac{4}{3}+C$,

극솟값은 $f(0)=C$

따라서 극댓값과 극솟값의 차는

$$f(-2)-f(0)=\frac{4}{3}$$

답 ④

VIT **V**ery **I**mportant **T**est pp. 84~85

01. ①	**02.** ④	**03.** ⑤	**04.** ④	**05.** ③
06. ②	**07.** ③	**08.** ③	**09.** ③	**10.** ④
11. ④	**12.** 4			

01

$\int f(x)dx=x^4-2x+3$에서

$$f(x)=(x^4-2x+3)'=4x^3-2$$

따라서 함수 $f(x)$의 상수항은 -2이다.

답 ①

02

$\dfrac{d}{dx}\displaystyle\int (ax^2+2x+3)dx=ax^2+2x+3$이므로

$$ax^2+2x+3=9x^2+bx+c$$

위 식이 x에 대한 항등식이므로 $a=9$, $b=2$, $c=3$

$$\therefore a+b+c=14$$

답 ④

03

$$F(x)=\frac{d}{dx}\int xf(x)dx=xf(x)$$
$$=x\left(\frac{5}{3}x^2-2x\right)=\frac{5}{3}x^3-2x^2$$
$$\therefore F(3)=\frac{5}{3}\times 3^3-2\times 3^2=27$$

답 ⑤

04

$$f(x)=\int\left(\frac{1}{2}x^3+2x+1\right)dx-\int\left(\frac{1}{2}x^3+x\right)dx$$
$$=\int\left\{\left(\frac{1}{2}x^3+2x+1\right)-\left(\frac{1}{2}x^3+x\right)\right\}dx$$
$$=\int (x+1)dx$$
$$=\frac{1}{2}x^2+x+C \text{ (단, } C \text{는 적분상수)}$$

이때 $f(0)=1$이므로 $C=1$

따라서 $f(x)=\dfrac{1}{2}x^2+x+1$이므로

$$f(4)=13$$

답 ④

05

$F(x)=xf(x)+x^3-2x^2+5$의 양변을 x에 대하여 미분하면

$$f(x)=f(x)+xf'(x)+3x^2-4x$$
$$xf'(x)=-3x^2+4x$$
$$\therefore f'(x)=-3x+4$$

$$\therefore f(x)=\int f'(x)dx=\int (-3x+4)dx$$
$$=-\frac{3}{2}x^2+4x+C \text{ (단, } C \text{는 적분상수)}$$

이때 $f(0)=1$이므로 $C=1$

따라서 $f(x)=-\dfrac{3}{2}x^2+4x+1$이므로

$$f(2)=3$$

답 ③

06

주어진 등식의 양변을 x에 대하여 미분하면

$$(x+1)f(x)=6x^2+6x=6x(x+1)$$

따라서 $f(x)=6x$이므로

$$f\left(\frac{1}{2}\right)=3$$

답 ②

07

$\displaystyle\int (x+2)f(x)dx=\dfrac{1}{4}x^4+8x$에서

$$(x+2)f(x)=\left(\frac{1}{4}x^4+8x\right)'$$이므로

$$(x+2)f(x)=x^3+8$$

이때 $x^3+8=(x+2)(x^2-2x+4)$이므로

$$(x+2)f(x)=(x+2)(x^2-2x+4)$$
$$f(x)=x^2-2x+4$$
$$\therefore f(2)=4$$

답 ③

08

$$\lim_{h\to 0}\frac{f(2+h)-f(2-h)}{h}$$
$$=\lim_{h\to 0}\frac{\{f(2+h)-f(2)\}-\{f(2-h)-f(2)\}}{h}$$
$$=\lim_{h\to 0}\frac{f(2+h)-f(2)}{h}+\lim_{h\to 0}\frac{f(2-h)-f(2)}{-h}$$
$$=f'(2)+f'(2)=2f'(2)$$

$f(x)=\displaystyle\int (x^2+2x)dx$의 양변을 x에 대하여 미분하면

$$f'(x)=x^2+2x$$이므로
$$f'(2)=8$$

따라서 구하는 값은 $2f'(2)=16$

답 ③

09

$f'(x)=6x^2-6x$이므로

$$f(x)=\int (6x^2-6x)dx$$
$$=2x^3-3x^2+C \text{ (단, } C \text{는 적분상수)}$$

곡선 $y=f(x)$가 점 $(1,\ -2)$를 지나므로

$$f(1)=-2$$

즉 $-1+C=-2$ $\therefore C=-1$

따라서 $f(x)=2x^3-3x^2-1$이고 곡선 $y=f(x)$가 점 $(2,\ k)$를 지나므로

$$k=f(2)=3$$

답 ③

10

$$f(x)=\int f'(x)dx=\int 6x(x-2)dx$$
$$=\int (6x^2-12x)dx=2x^3-6x^2+C \text{ (단, } C\text{는 적분상수)}$$

$f'(x)=6x(x-2)=0$에서
$x=0$ 또는 $x=2$

x	$\cdots$	0	$\cdots$	2	$\cdots$
$f'(x)$	$+$	0	$-$	0	$+$
$f(x)$	$\nearrow$	극대	$\searrow$	극소	$\nearrow$

곡선 $y=f(x)$가 x축에 접하므로 극댓값 또는 극솟값이 0이어야 한다.

(i) 극댓값이 0일 때,
　$f(0)=0$이므로 $C=0$
　따라서 $f(x)=2x^3-6x^2$이므로
　$f(1)=-4$

(ii) 극솟값이 0일 때,
　$f(2)=0$이므로 $-8+C=0$　∴ $C=8$
　따라서 $f(x)=2x^3-6x^2+8$이므로
　$f(1)=4$

(i), (ii)에서 $f(1)=4$ ($\because f(1)>0$)　　　답 ④

11

$y=f'(x)$의 그래프의 꼭짓점의 좌표가 $(2, -12)$이므로
$f'(x)=a(x-2)^2-12$
$f'(0)=0$이므로
$4a-12=0$에서 $a=3$
즉 $f'(x)=3(x-2)^2-12=3x^2-12x$이므로

$$f(x)=\int (3x^2-12x)dx$$
$$=x^3-6x^2+C \text{ (단, } C\text{는 적분상수)}$$

$f'(x)=0$에서 $3x(x-4)=0$
∴ $x=0$ 또는 $x=4$

x	$\cdots$	0	$\cdots$	4	$\cdots$
$f'(x)$	$+$	0	$-$	0	$+$
$f(x)$	$\nearrow$	극대	$\searrow$	극소	$\nearrow$

함수 $f(x)$의 극댓값이 5이므로 $f(0)=5$, 즉 $C=5$
따라서 $f(x)=x^3-6x^2+5$이므로 극솟값은
$f(4)=4^3-6\times 4^2+5=-27$　　　답 ④

12

주어진 그래프에서
$f'(x)=x(x-2)(x+2)=x^3-4x$
$$\therefore f(x)=\int f'(x)dx=\int (x^3-4x)dx$$
$$=\frac{1}{4}x^4-2x^2+C \text{ (단, } C\text{는 적분상수)}$$
$f'(x)=0$에서 $x=-2$ 또는 $x=0$ 또는 $x=2$

x	$\cdots$	-2	$\cdots$	0	$\cdots$	2	$\cdots$
$f'(x)$	$-$	0	$+$	0	$-$	0	$+$
$f(x)$	$\searrow$	극소	$\nearrow$	극대	$\searrow$	극소	$\nearrow$

이때 함수 $f(x)$는 구간 $[0, 2]$에서 $x=0$일 때 최댓값을 가지고, $x=2$일 때 최솟값을 가지므로
$M=f(0)=C$, $m=f(2)=-4+C$
$\therefore M-m=C-(-4+C)=4$　　　답 4

09 정적분

pp. 86~87

01. 35　　**02.** ②　　**03.** ①　　**04.** ②　　**05.** 30
06. 24　　**07.** 1　　**08.** ⑤

01
$$\int_0^5 (4x-3)dx=\left[2x^2-3x\right]_0^5$$
$$=50-15$$
$$=35$$
답 35

02
$$\int_0^1 (4x^3+a)dx=\left[x^4+ax\right]_0^1=1+a=8$$
$$\therefore a=7$$
답 ②

03 $\dfrac{d}{dx}\displaystyle\int_a^x f(t)dt=f(x)$이므로 주어진 식의 양변을 x에 대하여 미분하면
$$f(x)=(x^2-2x-3)'=2x-2$$
$$\therefore f(4)=2\times 4-2=6$$
답 ①

04 함수 $f(x)$의 한 부정적분을 $F(x)$라 하면
$$\lim_{x\to 1}\frac{1}{x-1}\int_1^x f(t)dt=\lim_{x\to 1}\frac{F(x)-F(1)}{x-1}$$
$$=F'(1)=f(1)=2$$
답 ②

05
$$\int_0^3 (3x^2+2x)dx-\int_0^3 (2x-1)dx=\int_0^3 (3x^2+1)dx$$
$$=\left[x^3+x\right]_0^3$$
$$=27+3=30$$
답 30

06
$$\int_1^2 (3x^2-1)dx+\int_2^3 (3x^2-1)dx=\int_1^3 (3x^2-1)dx$$
$$=\left[x^3-x\right]_1^3=27-3=24$$
답 24

07 $f(x)=|x-1|$이라 하면
$$f(x)=\begin{cases} -x+1 & (x<1) \\ x-1 & (x\geq 1) \end{cases}$$ 이므로 구간을 나누어 적분하면

$$\int_0^2 |x-1|dx = \int_0^1 |x-1|dx + \int_1^2 |x-1|dx$$
$$= \int_0^1 (-x+1)dx + \int_1^2 (x-1)dx$$
$$= \left[-\frac{1}{2}x^2+x\right]_0^1 + \left[\frac{1}{2}x^2-x\right]_1^2$$
$$= \left(-\frac{1}{2}+1\right) + \left\{(2-2)-\left(\frac{1}{2}-1\right)\right\}$$
$$= 1 \qquad\qquad \text{답 } 1$$

08 $\displaystyle\int_{-2}^2 (3x^2+2x+1)dx = 2\int_0^2 (3x^2+1)dx$
$$= 2\left[x^3+x\right]_0^2 = 2\times(8+2) = 20 \qquad \text{답 } ⑤$$

유형따라잡기   pp.88~95

기출유형 01 ②	01. ④	02. ②	03. ③	04. ①
기출유형 02 12	05. 200	06. 16	07. ⑤	08. 80
기출유형 03 7	09. 10	10. 8	11. ③	12. 2
기출유형 04 ①	13. 25	14. 3	15. ④	16. ②
기출유형 05 ②	17. ①	18. 40		
기출유형 06 ①	19. 11	20. 1	21. ①	22. ②
기출유형 07 304	23. ②	24. 4	25. ⑤	26. 9
기출유형 08 2	27. 7	28. 5	29. 17	30. ⑤

기출유형 01

Act① $f(x)$의 한 부정적분을 $F(x)$라 하면
$\displaystyle\int_a^b f(x)dx = \left[F(x)\right]_a^b = F(b)-F(a)$임을 이용한다.
$$\int_0^1 (3x^2-2)dx = \left[x^3-2x\right]_0^1$$
$$= (1-2)-(0-0)$$
$$= -1 \qquad\qquad \text{답 } ②$$

01 **Act①** $f(x)$의 한 부정적분을 $F(x)$라 하면
$\displaystyle\int_a^b f(x)dx = \left[F(x)\right]_a^b = F(b)-F(a)$임을 이용한다.
$$\int_0^2 (3x^2+2x)dx = \left[x^3+x^2\right]_0^2 = 8+4 = 12 \qquad \text{답 } ④$$

02 **Act①** $f(x)$의 한 부정적분을 $F(x)$라 하면
$\displaystyle\int_a^b f(x)dx = \left[F(x)\right]_a^b = F(b)-F(a)$임을 이용한다.
$$\int_0^2 (6x^2-x)dx = \left[2x^3-\frac{1}{2}x^2\right]_0^2 = 16-2 = 14 \qquad \text{답 } ②$$

03 **Act①** $f(x)$의 한 부정적분을 $F(x)$라 하면
$\displaystyle\int_a^b f(x)dx = \left[F(x)\right]_a^b = F(b)-F(a)$임을 이용한다.
$$\int_0^1 (2x+a)dx = \left[x^2+ax\right]_0^1 = 1+a = 4$$
$$\therefore a=3 \qquad\qquad \text{답 } ③$$

04 **Act①** $f(x)$의 한 부정적분을 $F(x)$라 하면
$\displaystyle\int_a^b f(x)dx = \left[F(x)\right]_a^b = F(b)-F(a)$임을 이용한다.
$$\int_0^a (3x^2-4)dx = \left[x^3-4x\right]_0^a$$
$$= a^3-4a$$
$$= a(a+2)(a-2) = 0$$
$$\therefore a=-2 \text{ 또는 } a=0 \text{ 또는 } a=2$$
$a>0$이므로 $a=2$ 답 ①

기출유형 02

Act① 적분 구간이 같은 두 정적분은 하나의 정적분으로 나타내어 계산한다.
$$\int_0^2 (x-1)(x+3)dx + \int_0^2 (2x^2+3)dx$$
$$= \int_0^2 \{(x^2+2x-3)+(2x^2+3)\}dx$$
$$= \int_0^2 (3x^2+2x)dx$$
$$= \left[x^3+x^2\right]_0^2$$
$$= 8+4 = 12 \qquad\qquad \text{답 } 12$$

05 **Act①** 적분 구간이 같은 두 정적분은 하나의 정적분으로 나타내어 계산한다.
$$\int_0^{10} (x+1)^2 dx - \int_0^{10} (x-1)^2 dx$$
$$= \int_0^{10} 4x\,dx = \left[2x^2\right]_0^{10}$$
$$= 200 \qquad\qquad \text{답 } 200$$

06 **Act①** $\displaystyle\int_a^b f(x)dx = -\int_b^a f(x)dx$를 이용하여 구간이 연속이 되도록 식을 변형한다.
$$\int_{-2}^1 (2x^3+3x^2+4x)dx - \int_2^1 (2x^3+3x^2+4x)dx$$
$$= \int_{-2}^1 (2x^3+3x^2+4x)dx + \int_1^2 (2x^3+3x^2+4x)dx$$
$$= \int_{-2}^2 (2x^3+3x^2+4x)dx$$
$$= \left[\frac{1}{2}x^4+x^3+2x^2\right]_{-2}^2$$
$$= 16 \qquad\qquad \text{답 } 16$$

07 **Act①** $\displaystyle\int_a^b f(x)dx = -\int_b^a f(x)dx$를 이용하여 구간이 연속이 되도록 식을 변형한다.
$$\int_0^1 (t^3-1)dt + \int_2^1 (1-x^3)dx$$
$$= \int_0^1 (x^3-1)dx + \int_1^2 (x^3-1)dx$$
$$= \int_0^2 (x^3-1)dx$$

$$=\left[\frac{1}{4}x^4-x\right]_0^2=2 \qquad\qquad \text{답 ⑤}$$

08 Act① $\int_a^b f(x)dx=-\int_b^a f(x)dx$를 이용하여 구간이 연속이 되도록 식을 변형한다.

$$\int_{-1}^2(3x^2+2x)dx+\int_2^3(3x^2+2x)dx=\int_{-1}^3(3x^2+2x)dx$$

이고

$$-\int_4^3(3x^2+2x)dx=\int_3^4(3x^2+2x)dx$$이므로

$$\int_{-1}^2(3x^2+2x)dx+\int_2^3(3x^2+2x)dx-\int_4^3(3x^2+2x)dx$$

$$=\int_{-1}^3(3x^2+2x)dx+\int_3^4(3x^2+2x)dx$$

$$=\int_{-1}^4(3x^2+2x)dx$$

$$=\left[x^3+x^2\right]_{-1}^4$$

$$=(64+16)-(-1+1)=80 \qquad\qquad \text{답 80}$$

기출유형 03

Act① 절댓값 기호가 있으면 구간을 나누어 절댓값 기호를 없앤다.

$$x+|x-1|=\begin{cases}1 & (x\le1)\\2x-1 & (x\ge1)\end{cases}$$이므로

$$\int_0^3(x+|x-1|)dx=\int_0^1 1dx+\int_1^3(2x-1)dx$$

$$=\left[x\right]_0^1+\left[x^2-x\right]_1^3$$

$$=1+(6-0)=7 \qquad\qquad \text{답 7}$$

09 Act① 절댓값 기호가 있으면 구간을 나누어 절댓값 기호를 없앤다.

$$x+|x-3|=\begin{cases}3 & (x\le3)\\2x-3 & (x\ge3)\end{cases}$$이므로

$$\int_1^4(x+|x-3|)dx=\int_1^3 3dx+\int_3^4(2x-3)dx$$

$$=\left[3x\right]_1^3+\left[x^2-3x\right]_3^4$$

$$=6+(4-0)=10 \qquad\qquad \text{답 10}$$

10 Act① 절댓값 기호가 있으면 구간을 나누어 절댓값 기호를 없앤다.

$$2|x-1|+1=\begin{cases}-2x+3 & (x\le1)\\2x-1 & (x\ge1)\end{cases}$$이므로

$$\int_{-1}^2(2|x-1|+1)dx=\int_{-1}^1(-2x+3)dx+\int_1^2(2x-1)dx$$

$$=\left[-x^2+3x\right]_{-1}^1+\left[x^2-x\right]_1^2$$

$$=6+2=8 \qquad\qquad \text{답 8}$$

11 Act① 절댓값 기호가 있으면 구간을 나누어 절댓값 기호를 없앤다.

$$|x(x-2)|=\begin{cases}x^2-2x & (x\le0 \text{ 또는 } x\ge2)\\-(x^2-2x) & (0\le x\le2)\end{cases}$$이므로

$$\int_0^3|x(x-2)|dx=\int_0^2(-x^2+2x)dx+\int_2^3(x^2-2x)dx$$

$$=\left[-\frac{1}{3}x^3+x^2\right]_0^2+\left[\frac{1}{3}x^3-x^2\right]_2^3$$

$$=\frac{4}{3}+\frac{4}{3}=\frac{8}{3} \qquad\qquad \text{답 ③}$$

12 Act① 절댓값 기호가 있으면 구간을 나누어 절댓값 기호를 없앤다.

$$2|x|+k=\begin{cases}-2x+k & (x\le0)\\2x+k & (x\ge0)\end{cases}$$이므로

$$\int_{-1}^2(2|x|+k)dx=\int_{-1}^0(-2x+k)dx+\int_0^2(2x+k)dx$$

$$=\left[-x^2+kx\right]_{-1}^0+\left[x^2+kx\right]_0^2$$

$$=-(-1-k)+(4+2k)=3k+5$$

따라서 $3k+5=11$이므로 $k=2$ \qquad\qquad 답 2

기출유형 04

Act① 아래끝과 위끝의 절댓값이 같고 부호가 다를 때, 피적분함수를 우함수와 기함수로 나누어 계산한다.

$$\int_{-a}^a(4x^3+3x^2)dx=2\int_0^a 3x^2dx=2\left[x^3\right]_0^a=2a^3$$

$$2a^3=\frac{1}{4}$$에서 $a=\frac{1}{2}$ \qquad\qquad 답 ①

13 Act① 아래끝과 위끝의 절댓값이 같고 부호가 다를 때, 피적분함수를 우함수와 기함수로 나누어 계산한다.

$$\int_{-a}^a(3x^2+2x)dx=2\int_0^a 3x^2dx$$

$$=2\left[x^3\right]_0^a=2a^3$$

$$2a^3=\frac{1}{4}$$에서 $a=\frac{1}{2}$ $\therefore 50a=25$ \qquad\qquad 답 25

14 Act① 아래끝과 위끝의 절댓값이 같고 부호가 다를 때, 피적분함수를 우함수와 기함수로 나누어 계산한다.

$$\int_{-1}^1 xf(x)dx=\int_{-1}^1(ax^2+bx)dx$$

$$=2\int_0^1 ax^2dx$$

$$=2\left[\frac{a}{3}x^3\right]_0^1=\frac{2}{3}a$$

$\frac{2}{3}a=4$이므로 $a=6$

$$\int_{-1}^1 x^2f(x)dx=\int_{-1}^1(ax^3+bx^2)dx$$

$$=2\int_0^1 bx^2dx=2\left[\frac{b}{3}x^3\right]_0^1=\frac{2}{3}b$$

$\frac{2}{3}b=-2$이므로 $b=-3$

$\therefore a+b=6+(-3)=3$ \qquad\qquad 답 3

15 Act① 아래끝과 위끝의 절댓값이 같고 부호가 다를 때, 피적분함

수를 우함수와 기함수로 나누어 계산한다.

$$\int_{-1}^{1}\{f(x)\}^2 dx = \int_{-1}^{1}(x+1)^2 dx$$

$$= \int_{-1}^{1}(x^2+2x+1)dx = 2\int_{0}^{1}(x^2+1)dx$$

$$= 2\left[\frac{1}{3}x^3+x\right]_0^1 = \frac{8}{3}$$

$$k\left(\int_{-1}^{1}f(x)dx\right)^2 = k\left(\int_{-1}^{1}(x+1)dx\right)^2$$

$$= k\left(2\int_{0}^{1}1dx\right)^2 = 4k\left(\left[x\right]_0^1\right)^2 = 4k$$

주어진 등식에서 $\frac{8}{3}=4k$이므로 $k=\frac{2}{3}$　　　　답 ④

16 **Act①** 아래끝과 위끝의 절댓값이 같고 부호가 다를 때, 피적분함수를 우함수와 기함수로 나누어 계산한다.

$f(x)=x^3+1$에서 $f'(x)=3x^2$이므로

$$\int_{-1}^{1}f(x)\{f'(x)+1\}dx = \int_{-1}^{1}(x^3+1)(3x^2+1)dx$$

$$= \int_{-1}^{1}(3x^5+x^3+3x^2+1)dx$$

$$= 2\int_{0}^{1}(3x^2+1)dx$$

$$= 2\left[x^3+x\right]_0^1 = 2\times 2 = 4$$　　답 ②

기출유형 05

Act① 주기함수는 한 주기의 그래프가 반복해서 나타나므로 계산하기 간단한 적분 구간을 선택하여 계산한다.

(가) $f(x+2)=f(x)$에서 함수 $f(x)$는 주기가 2인 주기함수이므로

$$\int_{0}^{2}f(x)dx = \int_{2}^{4}f(x)dx = \cdots$$

(나)에서 $0\leq x\leq 2$일 때, $f(x)=-x^2+2x$이므로

$$\int_{0}^{2}f(x)dx = \int_{0}^{2}(-x^2+2x)dx$$

$$= \left[-\frac{1}{3}x^3+x^2\right]_0^2$$

$$= -\frac{8}{3}+4 = \frac{4}{3}$$

$$\therefore \int_{-6}^{6}f(x)dx = 6\int_{0}^{2}f(x)dx = 6\times\frac{4}{3} = 8$$　　답 ②

17 **Act①** 주기함수는 한 주기의 그래프가 반복해서 나타나므로 계산하기 간단한 적분 구간을 선택하여 계산한다.

함수 $f(x)$는 주기가 3인 주기함수이므로

$$\int_{0}^{3}f(x)dx = \int_{3}^{6}f(x)dx$$

$$\int_{0}^{3}f(x)dx = \frac{1}{2}\times(1+3)\times 1 = 2 \ \cdots\cdots ㉠$$

$\int_{-a}^{a}f(x)dx=13$이고 함수 $y=f(x)$의 그래프는 y축에 대하여 대칭이므로

$$2\int_{0}^{a}f(x)dx = 13$$

$$\therefore \int_{0}^{a}f(x)dx = \frac{13}{2} \ \cdots\cdots ㉡$$

㉠에서 한 주기의 정적분의 값이 2이고

㉡은 $\frac{13}{2}=2\times 3+\frac{1}{2}$이므로 $a=10$이다.　　답 ①

18 **Act①** 주기함수는 한 주기의 그래프가 반복해서 나타나므로 계산하기 간단한 적분 구간을 선택하여 계산한다.

(가)에서 함수 $f(x)$는 우함수이고 (나)에서 함수 $f(x)$는 주기가 2인 주기함수이다.

(다)에서

$$\int_{-1}^{1}(2x+3)f(x)dx$$

$$= \int_{-1}^{1}2xf(x)dx + \int_{-1}^{1}3f(x)dx$$

$$= \int_{-1}^{1}3f(x)dx$$

$$\left(\because 2xf(x)는 기함수이므로 \int_{-1}^{1}2xf(x)dx=0\right)$$

$$= 15$$

$$\int_{-1}^{1}f(x)dx = 5$$

따라서 주기가 2인 주기함수 $f(x)$에서 한 주기의 정적분의 값은 5이다.

$$\therefore \int_{-6}^{10}f(x)dx = 8\int_{0}^{2}f(x)dx = 8\times 5 = 40$$　　답 40

기출유형 06

Act① $\int_{a}^{b}f(t)dt=k$ (k는 상수)로 놓고 k의 값을 구한다.

$$\int_{0}^{2}f(t)dt=k \ (k는 상수) \ \cdots\cdots ㉠$$

라 하면 $f(x)=3x^2+k$

이것을 ㉠에 대입하면

$$\int_{0}^{2}f(t)dt = \int_{0}^{2}(3t^2+k)dt = \left[t^3+kt\right]_0^2 = 8+2k=k$$

$8+2k=k$에서 $k=-8$이므로

$f(x)=3x^2-8$

$$\therefore f(1)=3-8=-5$$　　답 ①

19 **Act①** $\int_{a}^{b}f(t)dt=k$ (k는 상수)로 놓고 k의 값을 구한다.

$$\int_{0}^{3}f(t)dt=k \ (k는 상수) \ \cdots\cdots ㉠$$

라 하면 $f(x)=x^2+1+k$

이것을 ㉠에 대입하면

$$\int_{0}^{3}f(t)dt = \int_{0}^{3}(t^2+1+k)dt = \left[\frac{1}{3}t^3+t+kt\right]_0^3 = 12+3k=k$$

$12+3k=k$에서 $k=-6$이므로

$f(x)=x^2-5$

$$\therefore f(4)=16-5=11$$　　답 11

20 **Act①** $\int_{a}^{b}f(t)dt=k$ (k는 상수)로 놓고 k의 값을 구한다.

$$\int_0^2 f(t)dt=k \ (k\text{는 상수}) \qquad \cdots\cdots \text{㉠}$$

라 하면 $f(x)=3x^2+2x-k$

이것을 ㉠에 대입하면

$$\int_0^2 (3t^2+2t-k)dt=\Big[t^3+t^2-kt\Big]_0^2=12-2k=k$$

$12-2k=k$에서 $k=4$이므로

$$f(x)=3x^2+2x-4$$

$$\therefore f(1)=3+2-4=1 \qquad\qquad\qquad \text{답 1}$$

21 **Act①** $\displaystyle\int_a^b tf(t)dt=k \ (k\text{는 상수})$로 놓고 k의 값을 구한다.

$$\int_0^1 tf(t)dt=k \ (k\text{는 상수}) \qquad \cdots\cdots \text{㉠}$$

라 하면 $f(x)=x^2-2x+k$

이것을 ㉠에 대입하면

$$\int_0^1 t(t^2-2t+k)dt=\int_0^1 (t^3-2t^2+kt)dt$$
$$=\Big[\frac{1}{4}t^4-\frac{2}{3}t^3+\frac{1}{2}kt^2\Big]_0^1$$
$$=-\frac{5}{12}+\frac{1}{2}k=k$$

$-\dfrac{5}{12}+\dfrac{1}{2}k=k$에서 $k=-\dfrac{5}{6}$이므로

$$f(x)=x^2-2x-\frac{5}{6}$$

$$\therefore f(3)=9-6-\frac{5}{6}=\frac{13}{6} \qquad\qquad \text{답 ①}$$

22 **Act①** $f(x)=x^2+(6x-1)\displaystyle\int_0^1 f(t)dt$에서

$\displaystyle\int_0^1 f(t)dt=k \ (k\text{는 상수})$로 놓고 k의 값을 구한다.

$f(x)=x^2+6x\displaystyle\int_0^1 f(t)dt-\int_0^1 f(t)dt$에서

$$\int_0^1 f(t)dt=k \ (k\text{는 상수}) \qquad \cdots\cdots \text{㉠}$$

라 하면 $f(x)=x^2+6kx-k$

이것을 ㉠에 대입하면

$$\int_0^1 (t^2+6kt-k)dt=\Big[\frac{1}{3}t^3+3kt^2-kt\Big]_0^1=\frac{1}{3}+2k=k$$

$\dfrac{1}{3}+2k=k$에서 $k=-\dfrac{1}{3}$

즉 $\displaystyle\int_0^1 f(t)dt=-\frac{1}{3}$이므로

$$\int_0^1 f(x)dx=-\frac{1}{3} \qquad\qquad\qquad \text{답 ②}$$

기출유형 07

Act① 주어진 등식의 양변을 x에 대하여 미분한다.

$\displaystyle\int_0^x f(t)dt=x^3+4x$의 양변을 x에 대하여 미분하면

$$f(x)=3x^2+4$$

$$\therefore f(10)=3\times 10^2+4=304 \qquad \text{답 304}$$

23 **Act①** 주어진 등식의 양변을 x에 대하여 미분한다.

$f(x)=\displaystyle\int_1^x (t-2)(t-3)dt$의 양변을 x에 대하여 미분하면

$$f'(x)=(x-2)(x-3)$$

$$\therefore f'(4)=2\times 1=2 \qquad\qquad\qquad \text{답 ②}$$

24 **Act①** 주어진 등식의 양변을 x에 대하여 미분한다.

$f(x)=\displaystyle\int_0^x (2at+1)dt$의 양변을 x에 대하여 미분하면

$$f'(x)=2ax+1$$
$$f'(2)=4a+1=17$$

$$\therefore a=4 \qquad\qquad\qquad\qquad\qquad \text{답 4}$$

25 **Act①** 주어진 등식의 양변에 $x=1$을 대입하여 a의 값을 우선 구한 후 양변을 x에 대하여 미분한다.

주어진 등식의 양변에 $x=1$을 대입하면

$$0=1+a-3+1 \quad \therefore a=1$$

$\displaystyle\int_1^x f(t)dt=x^3+x^2-3x+1$의 양변을 x에 대하여 미분하면

$$f(x)=3x^2+2x-3$$

$$\therefore f'(a)=f(1)=2 \qquad\qquad\qquad \text{답 ⑤}$$

26 **Act①** 주어진 등식의 양변에 $x=a$를 대입하여 a의 값을 우선 구한 후 양변을 x에 대하여 미분한다.

주어진 등식의 양변에 $x=a$를 대입하면

$$0=\frac{1}{3}a^3-9, \ a^3=27$$

$$\therefore a=3 \ (\because a\text{는 실수})$$

$\displaystyle\int_3^x f(t)dt=\frac{1}{3}x^3-9$의 양변을 x에 대하여 미분하면

$$f(x)=x^2$$

$$\therefore f(a)=f(3)=9 \qquad\qquad\qquad \text{답 9}$$

기출유형 08

Act① 미분계수의 정의를 이용한다.

함수 $f(x)$의 한 부정적분을 $F(x)$라 하면

$$\lim_{x\to 1}\frac{1}{x-1}\int_1^x f(t)dt=\lim_{x\to 1}\frac{F(x)-F(1)}{x-1}$$
$$=F'(1)=f(1)$$
$$=4-3+1=2 \qquad \text{답 2}$$

27 **Act①** 미분계수의 정의를 이용한다.

함수 $f(x)$의 한 부정적분을 $F(x)$라 하면

$$\lim_{x\to 2}\frac{1}{x-2}\int_2^x f(t)dt=\lim_{x\to 2}\frac{F(x)-F(2)}{x-2}$$
$$=F'(2)=f(2)$$
$$=4+2+1=7 \qquad \text{답 7}$$

28 **Act①** 미분계수의 정의를 이용한다.

함수 $f(x)$의 한 부정적분을 $F(x)$라 하면

$$\lim_{h\to 0}\int_3^{3+h} f(t)dt=\lim_{h\to 0}\frac{F(3+h)-F(3)}{h}$$
$$=F'(3)=f(3)$$

$$=9-6+2=5 \qquad \text{답 } 5$$

29 Act❶ 미분계수의 정의를 이용한다.

$$\lim_{x \to 2} \frac{f(x)-f(2)}{x-2}=f'(2)$$

이때 $f(x)=\int_0^x (3t^2+5)dt$의 양변을 x에 대하여 미분하면

$$f'(x)=3x^2+5$$

$$\therefore f'(2)=3 \times 2^2+5=17 \qquad \text{답 } 17$$

30 Act❶ 미분계수의 정의를 이용한다.

$$\lim_{x \to 2} \frac{f(x)-f(2)}{x^2-4}=\lim_{x \to 2}\left\{\frac{f(x)-f(2)}{x-2} \times \frac{1}{x+2}\right\}$$

$$=f'(2) \times \frac{1}{4}$$

이때 $f(x)=\int_0^x (3t^2-t-1)dt$의 양변을 x에 대하여 미분하면

$$f'(x)=3x^2-x-1$$

$$\therefore f'(2) \times \frac{1}{4}=(12-2-1) \times \frac{1}{4}=\frac{9}{4} \qquad \text{답 } ⑤$$

VIT Very Important Test   pp. 96~97

01. ②	**02.** ③	**03.** ②	**04.** ③	**05.** 3
06. ⑤	**07.** ③	**08.** ⑤	**09.** ③	**10.** ④
11. ③	**12.** 2			

01

$$\int_0^3 (x^2-4x+11)dx=\left[\frac{1}{3}x^3-2x^2+11x\right]_0^3$$

$$=24 \qquad \text{답 } ②$$

02

$$\int_0^1 (2x+a)dx=\left[x^2+ax\right]_0^1=1+a$$

따라서 $1+a=4$이므로 $a=3$ \qquad 답 ③

03

$$\int_0^1 f(x)dx=\int_0^1 (6x^2+2ax)dx$$

$$=\left[2x^3+ax^2\right]_0^1=2+a$$

즉 $2+a=f(1)$이므로 $2+a=6+2a$

$$\therefore a=-4 \qquad \text{답 } ②$$

04

$$\int_{-2}^2 f(x)dx=\int_{-2}^1 f(x)dx+\int_1^2 f(x)dx$$

$$=\int_{-2}^1 x^2 dx+\int_1^2 (2-x)dx$$

$$=\left[\frac{1}{3}x^3\right]_{-2}^1+\left[2x-\frac{1}{2}x^2\right]_1^2=3+\frac{1}{2}=\frac{7}{2} \qquad \text{답 } ③$$

05

$$\int_0^4 f(x)dx=\int_0^2 f(x)dx+\int_2^4 f(x)dx \text{이므로}$$

$$2=\int_0^2 f(x)dx+3$$

$$\therefore \int_0^2 f(x)dx=-1$$

$$\therefore \int_0^6 f(x)dx=\int_0^2 f(x)dx+\int_2^6 f(x)dx=-1+4=3 \qquad \text{답 } 3$$

06

$$\int_0^1 \frac{x^2}{x-2}dx+\int_1^0 \frac{4}{t-2}dt$$

$$=\int_0^1 \frac{x^2}{x-2}dx-\int_0^1 \frac{4}{x-2}dx$$

$$=\int_0^1 \frac{x^2-4}{x-2}dx=\int_0^1 (x+2)dx$$

$$=\left[\frac{1}{2}x^2+2x\right]_0^1=\frac{5}{2} \qquad \text{답 } ⑤$$

07

$$\int_1^4 f(x)dx-\int_2^4 f(x)dx+\int_{-3}^1 f(x)dx$$

$$=\int_1^4 f(x)dx+\int_4^2 f(x)dx+\int_{-3}^1 f(x)dx$$

$$=\int_{-3}^1 f(x)dx+\int_1^2 f(x)dx$$

$$=\int_{-3}^2 f(x)dx=\int_{-3}^2 (3x^2+2x)dx$$

$$=\left[x^3+x^2\right]_{-3}^2=12-(-18)=30 \qquad \text{답 } ③$$

08

$f(x)=|x^2+x-2|$라 하면
$y=f(x)$의 그래프는 오른쪽 그림과 같다.

$$f(x)=\begin{cases} x^2+x-2 & (x \leq -2 \text{ 또는 } x \geq 1) \\ -x^2-x+2 & (-2 \leq x \leq 1) \end{cases}$$

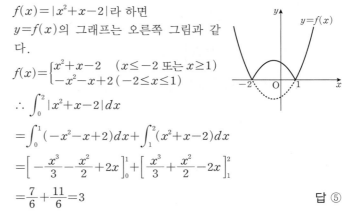

$$\therefore \int_0^2 |x^2+x-2|dx$$

$$=\int_0^1 (-x^2-x+2)dx+\int_1^2 (x^2+x-2)dx$$

$$=\left[-\frac{x^3}{3}-\frac{x^2}{2}+2x\right]_0^1+\left[\frac{x^3}{3}+\frac{x^2}{2}-2x\right]_1^2$$

$$=\frac{7}{6}+\frac{11}{6}=3 \qquad \text{답 } ⑤$$

09

$$\int_0^2 f'(x)dx=\left[f(x)\right]_0^2=f(2)-f(0) \text{이므로}$$

$$\int_0^2 |x-1|dx=f(2)-f(0)$$

$$=f(2)-1 \ (\because f(0)=1)$$
$$\therefore f(2)=1+\int_0^2 2|x-1|dx$$
$$=1+2\int_0^1 (1-x)dx+2\int_1^2 (x-1)dx$$
$$=1+2\Big[x-\frac{x^2}{2}\Big]_0^1+2\Big[\frac{x^2}{2}-x\Big]_1^2$$
$$=1+2\times\frac{1}{2}+2\times\frac{1}{2}=3 \qquad\qquad 답 ③$$

10

$$\int_0^2 f(t)dt=k \ (k는 \ 상수) \quad\cdots\cdots\ㄱ$$
로 놓으면
$$f(x)=3x^2+x+k$$
위 식을 ㉠에 대입하면
$$k=\int_0^2 f(t)dt=\int_0^2 (3t^2+t+k)dt$$
$$=\Big[t^3+\frac{1}{2}t^2+kt\Big]_0^2=10+2k$$
즉 $10+2k=k$이므로 $k=-10$
따라서 $f(x)=3x^2+x-10$이므로
$$f(2)=12+2-10=4 \qquad\qquad 답 ④$$

11

$\int_a^x f(t)dt=x^2-4x+4$의 양변에 $x=a$를 대입하면
$$0=a^2-4a+4$$
$$(a-2)^2=0 \quad\therefore a=2$$
또 주어진 식의 양변을 x에 대하여 미분하면 $f(x)=2x-4$
$$\therefore f(a)=f(2)=0 \qquad\qquad 답 ③$$

12

$f(x)=\int_0^x (3t^2-2t+1)dt$의 양변을 x에 대하여 미분하면
$$f'(x)=3x^2-2x+1$$
$$\therefore \lim_{h\to 0}\frac{f(1+h)-f(1-h)}{2h}$$
$$=\lim_{h\to 0}\frac{f(1+h)-f(1)+f(1)-f(1-h)}{2h}$$
$$=\lim_{h\to 0}\frac{f(1+h)-f(1)}{h}\times\frac{1}{2}+\lim_{h\to 0}\frac{f(1-h)-f(1)}{-h}\times\frac{1}{2}$$
$$=\frac{1}{2}f'(1)+\frac{1}{2}f'(1)=f'(1)$$
$$=3-2+1=2 \qquad\qquad 답 2$$

10 정적분의 활용

pp. 98~99

01. ④   **02.** ④   **03.** ④   **04.** 54

01 곡선 $y=x^2+3x$와 x축의 교점의
x좌표는

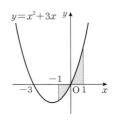

$x^2+3x=0$에서 $x(x+3)=0$
$\therefore x=-3$ 또는 $x=0$
닫힌구간 $[-1,\ 0]$에서 $y\le 0$
닫힌구간 $[0,\ 1]$에서 $y\ge 0$
따라서 구하는 넓이는
$$\int_{-1}^1 |x^2+3x|dx=\int_{-1}^0 (-x^2-3x)dx+\int_0^1 (x^2+3x)dx$$
$$=\Big[-\frac{1}{3}x^3-\frac{3}{2}x^2\Big]_{-1}^0+\Big[\frac{1}{3}x^3+\frac{3}{2}x^2\Big]_0^1$$
$$=3 \qquad\qquad 답 ④$$

02 두 곡선의 교점의 x좌표는

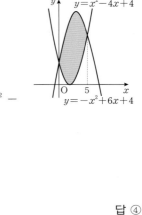

$x^2-4x+4=-x^2+6x+4$에서
$2x^2-10x=0,\ 2x(x-5)=0$
$\therefore x=0$ 또는 $x=5$
따라서 구하는 넓이는
$$\int_0^5 \{(-x^2+6x+4)-(x^2-4x+4)\}dx$$
$$=\int_0^5 (-2x^2+10x)dx$$
$$=\Big[-\frac{2}{3}x^3+5x^2\Big]_0^5$$
$$=\frac{125}{3} \qquad\qquad 답 ④$$

03 물체가 최고 높이에 도달했을 때의 속도는 $0\ \mathrm{m/s}$이므로
$v(t)=30-10t=0$에서 $t=3$
$t=0$일 때 지상으로부터의 높이는 $10\ \mathrm{m}$이므로 $t=3$일 때
지상으로부터의 높이는
$$10+\int_0^3 (30-10t)dt=10+\Big[30t-5t^2\Big]_0^3=10+45=55(\mathrm{m})$$
$$답 ④$$

04 $v(t)=2t^2-6t=0$에서 $2t(t-3)=0$ $\therefore t=0$ 또는 $t=3$
이때 $0\le t\le 3$에서 $v(t)\le 0$, $t\ge 3$에서 $v(t)\ge 0$이므로 움직
인 거리는
$$\int_0^6 |2t^2-6t|dt=\int_0^3 (-2t^2+6t)dt+\int_3^6 (2t^2-6t)dt$$
$$=\Big[-\frac{2}{3}t^3+3t^2\Big]_0^3+\Big[\frac{2}{3}t^3-3t^2\Big]_3^6$$
$$=9+45=54 \qquad\qquad 답 54$$

기출유형 01 ④	01. 8	02. 36	03. ⑤	04. 2
기출유형 02 ④	05. ②	06. ③	07. 4	08. 4
기출유형 03 ②	09. ③	10. 3	11. ④	12. 4
기출유형 04 ①	13. ④	14. ⑤	15. ③	16. 15
기출유형 05 ③	17. ⑤	18. ①	19. ③	20. 12
기출유형 06 ⑤	21. ①	22. ③	23. ①	24. ②
기출유형 07 ⑤	25. ⑤	26. ④		

기출유형 01

Act① 곡선과 x축의 교점의 x좌표에서 적분 구간을 정한 후 $|f(x)|$의 정적분의 값을 구한다.

$y=x^2-4x+3$과 x축의 교점의 x좌표는

$x^2-4x+3=0$에서

$(x-1)(x-3)=0$

$\therefore x=1$ 또는 $x=3$

닫힌구간 $[1, 3]$에서 $y\leq0$이므로

$\int_1^3 |x^2-4x+3|\,dx$

$=\int_1^3 (-x^2+4x-3)\,dx$

$=\left[-\dfrac{1}{3}x^3+2x^2-3x\right]_1^3$

$=(-9+18-9)-\left(-\dfrac{1}{3}+2-3\right)=\dfrac{4}{3}$ 답 ④

01 **Act①** 곡선과 x축의 교점의 x좌표에서 적분 구간을 정한 후 $|f(x)|$의 정적분의 값을 구한다.

$y=6x^2-12x$와 x축의 교점의 x좌표는

$6x^2-12x=0$에서 $6x(x-2)=0$

$\therefore x=0$ 또는 $x=2$

닫힌구간 $[0, 2]$에서 $y\leq0$이므로

$\int_0^2 |6x^2-12x|\,dx$

$=\int_0^2 (12x-6x^2)\,dx$

$=\left[6x^2-2x^3\right]_0^2=8$ 답 8

02 **Act①** 곡선과 x축의 교점의 x좌표에서 적분 구간을 정한 후 $|f(x)|$의 정적분의 값을 구한다.

$y=|x^2-9|$와 x축의 교점의 x좌표는

$|x^2-9|=0$에서

$x^2-9=0$, $(x+3)(x-3)=0$

$\therefore x=-3$ 또는 $x=3$

$\int_{-3}^3 |x^2-9|$

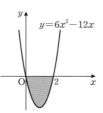

$=\int_{-3}^3 (9-x^2)\,dx$

$=2\int_0^3 (9-x^2)\,dx$

$=2\left[9x-\dfrac{1}{3}x^3\right]_0^3$

$=2\times(27-9)=36$ 답 36

03 **Act①** 곡선과 x축의 교점의 x좌표에서 적분 구간을 정한 후 $|f(x)|$의 정적분의 값을 구한다.

$f(x)=x^3-9x$와 x축의 교점의 x좌표는

$x^3-9x=0$에서

$x(x-3)(x+3)=0$

$\therefore x=-3$ 또는 $x=0$ 또는 $x=3$

닫힌구간 $[-3, 0]$에서 $y\geq0$,

닫힌구간 $[0, 3]$에서 $y\leq0$

함수 $f(x)=x^3-9x$는 원점에 대하여 대칭이고 두 구간 $[-3, 0]$, $[0, 3]$에서의 넓이가 같으므로

$\int_{-3}^3 |x^3-9x|\,dx=2\int_{-3}^0 (x^3-9x)\,dx$

$=2\left[\dfrac{1}{4}x^4-\dfrac{9}{2}x^2\right]_{-3}^0=\dfrac{81}{2}$ 답 ⑤

04 **Act①** 곡선과 x축의 교점의 x좌표에서 적분 구간을 정한 후 $|f(x)|$의 정적분의 값을 구한다.

$y=4x^3-12x^2+8x$와 x축의 교점의 x좌표는

$4x^3-12x^2+8x=0$에서

$4x(x-2)(x-1)=0$

$\therefore x=0$ 또는 $x=1$ 또는 $x=2$

닫힌구간 $[0, 1]$에서 $y\geq0$,

닫힌구간 $[1, 2]$에서 $y\leq0$이므로

$\int_0^2 |4x^3-12x^2+8x|\,dx$

$=\int_0^1 (4x^3-12x^2+8x)\,dx-\int_1^2 (4x^3-12x^2+8x)\,dx$

$=\left[x^4-4x^3+4x^2\right]_0^1-\left[x^4-4x^3+4x^2\right]_1^2$

$=1-\{(16-32+16)-1\}$

$=2$ 답 2

기출유형 02

Act① 두 곡선의 교점의 x좌표에서 적분 구간을 정한 후 {(위쪽 그래프의 식)$-$(아래쪽 그래프의 식)}의 정적분의 값을 구한다.

$y=x^3-2x^2+k$와 $y=k$의 교점의 x좌표는

$x^3-2x^2+k=k$에서

$x^3-2x^2=0$, $x^2(x-2)=0$

$\therefore x=0$ 또는 $x=2$

따라서 구하는 넓이는

$\int_0^2 \{k-(x^3-2x^2+k)\}\,dx$

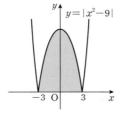

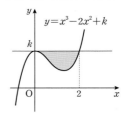

$$=\int_0^2(-x^3+2x^2)dx$$
$$=\left[-\frac{1}{4}x^4+\frac{2}{3}x^3\right]_0^2$$
$$=(-4)+\frac{16}{3}=\frac{4}{3}$$

답 ④

$$=\left[-\frac{2}{3}x^3+x^2\right]_0^1$$
$$=\frac{1}{3}$$

따라서 $p=3$, $q=1$이므로 $p+q=4$

답 4

05 **Act①** 두 곡선의 교점의 x좌표에서 적분 구간을 정한 후 {(위쪽 그래프의 식)−(아래쪽 그래프의 식)}의 정적분의 값을 구한다.

$y=x^2-x+2$와 $y=2$의 교점의
x좌표는
$x^2-x+2=2$에서
$x(x-1)=0$
$\therefore x=0$ 또는 $x=1$
따라서 구하는 넓이는

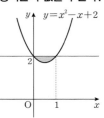

$$\int_0^1\{2-(x^2-x+2)\}dx$$
$$=\int_0^1(-x^2+x)dx$$
$$=\left[-\frac{1}{3}x^3+\frac{1}{2}x^2\right]_0^1$$
$$=-\frac{1}{3}+\frac{1}{2}=\frac{1}{6}$$

답 ②

06 **Act①** 두 곡선의 교점의 x좌표에서 적분 구간을 정한 후 {(위쪽 그래프의 식)−(아래쪽 그래프의 식)}의 정적분의 값을 구한다.

$y=x^2-4x+3$과 $y=3$의 교점의
x좌표는
$x^2-4x+3=3$에서
$x(x-4)=0$
$\therefore x=0$ 또는 $x=4$
따라서 구하는 넓이는

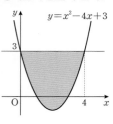

$$\int_0^4\{3-(x^2-4x+3)\}dx$$
$$=\int_0^4(-x^2+4x)dx$$
$$=\left[-\frac{1}{3}x^3+2x^2\right]_0^4$$
$$=\left(-\frac{64}{3}\right)+32=\frac{32}{3}$$

답 ③

07 **Act①** 두 곡선의 교점의 x좌표에서 적분 구간을 정한 후 {(위쪽 그래프의 식)−(아래쪽 그래프의 식)}의 정적분의 값을 구한다.

$y=-2x^2+3x$와 $y=x$의 교점의
x좌표는
$-2x^2+3x=x$에서
$2x(x-1)=0$
$\therefore x=0$ 또는 $x=1$
따라서 구하는 넓이는

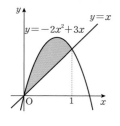

$$\int_0^1\{(-2x^2+3x)-x\}dx$$
$$=\int_0^1(-2x^2+2x)dx$$

08 **Act①** 두 곡선의 교점의 x좌표에서 적분 구간을 정한 후 {(위쪽 그래프의 식)−(아래쪽 그래프의 식)}의 정적분의 값을 구한다.

$y=x^2-2x+3$, $y=-2x^2+10x-6$
의 교점의 x좌표는
$x^2-2x+3=-2x^2+10x-6$에서
$x^2-4x+3=0$
$(x-1)(x-3)=0$
$\therefore x=1$ 또는 $x=3$
따라서 구하는 넓이는

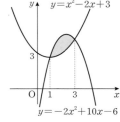

$$\int_1^3\{(-2x^2+10x-6)-(x^2-2x+3)\}dx$$
$$=\int_1^3(-3x^2+12x-9)dx$$
$$=\left[-x^3+6x^2-9x\right]_1^3$$
$$=0-(-4)=4$$

답 4

기출유형 03

Act① x축 위, 아래에 있는 두 도형의 넓이가 같고 $a>2$이므로 $\int_0^a x(x-2)(x-a)dx=0$임을 이용한다.

$y=x(x-2)(x-a)$와 x축의 교점
의 x좌표는
$x(x-2)(x-a)=0$에서
$x=0$ 또는 $x=2$ 또는 $x=a$
이때 $a>2$이므로
$y=x(x-2)(x-a)$는 오른쪽 그림
과 같고 색칠한 두 도형의 넓이가
같다.

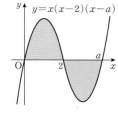

즉 $\int_0^a x(x-2)(x-a)dx=0$이므로
$$\int_0^a\{x^3-(2+a)x^2+2ax\}dx=0$$
$$\left[\frac{1}{4}x^4-\frac{2+a}{3}x^3+ax^2\right]_0^a=0$$
$$\frac{a^4}{4}-\frac{2a^4+a^4}{3}+a^3=0$$
$a^4-4a^3=0$, $a^3(a-4)=0$ $\therefore a=4$ ($\because a>2$)

답 ②

09 **Act①** x축 위, 아래에 있는 두 도형의 넓이가 같고 $0<a<1$이 므로 $\int_0^1\{x^3-(a+1)x^2+ax\}dx=0$임을 이용한다.

$y=x^3-(a+1)x^2+ax$와 x축의
교점의 x좌표는
$x^3-(a+1)x^2+ax=0$에서
$x\{x^2-(a+1)x+a\}=0$

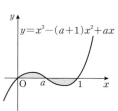

$x(x-1)(x-a)=0$

$\therefore x=0$ 또는 $x=1$ 또는 $x=a$

이때 $0<a<1$이므로 $y=x^3-(a+1)x^2+ax$는 그림과 같고 색칠한 두 도형의 넓이가 같다.

즉 $\int_0^1\{x^3-(a+1)x^2+ax\}dx=0$이므로

$\left[\dfrac{1}{4}x^4-\dfrac{a+1}{3}x^3+\dfrac{a}{2}x^2\right]_0^1=0$, $\dfrac{1}{4}-\dfrac{a+1}{3}+\dfrac{a}{2}=0$

$3-4(a+1)+6a=0$

$\therefore a=\dfrac{1}{2}$

답 ③

10 **Act❶** x축 위, 아래에 있는 두 도형의 넓이가 같고 $a>2$이므로

$\int_0^a(-x^2+2x)dx=0$임을 이용한다.

$y=-x^2+2x$와 x축의 교점의 x좌표는 $-x^2+2x=0$에서

$x(x-2)=0$ $\therefore x=0$ 또는 $x=2$

이때 $a>2$이므로 $y=-x^2+2x$와 $x=a$는 그림과 같고 색칠한 두 도형의 넓이가 같다.

즉 $\int_0^a(-x^2+2x)dx=0$이므로

$\left[-\dfrac{1}{3}x^3+x^2\right]_0^a=0$, $-\dfrac{1}{3}a^3+a^2=0$

$a^3-3a^2=0$, $a^2(a-3)=0$

$\therefore a=3\ (\because a>2)$

답 3

11 **Act❶** $y=-x^4+x$와 $y=ax(1-x)$로 둘러싸인 도형의 넓이는 $y=-x^4+x$와 $y=x^4-x^3$으로 둘러싸인 도형의 넓이의 $\dfrac{1}{2}$배임을 이용한다.

$y=-x^4+x$, $y=ax(1-x)$로 둘러싸인 도형의 넓이를 S_1이라 하면

$S_1=\int_0^1\{(-x^4+x)-ax(1-x)\}dx$

$=\int_0^1\{-x^4+ax^2+(1-a)x\}dx$

$=\left[-\dfrac{1}{5}x^5+\dfrac{a}{3}x^3+\dfrac{1-a}{2}x^2\right]_0^1$

$=\dfrac{3}{10}-\dfrac{a}{6}$

$y=-x^4+x$, $y=x^4-x^3$으로 둘러싸인 도형의 넓이를 S_2라 하면

$S_2=\int_0^1\{(-x^4+x)-(x^4-x^3)\}dx$

$=\int_0^1(-2x^4+x^3+x)dx$

$=\left[-\dfrac{2}{5}x^5+\dfrac{1}{4}x^4+\dfrac{1}{2}x^2\right]_0^1=\dfrac{7}{20}$

이때 $S_1=\dfrac{1}{2}S_2$이므로

$\dfrac{3}{10}-\dfrac{a}{6}=\dfrac{1}{2}\times\dfrac{7}{20}$ $\therefore a=\dfrac{3}{4}$

답 ④

12 **Act❶** $y=-x^2+2x$와 $y=mx$로 둘러싸인 도형의 넓이는 $y=-x^2+2x$와 x축으로 둘러싸인 도형의 넓이의 $\dfrac{1}{2}$배임을 이용한다.

$y=-x^2+2x$와 $y=mx$의 교점의 x좌표는 $-x^2+2x=mx$에서

$x\{x+(-2+m)\}=0$

$\therefore x=0$ 또는 $x=2-m$

$y=-x^2+2x$와 $y=mx$로 둘러싸인 도형의 넓이를 S_1이라 하면

$S_1=\int_0^{2-m}\{(-x^2+2x)-mx\}dx$

$=\left[-\dfrac{1}{3}x^3+\dfrac{1}{2}(2-m)x^2\right]_0^{2-m}$

$=-\dfrac{1}{3}(2-m)^3+\dfrac{1}{2}(2-m)^3$

$=\dfrac{1}{6}(2-m)^3$

$y=-x^2+2x$와 x축으로 둘러싸인 도형의 넓이를 S_2라 하면

$S_2=\int_0^2(-x^2+2x)dx=\left[-\dfrac{1}{3}x^3+x^2\right]_0^2=-\dfrac{8}{3}+4=\dfrac{4}{3}$

이때 $S_1=\dfrac{1}{2}S_2$이므로

$\dfrac{1}{6}(2-m)^3=\dfrac{1}{2}\times\dfrac{4}{3}$ $\therefore (2-m)^3=4$

답 4

기출유형 04

Act❶ $f(x)$, $g(x)$의 그래프는 직선 $y=x$에 대하여 대칭임을 이용한다.

$\int_1^2 g(x)dx$의 값은 색칠된 B부분의 넓이이고, 역함수의 성질에 의하여 직선 $y=x$에 대하여 대칭이동한 B'부분의 넓이와 같다.

$\therefore \int_0^1 f(x)dx+\int_1^2 g(x)dx$

$=(A$의 넓이$)+(B$의 넓이$)$

$=(A$의 넓이$)+(B'$의 넓이$)$

$=1\times 2=2$

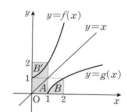

답 ①

13 **Act❶** $f(x)$, $g(x)$의 그래프는 직선 $y=x$에 대하여 대칭임을 이용한다.

$\int_3^{12} g(x)dx$의 값은 색칠된 B부분의 넓이이고, 역함수의 성질에 의하여 직선 $y=x$에 대하여 대칭이동한 B'부분의 넓이와 같다.

$\therefore \int_0^3 f(x)dx+\int_3^{12} g(x)dx$

$=(A$의 넓이$)+(B$의 넓이$)$

$=(A$의 넓이$)+(B'$의 넓이$)$

$=3\times 12=36$

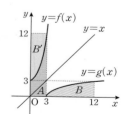

답 ④

14 **Act❶** $f(x)$, $g(x)$의 그래프는 직선 $y=x$에 대하여 대칭을

이용한다.

$\int_2^6 f(x)dx$의 값은 색칠된 B부분의 넓이이고, 역함수의 성질에 의하여 직선 $y=x$에 대하여 대칭이동한 B'부분의 넓이와 같다.

$\therefore \int_0^2 g(x)dx + \int_2^6 f(x)dx$
$=(A$의 넓이$)+(B$의 넓이$)$
$=(A$의 넓이$)+(B'$의 넓이$)$
$=2 \times 6 = 12$　　　　　답 ⑤

15 **Act①** $f(x)$, $g(x)$의 그래프는 직선 $y=x$에 대하여 대칭임을 이용한다.

$\int_1^{10} g(x)dx$의 값은 빗금친 B부분의 넓이이고, 역함수의 성질에 의하여 직선 $y=x$에 대하여 대칭이동한 B'부분의 넓이와 같다.

$\therefore \int_1^2 f(x)dx + \int_1^{10} g(x)dx$
$=(A$의 넓이$)+(B$의 넓이$)$
$=(A$의 넓이$)+(B'$의 넓이$)$
$=2 \times 10 - 1 \times 1 = 19$　　　답 ③

16 **Act①** $f(x)$, $g(x)$의 그래프는 직선 $y=x$에 대하여 대칭임을 이용한다.

$\int_1^8 g(x)dx$의 값은 빗금친 B부분의 넓이이고, 역함수의 성질에 의하여 직선 $y=x$에 대하여 대칭이동한 B'부분의 넓이와 같다.

$\therefore \int_1^2 f(x)dx + \int_1^8 g(x)dx$
$=(A$의 넓이$)+(B$의 넓이$)$
$=(A$의 넓이$)+(B'$의 넓이$)$
$=2 \times 8 - 1 \times 1 = 15$　　　답 15

기출유형 05

Act① 두 점 P, Q의 위치를 각각 x_P, x_Q라 하면 두 점이 다시 만날 때 $x_P = x_Q$임을 이용한다.

출발한지 t초 후의 두 점 P, Q의 위치를 각각 x_P, x_Q라 하면

$x_P = 0 + \int_0^t (3t^2 + 6t - 6)dt = t^3 + 3t^2 - 6t$

$x_Q = 0 + \int_0^t (10t - 6)dt = 5t^2 - 6t$

두 점 P, Q가 출발 후 $t = a(a>0)$에서 다시 만나므로
$x_P = x_Q$에서

$a^3 + 3a^2 - 6a = 5a^2 - 6a$
$a^3 - 2a^2 = 0$, $a^2(a-2) = 0$
$\therefore a = 2$ $(\because a>0)$　　　답 ③

17 **Act①** 원점을 출발한 점 P의 시각 t에서의 위치 x는

$x = 0 + \int_0^t v(t)dt$임을 이용한다.

$0 + \int_0^3 (3t^2 - 2t + 1)dt = \left[t^3 - t^2 + t \right]_0^3 = 21$　답 ⑤

18 **Act①** 속도 $v(t)$의 부호가 바뀔 때 점 P의 운동 방향이 바뀌므로 $v(t) = 0$일 때의 t의 값을 구한다.

운동 방향, 즉 $v(t)$의 부호가 바뀌는 것은 $v(t) = 0$일 때이므로

$t^2 - 2t - 3 = 0$에서 $(t+1)(t-3) = 0$　$\therefore t = 3$ $(\because t>0)$
즉 점 P는 출발한 지 3초 후에 운동 방향이 바뀐다.
따라서 $t = 3$에서의 점 P의 위치는

$0 + \int_0^3 (t^2 - 2t - 3)dt = \left[\frac{1}{3}t^3 - t^2 - 3t \right]_0^3 = -9$　답 ①

19 **Act①** 공이 최고 높이에 도달할 때의 속도가 0임을 이용한다.

공이 최고 높이에 도달할 때의 속도는 0 m/s이므로
$v(t) = 20 - 10t = 0$에서 $t = 2$
$t = 0$일 때 지면으로부터의 높이는 5 m이므로 구하는 최고 높이는

$5 + \int_0^2 (20 - 10t)dt = 5 + \left[20t - 5t^2 \right]_0^2$
$= 5 + 20 = 25(\text{m})$　　　답 ③

20 **Act①** $v_1(t) = v_2(t)$일 때의 t의 값을 구한다.

두 점 P, Q의 속도가 같아지는 순간의 시각 t는
$3t^2 + t = 2t^2 + 3t$에서
$t^2 - 2t = 0$, $t(t-2) = 0$　$\therefore t = 2$ $(\because t>0)$
$t = 2$에서의 두 점 P, Q의 위치는

$0 + \int_0^2 v_1(t)dt = \int_0^2 (3t^2 + t)dt = \left[t^3 + \frac{1}{2}t^2 \right]_0^2 = 10$

$0 + \int_0^2 v_2(t)dt = \int_0^2 (2t^2 + 3t)dt = \left[\frac{2}{3}t^3 + \frac{3}{2}t^2 \right]_0^2 = \frac{34}{3}$

따라서 두 점 P, Q 사이의 거리 a는 $a = \frac{34}{3} - 10 = \frac{4}{3}$

$\therefore 9a = 9 \times \frac{4}{3} = 12$　　　답 12

기출유형 06

Act① 이동 거리를 구할 때에는 속도 $v(t)$의 부호에 주의하여 적분한다.

$v(t) = 3t^2 - 6t = 0$에서 $3t(t-2) = 0$
$\therefore t = 0$ 또는 $t = 2$
이때 $0 \le t \le 2$에서 $v(t) \le 0$, $t \ge 2$에서 $v(t) \ge 0$이므로 구하는 거리는

$\int_0^5 |3t^2 - 6t|dt = \int_0^2 (-3t^2 + 6t)dt + \int_2^5 (3t^2 - 6t)dt$

$= \left[-t^3 + 3t^2 \right]_0^2 + \left[t^3 - 3t^2 \right]_2^5$

$= (-8 + 12) + \{(125 - 75) - (8 - 12)\}$

$= 58$　　　답 ⑤

21 Act① 이동 거리를 구할 때에는 속도 $v(t)$의 부호에 주의하여 적분한다.

$v(t)=-2t+4=0$에서 $t=2$

이때 $0 \le t \le 2$에서 $v(t) \ge 0$, $t \ge 2$에서 $v(t) \le 0$이므로 구하는 거리는

$$\int_0^4 |-2t+4|\,dt = \int_0^2 (-2t+4)\,dt + \int_2^4 (2t-4)\,dt$$
$$= \left[-t^2+4t \right]_0^2 + \left[t^2-4t \right]_2^4$$
$$= (-4+8) + \{(16-16)-(4-8)\}$$
$$= 4+4 = 8$$

답 ①

22 Act① 열차가 정지할 때의 속도가 0임을 이용한다.

$v(t)=20-2t=0$에서 $t=10$

따라서 열차는 제동을 건 후 10초 후에 정지하므로 정지할 때까지 달린 거리는

$$\int_0^{10} |20-2t|\,dt = \int_0^{10} (20-2t)\,dt$$
$$= \left[20t-t^2 \right]_0^{10}$$
$$= 100\,(\text{m})$$

답 ③

23 Act① $v(t)=\dfrac{dx}{dt}$, $v(2)=0$임을 이용하여 a의 값을 구한다.

시각 t에서의 점 P의 속도 $v(t)$는 $v(t)=\dfrac{dx}{dt}=4t^3+3at^2$

$v(2)=32+12a=0$에서 $a=-\dfrac{8}{3}$

$\therefore v(t)=4t^3-8t^2=4t^2(t-2)$

이때 $0 \le t \le 2$에서 $v(t) \le 0$이므로 구하는 거리는

$$\int_0^2 |4t^3-8t^2|\,dt = \int_0^2 (8t^2-4t^3)\,dt$$
$$= \left[\frac{8}{3}t^3-t^4 \right]_0^2$$
$$= \frac{64}{3}-16 = \frac{16}{3}$$

답 ①

24 Act① 공이 최고 높이에 도달할 때의 속도가 0임을 이용한다.

물체가 최고 높이에 도달할 때의 속도는 $0\,\text{m/s}$이므로

$v(t)=30-10t=0$에서 $t=3$

이때 $3 \le t \le 5$에서 $v(t) \le 0$이므로 구하는 거리는

$$\int_3^5 |30-10t|\,dt = \int_3^5 (10t-30)\,dt = \left[5t^2-30t \right]_3^5$$
$$= (125-150)-(45-90) = 20\,(\text{m})$$

답 ②

기출유형 **07**

Act① 원점에서 출발한 점 P의 이동 거리는 $|v(t)|$를 정적분한 값이므로 $v(t)$의 그래프와 t축으로 둘러싸인 도형의 넓이와 같음을 이용한다.

시각 $t=0$에서 시각 $t=6$까지 움직인 거리는 각 구간에서 $|v(t)|$를 정적분한 값의 합이므로 $v(t)$의 그래프와 t축으로 둘

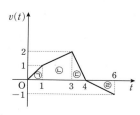

러싸인 각 도형의 넓이의 합과 같다.

$$\therefore \int_0^6 |v(t)|\,dt = ㉠+㉡+㉢+㉣$$
$$= \frac{1}{2}+3+1+1 = \frac{11}{2}$$

답 ⑤

[참고]

$t=6$일 때, 점 P의 위치는

$$\frac{1}{2}+3+1+(-1) = \frac{7}{2}$$

25 Act① 세 자동차가 움직인 거리는 모두 같고 움직인 거리는 $v(t)$의 그래프와 t축으로 둘러싸인 도형의 넓이임을 이용한다.

ㄱ. A, C의 이동 거리와 이동 시간이 같으므로
(A의 평균속도)=(C의 평균속도) (참)

ㄴ. $v'(t)=0$인 시각에서 가속도는 0이므로 B, C 두 그래프에서 접선의 기울기가 0인 순간이 적어도 한 번 존재한다. (참)

ㄷ. 세 자동차가 움직인 거리는 모두 같으므로 속도 그래프와 t축으로 둘러싸인 부분의 넓이는 모두 같다. (참)

따라서 옳은 것은 ㄱ, ㄴ, ㄷ이다.

답 ⑤

26 Act① 속도 $v(t)$의 부호가 바뀔 때 점 P의 운동 방향이 바뀌고, 원점에서 출발한 점 P의 시각 t에서의 위치 $\int_0^t v(t)\,dt$와 이동 거리 $\int_0^t |v(t)|\,dt$는 그래프와 t축 사이의 넓이 관계에서 판단한다.

그림과 같이 각각의 구간에서의 넓이를 S_1, S_2, S_3, S_4라 하면

$$\int_0^a |v(t)|\,dt = \int_a^d |v(t)|\,dt$$

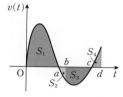

이므로

$S_1 = S_2+S_3+S_4$

ㄱ. 점 P는 $0 \le t \le a$일 때 S_1만큼의 거리를 수직선의 양의 방향으로 움직였다가 $a \le t \le c$일 때 S_2+S_3만큼의 거리를 수직선의 음의 방향으로 움직이고 $S_1 > S_2+S_3$이므로 원점을 다시 지나지 않는다. (거짓)

ㄴ. $\int_0^c v(t)\,dt = S_1-S_2-S_3$

$\int_c^d v(t)\,dt = S_4 = S_1-(S_2+S_3)$

$\therefore \int_0^c v(t)\,dt = \int_c^d v(t)\,dt$ (참)

ㄷ. $\int_0^b v(t)\,dt = S_1-S_2 = (S_2+S_3+S_4)-S_2 = S_3+S_4$

$\int_b^d |v(t)|\,dt = S_3+S_4$

$\therefore \int_0^b v(t)\,dt = \int_b^d |v(t)|\,dt$ (참)

따라서 옳은 것은 ㄴ, ㄷ이다.

답 ④

01

$x^2-4x+3=3$에서

$x(x-4)=0$

$\therefore x=0$ 또는 $x=4$

따라서 구하는 도형의 넓이는

$\int_0^4 \{3-(x^2-4x+3)\}dx$

$=\int_0^4 (-x^2+4x)dx$

$=\left[-\dfrac{1}{3}x^3+2x^2\right]_0^4=\dfrac{32}{3}$

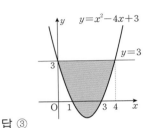

답 ③

02

곡선 $y=x^2-6x$와 x축의 교점의 x좌표는 $x^2-6x=0$에서

$x(x-6)=0$

$\therefore x=0$ 또는 $x=6$

따라서 구하는 도형의 넓이는

$\int_{-1}^0 (x^2-6x)dx-\int_0^1 (x^2-6x)dx$

$=\left[\dfrac{1}{3}x^3-3x^2\right]_{-1}^0-\left[\dfrac{1}{3}x^3-3x^2\right]_0^1$

$=\dfrac{10}{3}+\dfrac{8}{3}=6$

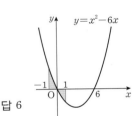

답 6

03

곡선 $y=x^3-4x$와 x축의 교점의 x좌표는

$x^3-4x=0$에서

$x(x+2)(x-2)=0$

$\therefore x=-2$ 또는 $x=0$ 또는 $x=2$

따라서 구하는 도형의 넓이는

$\int_{-2}^0 (x^3-4x)dx-\int_0^2 (x^3-4x)dx$

$=\left[\dfrac{1}{4}x^4-2x^2\right]_{-2}^0-\left[\dfrac{1}{4}x^4-2x^2\right]_0^2$

$=4+4=8$

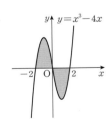

답 ④

04

$y=x(|x|-1)$

$=\begin{cases} x^2-x & (x\geq0) \\ -x^2-x & (x\leq0) \end{cases}$

$x^2-x=0$에서 $x=0$ 또는 $x=1$

$-x^2-x=0$에서 $x=-1$ 또는 $x=0$

따라서 구하는 도형의 넓이는

$\int_{-1}^0 (-x^2-x)dx-\int_0^1 (x^2-x)dx$

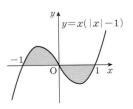

$=\left[-\dfrac{1}{3}x^3-\dfrac{1}{2}x^2\right]_{-1}^0-\left[\dfrac{1}{3}x^3-\dfrac{1}{2}x^2\right]_0^1$

$=\dfrac{1}{6}+\dfrac{1}{6}=\dfrac{1}{3}$

답 ①

05

곡선 $y=x^3-x^2-x$와 직선 $y=x$의 교점의 x좌표는

$x^3-x^2-x=x$에서

$x(x+1)(x-2)=0$

$\therefore x=-1$ 또는 $x=0$ 또는 $x=2$

따라서 구하는 도형의 넓이는

$\int_{-1}^2 |x^3-x^2-2x|dx$

$=\int_{-1}^0 (x^3-x^2-2x)dx+\int_0^2 (-x^3+x^2+2x)dx$

$=\left[\dfrac{1}{4}x^4-\dfrac{1}{3}x^3-x^2\right]_{-1}^0+\left[-\dfrac{1}{4}x^4+\dfrac{1}{3}x^3+x^2\right]_0^2$

$=\dfrac{5}{12}+\dfrac{8}{3}=\dfrac{37}{12}$

답 ③

06

두 곡선 $y=2x^2-7x+5$,

$y=-x^2+5x-4$의 교점의 x좌표는

$2x^2-7x+5=-x^2+5x-4$에서

$3x^2-12x+9=0$

$x^2-4x+3=0$

$(x-1)(x-3)=0$

$\therefore x=1$ 또는 $x=3$

따라서 구하는 도형의 넓이는

$\int_1^3 \{(-x^2+5x-4)-(2x^2-7x+5)\}dx$

$=\int_1^3 (-3x^2+12x-9)dx$

$=\left[-x^3+6x^2-9x\right]_1^3$

$=0-(-4)=4$

답 ②

07

$y'=2x$이므로 점 $(2, 4)$에서의 접선의 방정식은

$y-4=4(x-2)$, 즉 $y=4x-4$

주어진 곡선과 접선의 교점의 x좌표는

$x=2$

따라서 구하는 도형의 넓이는

$\int_0^2 \{x^2-(4x-4)\}dx$

$=\int_0^2 (x^2-4x+4)dx$

$=\left[\dfrac{1}{3}x^3-2x^2+4x\right]_0^2$

$=\dfrac{8}{3}$

답 ④

08

$f(x)=\begin{cases}6 & (x\leq0) \\ -3x+6 & (x\geq0)\end{cases}$ 이므로

$\displaystyle\int_{-2}^{2}xf(x)dx$

$=\displaystyle\int_{-2}^{0}6xdx+\int_{0}^{2}(-3x^2+6x)dx$

$=\Big[3x^2\Big]_{-2}^{0}+\Big[-x^3+3x^2\Big]_{0}^{2}$

$=-12+4=-8$ 답 ③

09

곡선 $y=x^2-3x$와 직선 $y=ax$의 교점의

x좌표는 $x^2-3x=ax$에서

$x\{x-(a+3)\}=0$

$\therefore\ x=0$ 또는 $x=a+3$

이때 그림과 같이 곡선 $y=x^2-3x$와 직

선 $y=ax$로 둘러싸인 도형의 넓이가 $\dfrac{32}{3}$

이므로

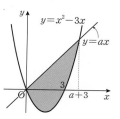

$\displaystyle\int_{0}^{a+3}\{ax-(x^2-3x)\}dx=\dfrac{32}{3}$

$\Big[-\dfrac{1}{3}x^3+\dfrac{a+3}{2}x^2\Big]_{0}^{a+3}=\dfrac{32}{3}$

$\dfrac{(a+3)^3}{6}=\dfrac{32}{3}$

$(a+3)^3=64,\ a+3=4\ \ \therefore\ a=1$ 답 1

10

$F(x)=\displaystyle\int_{0}^{x}f(t)dt$이므로 $F'(x)=f(x)$

$f(x)=0$에서

$x=1$ 또는 $x=3$ 또는 $x=5$

x	0	$\cdots$	1	$\cdots$	3	$\cdots$	5
$f(x)$	1	+	0	−	0	+	0
$F(x)$		↗	극대	↘	극소	↗	

함수 $F(x)$는 $x=3$일 때, 극소이므로 극솟값은

$F(3)=\displaystyle\int_{0}^{3}f(t)dt$

$=\displaystyle\int_{0}^{2}(1-t)dt+\int_{2}^{3}(t-3)dt$

$=\Big[t-\dfrac{1}{2}t^2\Big]_{0}^{2}+\Big[\dfrac{1}{2}t^2-3t\Big]_{2}^{3}=-\dfrac{1}{2}$ 답 ②

11

$x^3-ax^2=2x^2-2ax$에서

$x^3-(a+2)x^2+2ax=0$

$x(x-2)(x-a)=0$

$\therefore\ x=0$ 또는 $x=2$ 또는 $x=a$

이때 $\displaystyle\int_{0}^{a}\{x^3-(a+2)x^2+2ax\}dx=0$이므로

$\Big[\dfrac{1}{4}x^4-\dfrac{1}{3}(a+2)x^3+ax^2\Big]_{0}^{a}$

$=-\dfrac{1}{12}a^4+\dfrac{1}{3}a^3$

$=-\dfrac{1}{12}a^3(a-4)$

$=0$

그런데 $a>2$이므로 $a=4$ 답 ②

12

점 P가 시각 $t=2$에서 $t=5$까지 움직인 거리는

$\displaystyle\int_{2}^{5}(20-4t)dt=\Big[20t-2t^2\Big]_{2}^{5}=18$ 답 ④

13

고속 열차가 9 km를 달리는 데 걸린 시간을 t분이라 하면

$\displaystyle\int_{0}^{t}\Big(\dfrac{3}{4}t^2+\dfrac{1}{2}t\Big)dt=\Big[\dfrac{1}{4}t^3+\dfrac{1}{4}t^2\Big]_{0}^{t}$

$\qquad\qquad\qquad=\dfrac{1}{4}t^3+\dfrac{1}{4}t^2$

즉 $\dfrac{1}{4}t^3+\dfrac{1}{4}t^2=9$이므로

$t^3+t^2-36=0,$

$(t-3)(t^2+4t+12)=0$

$\therefore\ t=3$

따라서 3분 이후의 속도는

$v(3)=\dfrac{33}{4}$으로 일정하므로

출발 후 5분 동안 이 열차가 달린 거리는

$9+\displaystyle\int_{3}^{5}\dfrac{33}{4}dt=9+\Big[\dfrac{33}{4}t\Big]_{3}^{5}$

$\qquad\qquad\quad=9+\dfrac{33}{2}$

$\qquad\qquad\quad=\dfrac{51}{2}$

$\therefore\ a=\dfrac{51}{2}$ 답 ③

14

전동차가 정지할 때의 속도는 0 m/s이므로 $24-3t=0$에서 $t=8$

$\therefore\ \displaystyle\int_{0}^{8}|24-3t|dt=\int_{0}^{8}(24-3t)dt$

$\qquad\qquad\qquad=\Big[24t-\dfrac{3}{2}t^2\Big]_{0}^{8}$

$\qquad\qquad\qquad=96\ (\text{m})$ 답 ⑤

15

시각 t에서 원점으로 돌아온다고 하면 시각 t까지의 위치의 변화량은 0이므로

$\displaystyle\int_{0}^{t}(10-5t)dt=\Big[10t-\dfrac{5}{2}t^2\Big]_{0}^{t}$

$\qquad\qquad\qquad=10t-\dfrac{5}{2}t^2$

즉 $10t-\dfrac{5}{2}t^2=0$이므로

$-\dfrac{5}{2}t(t-4)=0$

그런데 $t>0$이므로 $t=4$ 답 ④

16

$\int_0^7 |v(t)|\,dt$

$=\dfrac{1}{2}\times 1\times 2+\dfrac{1}{2}\times(1+4)\times 2+\dfrac{1}{2}\times 2\times 1$

$=1+5+1=7$

답 ③

17

물체가 최고 높이에 도달하는 순간의 속도는 0이므로

$28-9.8t=0$

$\therefore t=\dfrac{20}{7}$

최고 높이에 도달할 때까지 물체가 움직인 거리는

$\displaystyle\int_0^{\frac{20}{7}} v(t)dt=\int_0^{\frac{20}{7}}(28-9.8t)dt$

$\qquad\qquad=\Big[28t-4.9t^2\Big]_0^{\frac{20}{7}}=40$

따라서 이 물체가 지면에 떨어질 때까지 움직인 거리는

$40+(40+28)=108(\mathrm{m})$

답 ④

18

두 점 P, Q의 위치를 각각 x_1, x_2라 하면

$x_1=\displaystyle\int_0^t (3t^2-8t+4)dt$

$\quad=\Big[t^3-4t^2+4t\Big]_0^t=t^3-4t^2+4t$

$x_2=\displaystyle\int_0^t (12-8t)dt$

$\quad=\Big[12t-4t^2\Big]_0^t=12t-4t^2$

$t^3-4t^2+4t=12t-4t^2$에서

$t^3-8t=0$, $t(t^2-8)=0$

그런데 $t>0$이므로

$t=2\sqrt{2}$

답 ③

memo

조금이라도 달라지고 싶다면
지금 이 순간부터 변해야 한다.
─프레드 스미스

당신이 친구들이 보고 싶으면
친구들이 당신에게 관심을 가지게 하려 하지 말고
당신이 먼저 친구들에게 관심을 가져라.
─데일 카네기

좋은 기회를 만나지 못한 사람은 아무도 없다.
다만 그것을 붙잡지 못했을 뿐이다.
─앤두르 카네기

memo

조금이라도 달라지고 싶다면
지금 이 순간부터 변해야만 한다.
-프레드 스미스

당신이 친구들이 보고 싶으면
친구들이 당신에게 관심을 가지게 하려 하지 말고
당신이 먼저 친구들에게 관심을 가져라.
- 데일 카네기

좋은 기회를 만나지 못한 사람은 아무도 없다.
다만 그것을 붙잡지 못했을 뿐이다.
- 앤드류 카네기

참 쉬운

3점 수학